Poche

VISUEL

Windows 8

John Wiley & Sons, Inc.

FIRST Interactive

Windows 8 Poche Visuel

Publié par
John Wiley & Sons, Inc.
10475 Crosspoint Boulevard
Indianapolis, IN 46256, États-Unis
www.wiley.com

Titre de l'édition originale : *Teach Yourself VISUALLY Windows 8*

Édition française publiée en accord avec John Wiley & Sons, Inc. par :

© Éditions First, 2013
60, rue Mazarine
75006 Paris – France
Tél. 01 45 49 60 00
Fax 01 45 49 60 01
E-mail : firstinfo@efirst.com
Web : www.editionsfirst.fr

ISBN : 978-2-7540-5105-7
Dépôt légal : avril 2013
Imprimé en France par IME, 3 rue de l'Industrie, 25112 Baume-Les-Dames
Auteur : Paul Mc Fedries
Traduction : Laurence Chabard, Bénédicte Volto
Cette édition est un extrait du livre *Poche Visuel Windows 8 Maxi volume*.
Mise en page : Pierre Brandeis

TABLE DES MATIÈRES

1 DÉCOUVREZ WINDOWS 8

2 UTILISEZ LES PROGRAMMES

3 UTILISEZ LES APPLICATIONS WINDOWS

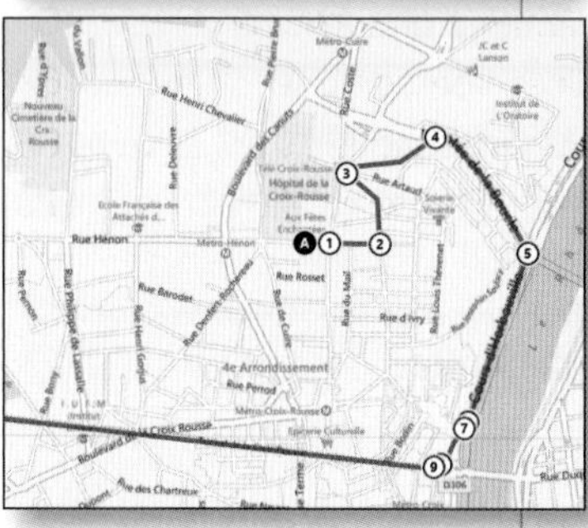

4 NAVIGUEZ SUR LE WEB

5 ÉCHANGEZ DU COURRIER ÉLECTRONIQUE

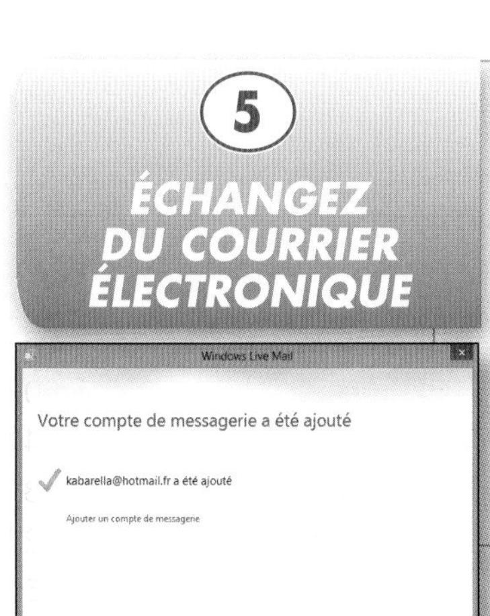

6 MANIPULEZ LES IMAGES

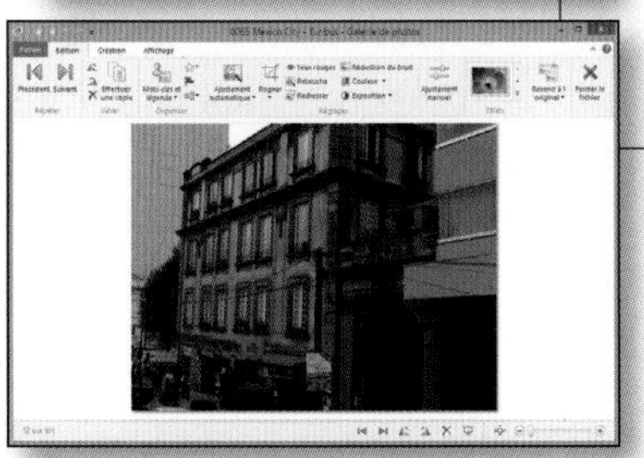

7 ÉCOUTEZ DE LA MUSIQUE

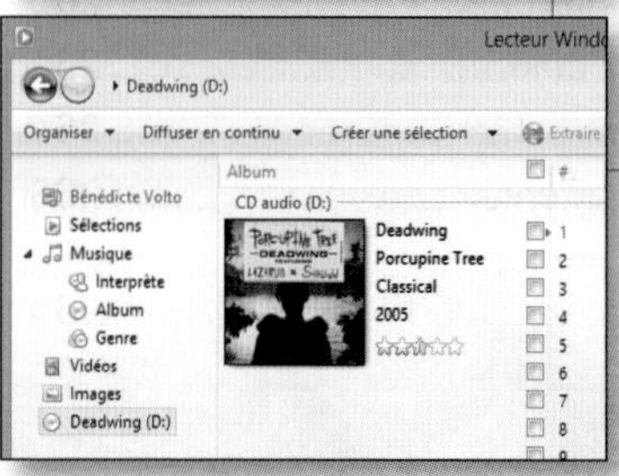

8 CRÉEZ ET MODIFIEZ DES DOCUMENTS

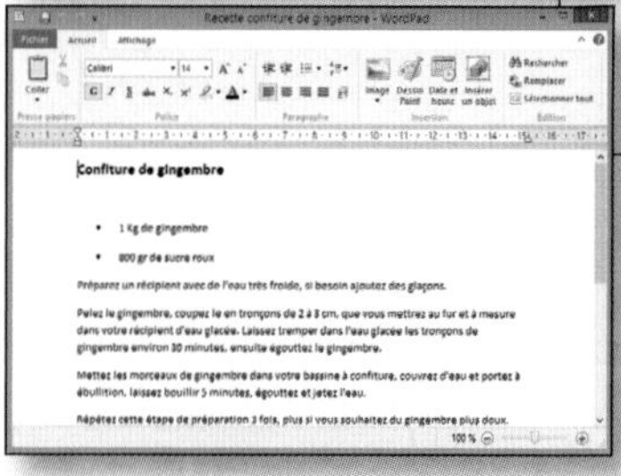

9 MANIPULEZ LES FICHIERS

10 PARTAGEZ VOTRE ORDINATEUR

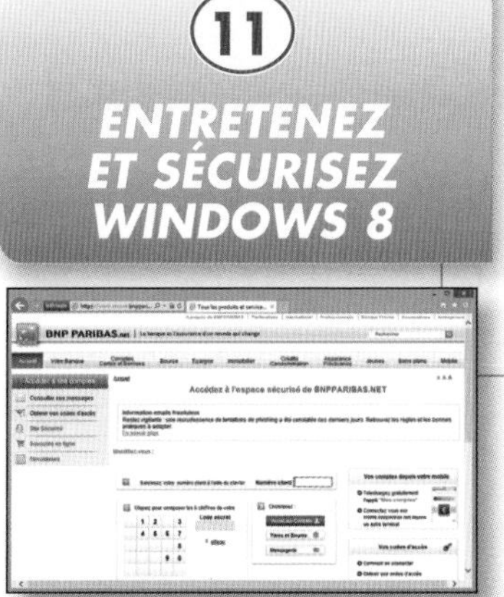

11 ENTRETENEZ ET SÉCURISEZ WINDOWS 8

DÉMARREZ WINDOWS 8

Windows 8 démarre automatiquement avec votre ordinateur. Selon la configuration de Windows, l'écran d'ouverture de session peut apparaître.

DÉMARREZ WINDOWS 8

❶ Allumez votre ordinateur.

Après quelques instants, l'écran de verrouillage de Windows 8 apparaît.

❷ Appuyez sur Entrée.

Pour vous assurer que personne n'utilise votre ordinateur sans votre autorisation, Windows 8 vous invite à définir un nom d'utilisateur et un mot de passe au tout premier démarrage, lors des étapes de configuration. À chaque démarrage, Windows 8 affiche l'écran d'ouverture de session, où vous tapez vos nom d'utilisateur et mot de passe pour continuer.

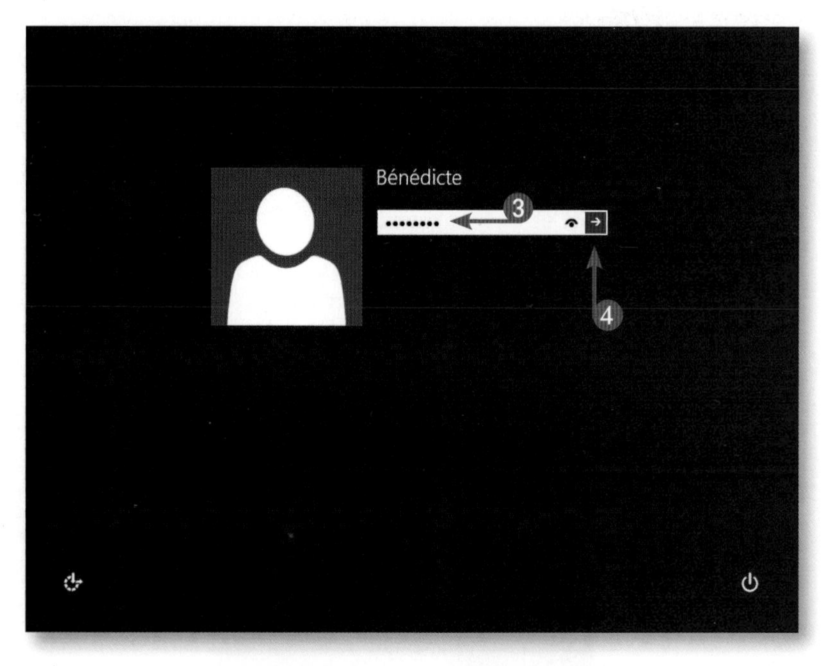

L'écran d'ouverture de session apparaît.

Note. *Si vous avez créé plusieurs comptes d'utilisateurs, cliquez l'icône de votre nom d'utilisateur.*

3 Tapez votre mot de passe.

Note. *Lors de la saisie, des points remplacent les caractères du mot de passe pour en préserver la confidentialité.*

4 Cliquez la flèche Envoyer ou appuyez sur Entrée.

L'écran d'accueil de Windows 8 apparaît.

INTRODUCTION À WINDOWS 8

Le système d'exploitation Windows 8 inclut de nombreux outils, applications et ressources.

Travaillez plus efficacement

Grâce à Windows 8, exécutez des programmes (ou applications) qui rendent votre travail plus efficace. Rédigez vos lettres et vos notes de service avec un traitement de texte, effectuez des calculs à l'aide d'un tableur et stockez des informations dans une base de données.

Windows 8 intègre certains de ces programmes, comme WordPad (chapitre 8). D'autres s'achètent et s'installent séparément.

Programme de la conférence 2013

Lundi 8 avril

Session du matin

9h à 9h15	Accueil
9h15 à 10h	Discours
10h à 10h30	Débat
10h30 à 10h50	Collation
10h50 à 12h50	3 intervenants

Session de l'après-midi

12h à 13h30	Déjeuner
14h00 à 15h	2 intervenants
15h à 15h30	Débat

Créez et retouchez des images

Windows 8 dispose de nombreuses fonctions de traitement d'images. Vous pouvez créer entièrement les images, les importer d'un scanneur ou d'un appareil photo numérique, les télécharger *via* Internet. Les images acquises ou créées peuvent être modifiées, imprimées ou envoyées par courrier électronique. Consultez le chapitre 6 pour plus d'informations.

Cette section présente toutes les possibilités qu'offre Windows 8, notamment pour travailler, organiser et retoucher des photos, écouter de la musique, accéder à Internet et communiquer.

Écoutez de la musique

Windows 8 satisfait aussi bien vos oreilles que vos yeux. Vous pouvez écouter des CD audio et de la musique, regarder des clips vidéo, copier des morceaux à partir d'un CD audio, créer vos propres listes de lecture et graver des fichiers audio sur CD. Reportez-vous à cet effet au chapitre 7.

Accédez à Internet

Une fois connecté à Internet, profitez-en pleinement grâce aux différents outils intégrés à Windows 8. Par exemple, créez un compte Microsoft pour consulter votre messagerie, votre calendrier et les autres éléments en ligne de votre écran d'accueil. Naviguez sur le Web avec Internet Explorer (chapitre 4) et échangez du courrier électronique avec Windows Live Mail (chapitre 5).

DÉCOUVREZ L'ÉCRAN D'ACCUEIL DE WINDOWS 8

Avant de vous lancer dans l'utilisation de Windows 8, découvrez les éléments de base de son écran d'accueil : les vignettes classiques, les vignettes dynamiques de l'écran d'accueil, le pointeur de la souris et la vignette Bureau.

Vignette

Chaque rectangle représente une application ou une fonction de Windows 8. Si vous utilisez fréquemment une application, sa vignette s'ajoute dans l'écran d'accueil.

Pointeur

Cette flèche suit les mouvements de la souris.

Vignette Bureau

Cette vignette donne accès au Bureau Windows 8, traité à la prochaine section.

Vignette dynamique

Certaines vignettes affichent des informations fréquemment mises à jour, comme la vignette Météo.

Vignette du compte d'utilisateur

Cette vignette donne accès aux options du compte d'utilisateur Windows 8.

Il est important de bien assimiler l'emplacement et l'usage de ces éléments pour explorer Windows 8 et ses applications.

DÉCOUVREZ LE BUREAU WINDOWS 8

Avant de vous lancer dans l'utilisation de Windows 8, découvrez les éléments de base de son écran : les icônes du Bureau, la barre des tâches et la zone de notification. Il est important de connaître ces éléments et leur usage pour bien utiliser Windows 8 et ses applications.

Icône de Bureau

Chaque icône placée sur le Bureau représente un programme ou une fonction de Windows 8. Lors de l'installation d'un nouveau programme, son icône apparaît généralement sur le Bureau.

Bureau

Il s'agit de l'espace de travail de Windows 8, c'est-à-dire là où vous utilisez vos programmes et vos documents.

Barre des tâches

Les programmes ouverts apparaissent dans la barre des tâches. Cette zone permet de passer d'un programme à un autre, si vous en avez ouvert plusieurs simultanément.

Icônes de la barre des tâches

Ces icônes offrent une autre manière de démarrer certains programmes de Windows 8.

Zone de notification

Cette zone présente de petites icônes qui vous informent des événements en cours sur votre ordinateur. Par exemple, une notification apparaît si le bac à papier de l'imprimante est vide ou si une nouvelle mise à jour de Windows 8 est disponible.

Heure et date

Il s'agit de l'heure et de la date en cours. Pour afficher la date complète, placez le pointeur ↖ sur l'heure. Pour régler la date ou l'heure, cliquez l'heure.

Pour afficher le Bureau à partir de l'écran d'accueil, cliquez la vignette **Bureau** ou appuyez sur ⊞ + D.

UTILISEZ LA SOURIS AVEC WINDOWS 8

Si vous utilisez Windows 8 sur un ordinateur de bureau ou un portable, assimilez au plus vite les techniques de base de l'usage de la souris, incontournables avec Windows.

CLIQUEZ

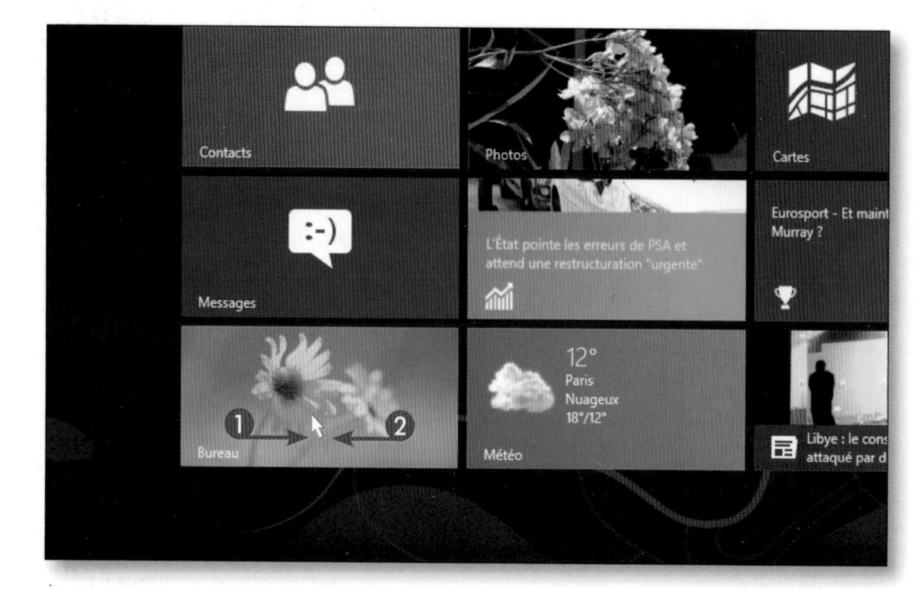

1 Placez le pointeur sur l'objet à manipuler.

2 Appuyez sur le bouton gauche de la souris.

Windows 8 exécute une opération selon l'objet (comme afficher le Bureau).

Si vous n'avez jamais utilisé de souris, effectuez des déplacements lents et mesurés. Exercez-vous autant que nécessaire.

DOUBLE-CLIQUEZ

① Placez le pointeur sur l'objet à manipuler.

② Appuyez rapidement deux fois de suite sur le bouton gauche de la souris.

● Windows 8 effectue généralement une opération (comme afficher la fenêtre de la Corbeille).

Si Windows 8 ne réagit pas au double-clic, essayez de double-cliquer plus rapidement et ne déplacez pas la souris entre les clics. Si le problème persiste, dans l'écran d'accueil, tapez souris, cliquez Paramètres ➔ Modifier les paramètres de la souris pour ouvrir la boîte de dialogue Propriétés de : Souris. Dans l'onglet Boutons, déplacez le curseur Vitesse du double-clic vers la gauche (vers Lente).

CLIQUEZ DU BOUTON DROIT

❶ Placez le pointeur sur l'objet à manipuler.

❷ Appuyez sur le bouton droit de la souris.

● Windows 8 affiche un menu contextuel.

Note. *Le contenu du menu contextuel varie selon l'objet cliqué.*

Pour adapter votre souris à un gaucher, dans le même onglet, cochez la case **Inverser le bouton principal et secondaire**, puis utilisez le bouton droit de la souris pour cliquer **OK**.

FAITES GLISSER LA SÉLECTION

1 Placez le pointeur sur l'objet à manipuler.

2 Cliquez et maintenez enfoncé le bouton gauche de la souris.

3 Déplacez la souris pour faire glisser l'objet sélectionné.

En règle générale, l'objet suit le mouvement du pointeur.

4 Relâchez le bouton de la souris lorsque l'objet est repositionné.

L'utilisation de Windows 8 avec un écran tactile s'effectue au moyen de mouvements spécifiques, contrairement à un ordinateur classique. Cependant, comme Windows 8 a été conçu pour les écrans tactiles de tablettes ou de PC-tablettes, il est très intuitif et facile à découvrir.

EFFECTUEZ UNE ACTION

❶ Placez votre doigt ou le stylet au-dessus de l'objet à manipuler.

❷ Touchez l'écran.

Selon l'objet, Windows 8 le sélectionne ou exécute une opération (comme afficher le Bureau).

Si vous n'avez jamais utilisé d'écran tactile, vous allez constater que la différence principale réside dans le mouvement des doigts (parfois d'un stylet, s'il est fourni) pour exécuter des applications, sélectionner des éléments et manipuler des objets à l'écran. Vous manquerez peut-être de précision au début, mais les gestes vont venir plus naturellement à mesure que vous appliquerez les techniques de cette section.

BALAYEZ L'ÉCRAN

❶ Faites glisser rapidement votre doigt ou le stylet sur l'écran comme suit :

Glissez du bord droit de l'écran vers la gauche.

● Windows 8 affiche la barre d'icônes.

Glissez du bord gauche de l'écran vers la droite pour passer d'une application à l'autre.

Si une application utilise plusieurs écrans, glissez vers la droite ou vers la gauche pour les parcourir.

Glissez du haut de l'écran vers le bas pour afficher la barre d'application d'une application Windows 8.

Pour fermer une application, faites glisser votre doigt ou le stylet du haut de l'écran vers le bas. Tout d'abord, les paramètres de l'application s'affichent. Ensuite, alors que vous arrivez au milieu de l'écran, l'application passe dans une petite fenêtre. Poursuivez le déplacement de cette fenêtre jusqu'au bas de l'écran, puis relevez le doigt ou le stylet pour fermer l'application.

AFFICHEZ LA BARRE D'APPLICATION D'UNE VIGNETTE

❶ Touchez une vignette pour la sélectionner.

❷ Glissez vers le haut depuis le bas de l'écran.

● Windows 8 affiche la barre d'application.

Pour afficher l'écran d'accueil à partir du Bureau, faites glisser votre doigt du bord droit de l'écran vers la gauche pour d'abord afficher la barre d'icônes, puis touchez ensuite l'icône **Accueil**. Sinon, fermez l'application Bureau de la même manière que n'importe quelle application.

DÉPLACEZ UN ÉLÉMENT

❶ Placez votre doigt ou le stylet au-dessus de l'élément à manipuler.

❷ Posez votre doigt ou le stylet sur l'écran et déplacez-le.

L'objet suit le mouvement de votre doigt ou du stylet.

❸ Lorsque l'objet est repositionné, relevez votre doigt ou le stylet.

REDÉMARREZ OU ARRÊTEZ WINDOWS 8

Redémarrez Windows 8 lorsque votre ordinateur ralentit, qu'il devient instable ou lorsque vous installez un programme ou un périphérique qui le nécessite.

REDÉMARREZ OU ARRÊTEZ WINDOWS 8

❶ Quittez tous les programmes en cours d'exécution.

Note. *Enregistrez votre travail en quittant les programmes.*

❷ Appuyez sur [Windows] + [I].

● Le menu Paramètres d'Accueil apparaît.

Note. *Pour afficher le menu Paramètres d'Accueil sur un écran tactile, glissez du bord droit vers la gauche, puis touchez* ***Paramètres*** *dans la barre d'icônes.*

Votre travail de la journée terminé, arrêtez Windows 8. Il ne suffit pas, cependant, d'appuyer sur le bouton de mise hors tension de votre ordinateur. Les étapes ci-après décrivent la bonne marche à suivre afin de ne pas endommager votre système. Éteindre l'ordinateur sans arrêter correctement Windows 8 peut causer deux problèmes. Tout d'abord, si vous n'avez pas enregistré les modifications de vos documents ouverts, vous risquez de les perdre. En outre, vous pouvez endommager certains fichiers de Windows 8 et rendre le système instable.

3 Cliquez **Marche/Arrêt**.

4 Cliquez **Redémarrer** ou **Arrêter**.

Dans le premier cas, Windows 8 s'arrête et votre ordinateur redémarre. Dans le deuxième cas, Windows 8 s'arrête et éteint votre ordinateur.

● Si, lors de votre prochaine utilisation de Windows 8, vous souhaitez retrouver tels quels les programmes et les documents ouverts, cliquez **Marche/Arrêt → Veille**.

INSTALLEZ UNE APPLICATION

Si Windows 8 n'inclut pas une application dont vous avez besoin, vous pouvez l'acquérir séparément et l'installer vous-même sur votre ordinateur.

À PARTIR DU WINDOWS STORE

❶ Dans l'écran d'accueil, cliquez **Windows Store**.

Note. *Vous devez posséder un compte Microsoft pour installer une application à partir du Windows Store.*

Une application se démarre différemment si vous l'avez obtenue à partir du Windows Store ou si vous l'avez téléchargée *via* Internet. Si vous l'avez achetée en magasin, elle s'installe à l'aide du CD ou du DVD fourni.

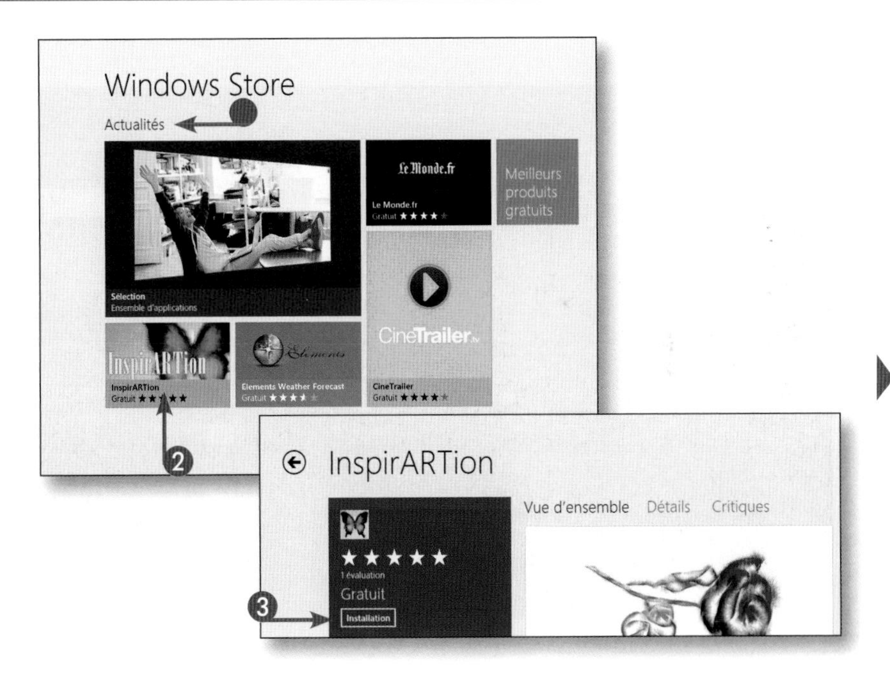

La fenêtre Windows Store s'affiche.

2 Touchez l'application à installer.

● Si l'application que vous souhaitez n'apparaît pas dans cet écran, recherchez-la dans une catégorie.

3 Touchez **Installation**.

Windows 8 installe l'application.

Pour installer un logiciel à partir d'un CD ou d'un DVD, insérez-le dans votre lecteur, puis, dans la boîte de dialogue qui s'affiche, cliquez Exécuter *fichier*, où *fichier* correspond au nom du programme d'installation (setup.exe habituellement).

DEPUIS UN FICHIER TÉLÉCHARGÉ SUR INTERNET

❶ Dans l'écran d'accueil, tapez **téléchargements**.

❷ Cliquez **Téléchargements**.

Note. *Si vous avez enregistré le fichier dans un autre dossier, utilisez l'Explorateur de fichiers pour le localiser. Reportez-vous à cet effet au chapitre 9.*

Suivez les instructions fournies (la procédure varie d'un programme à un autre).

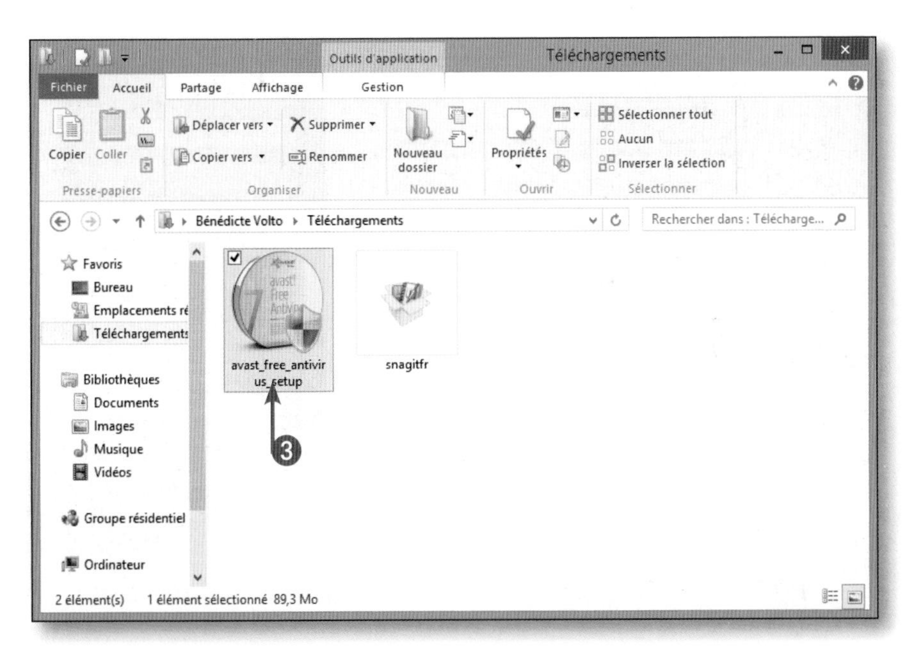

Le dossier Téléchargements apparaît.

❸ Double-cliquez le fichier.

Le programme d'installation démarre.

Note. *Si le fichier est un dossier compressé, vous devez tout d'abord en extraire le contenu, puis double-cliquer le fichier d'installation (chapitre 9).*

❹ Suivez les instructions fournies par le programme d'installation.

Les programmes Windows Essentials, disponibles sur le site de Microsoft, apportent de nouvelles fonctionnalités à votre ordinateur.

INSTALLEZ WINDOWS ESSENTIALS

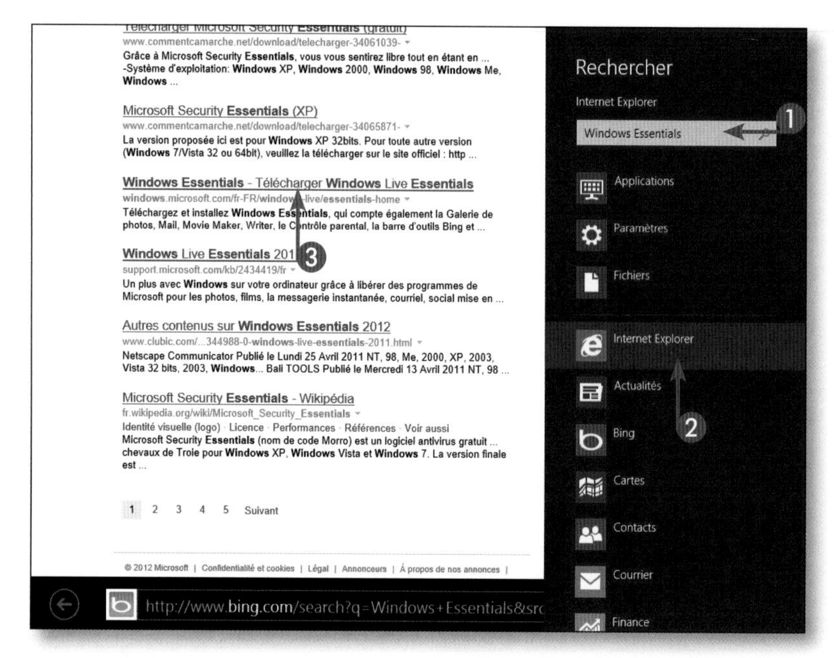

❶ Dans l'écran d'accueil, tapez **Windows Essentials 2012**.

❷ Cliquez **Internet Explorer**.

❸ Cliquez le lien **Windows Essentials – Télécharger Windows Live Essentials**.

Les applications Windows 8 installées par défaut sont correctes, mais la plupart n'offre qu'un nombre limité de fonctionnalités. Les programmes Windows Essentials multiplient vos possibilités : Windows Live Mail (chapitre 5), Galerie de photos (chapitre 6), Movie Maker (pour créer vos propres films numériques) et Messenger (pour la messagerie instantanée).

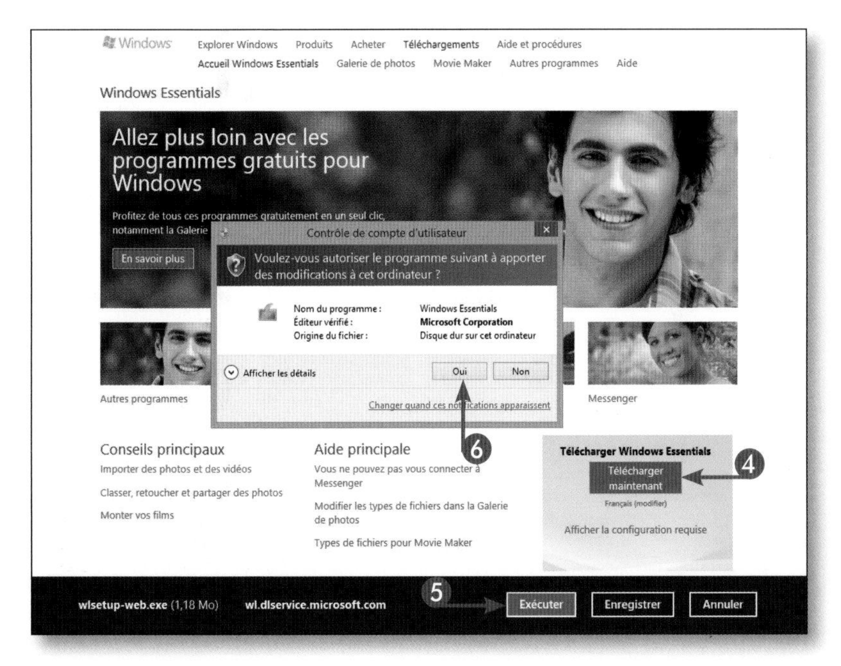

La page Web de Windows Essentials s'affiche.

4 Cliquez **Télécharger maintenant**.

5 Cliquez **Exécuter**.

La boîte de dialogue Contrôle de compte d'utilisateur apparaît.

6 Cliquez **Oui**.

Les programmes Windows Essentials sont gratuits. Ils complètent Windows 8, mais n'y sont pas installés par défaut, car beaucoup d'utilisateurs préfèrent se servir d'autres programmes, comme Microsoft Outlook pour leur messagerie.

INSTALLEZ WINDOWS ESSENTIALS (SUITE)

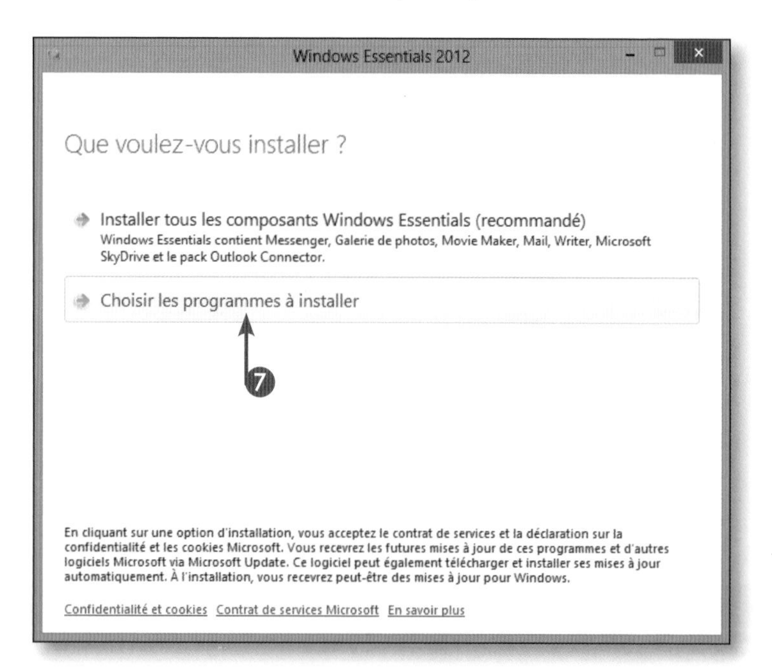

La boîte de dialogue Que voulez-vous installer ? s'affiche.

7 Cliquez **Choisir les programmes à installer**.

Les programmes Windows Essentials fonctionnent comme tous les programmes. Vous pouvez donc lesdésinstaller, comme décrit ultérieurement dans ce chapitre.

La boîte de dialogue Sélectionnez les programmes à installer s'ouvre.

8 Cochez la case de chaque programme à installer (☐ devient ☑).

9 Cliquez **Installer**.

Windows 8 installe les programmes Windows Essentials sélectionnés.

DÉMARREZ UNE APPLICATION

Les applications installées sur votre ordinateur permettent d'effectuer toutes sortes de tâches. Par exemple, pour naviguer sur le Web, utilisez un navigateur comme Internet Explorer, fourni avec Windows 8.

DEPUIS L'ÉCRAN D'ACCUEIL

❶ Cliquez la vignette de l'application à démarrer.

Note. *Si vos applications sont trop nombreuses pour apparaître à l'écran, utilisez la barre de défilement horizontal pour toutes les visualiser.*

Avant d'utiliser une application, il vous faut indiquer à Windows 8 laquelle exécuter, et la démarrer à partir de l'écran d'accueil ou de l'écran Applications.

L'application démarre.

● Si vous avez démarré une application Windows 8, celle-ci s'affiche en plein écran.

Note. *Pour fermer une application Windows 8, appuyez sur* Alt + F4.

DÉMARREZ UNE APPLICATION

Pour retrouver facilement une application parmi des dizaines de vignettes, effectuez une recherche en appuyant sur ⊞+ Q. L'écran Applications s'affiche, avec le volet Rechercher. À mesure que vous tapez le nom de l'application, Windows 8 affiche la liste des applications correspondantes.

DEPUIS L'ÉCRAN APPLICATIONS

❶ Appuyez sur le bouton droit de la souris dans un emplacement vide de l'écran d'accueil.

❷ Cliquez **Toutes les applications**.

Certains programmes n'apparaissent ni dans l'écran d'accueil, ni dans l'écran Applications, ni parmi les résultats de la recherche d'applications. Il s'agit principalement d'outils et utilitaires de Windows 8, reconnus uniquement par leur nom de fichier. Utilisez le volet de recherche Applications pour rechercher le nom de fichier, si vous le connaissez.

L'écran Applications apparaît.

❸ Cliquez l'application à exécuter.

Windows 8 démarre l'application.

DÉCOUVREZ LES FENÊTRES D'APPLICATIONS WINDOWS 8

Windows 8 prend en charge deux types d'applications : les applications Windows 8 et les applications de Bureau. Une application Windows 8 est un nouveau type de programme, conçu pour fonctionner spécifiquement avec Windows 8. Elle s'affiche en plein écran et ses fonctionnalités n'apparaissent que si vous en avez besoin.

Barre d'outils

La barre d'outils contient des boutons, des listes et d'autres éléments qui offrent un accès rapide aux fonctions et aux commandes courantes. Certains exécutent des commandes, d'autres ouvrent une liste d'options. Les applications Windows 8 ne possèdent pas toutes une barre d'outils. Cliquez l'écran du bouton droit ou appuyez sur [Windows] + [Z] pour l'afficher. Sur un écran tactile, glissez du haut de l'écran vers le bas.

Barre d'application

Les icônes de la barre d'application donnent un accès rapide aux différentes fonctions et commandes des applications. Dans certaines applications, la barre d'application apparaît en haut de l'écran Elle s'affiche de la même manière que la barre d'outils.

Paramètres

Les paramètres d'une application sont des commandes que vous pouvez sélectionner pour configurer et personnaliser l'application. Pour les afficher, appuyez sur [Windows] + [I], puis cliquez une commande, comme **Options**. Sur un écran tactile, glissez du bord droit vers la gauche pour afficher la barre d'icônes, touchez **Paramètres**, puis une commande.

Par opposition, une application de Bureau fonctionne sur le Bureau Windows 8 et s'exécute dans une fenêtre.

Cette section se concentre les applications Windows 8, les applications de Bureau étant traitées à la section suivante.

DÉCOUVREZ LES FENÊTRES D'APPLICATIONS DE BUREAU

Lorsque vous démarrez une application de Bureau, celle-ci s'ouvre dans le Bureau, dans sa propre fenêtre. Toutes les fenêtres d'application sont différentes, mais elles possèdent presque toutes quelques fonctionnalités communes.

Barre d'outils Accès rapide

Cette partie de la fenêtre d'une application avec ruban donne accès en un clic à plusieurs commandes courantes.

Ruban

Certaines applications possèdent un ruban avec des boutons pour accéder aux différentes fonctions. Certains boutons exécutent des commandes, d'autres ouvrent une liste d'options.

Onglets du ruban

Les onglets contiennent des boutons regroupés par catégories.

Barre de titre

Le nom de l'application s'affiche dans la barre de titre, ainsi que le nom du document ouvert dans certaines applications.
La barre de titre permet aussi de déplacer la fenêtre.

Barre de menus

La barre de menus contient les menus déroulants de l'application de Bureau. Dans certaines applications, vous devez appuyer sur la touche Alt pour l'afficher.

Barre d'outils

Les boutons des barres d'outils donnent un accès rapide aux commandes et aux fonctions courantes de l'application. Certains exécutent des commandes, d'autres ouvrent une liste d'options.

Bouton Réduire

Cliquez le bouton **Réduire** (-) pour masquer la fenêtre et la réduire à un bouton dans la barre des tâches. Cela ne ferme pas le programme.

Dans Windows 8, certaines applications de Bureau possèdent un ruban, d'autres une barre de menus et une barre d'outils. Les deux types sont traités dans cette section.

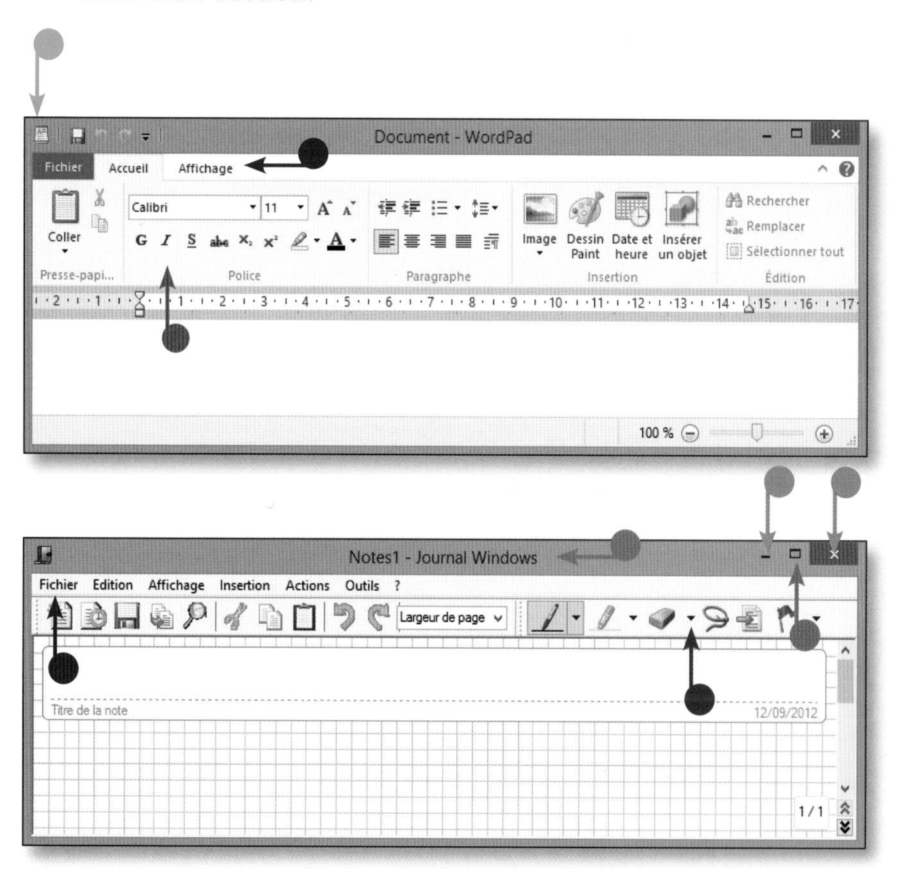

Bouton Agrandir

Cliquez le bouton **Agrandir** (▫) pour agrandir la fenêtre à sa taille maximale. Elle occupe alors toute la surface du Bureau.

Bouton Fermer

Cliquez **Fermer** (×) pour fermer l'application.

UTILISEZ LE RUBAN

De nombreuses applications de Bureau possèdent un ruban, élément qu'il faut connaître pour pouvoir utiliser et contrôler correctement son application.

Comme l'explique la section précédente, le ruban se situe juste en dessous de la barre de titre. Il donne accès à toutes les fonctions et options de l'application. Ces éléments sont regroupés dans différents onglets, tels que Fichier et Accueil.

EXÉCUTEZ UNE COMMANDE

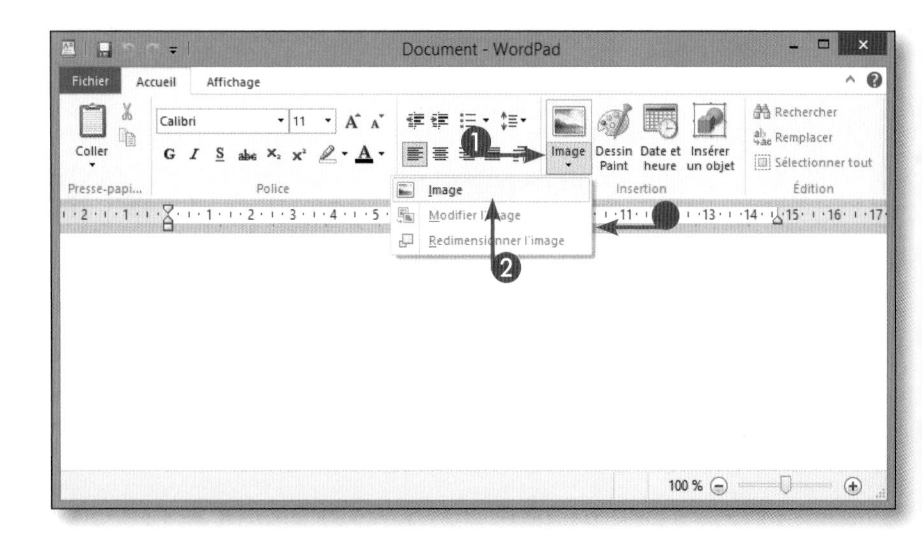

❶ Dans le ruban, cliquez le bouton de la commande ou de la liste souhaitée.

Note. *Si le bouton reste enfoncé, la fonction correspondante est activée. Pour la désactiver, cliquez à nouveau le bouton.*

● L'application exécute la commande ou déroule une liste.

❷ Si une liste apparaît, cliquez l'élément représentant la commande.

La commande s'exécute.

Plusieurs applications Windows 8 possèdent un ruban, comme l'Explorateur de fichiers, la version Bureau de WordPad et Paint, ainsi que plusieurs programmes Windows Essentiels – Windows Live Mail, Galerie de photos, Movie Maker.

SÉLECTIONNEZ UN ONGLET

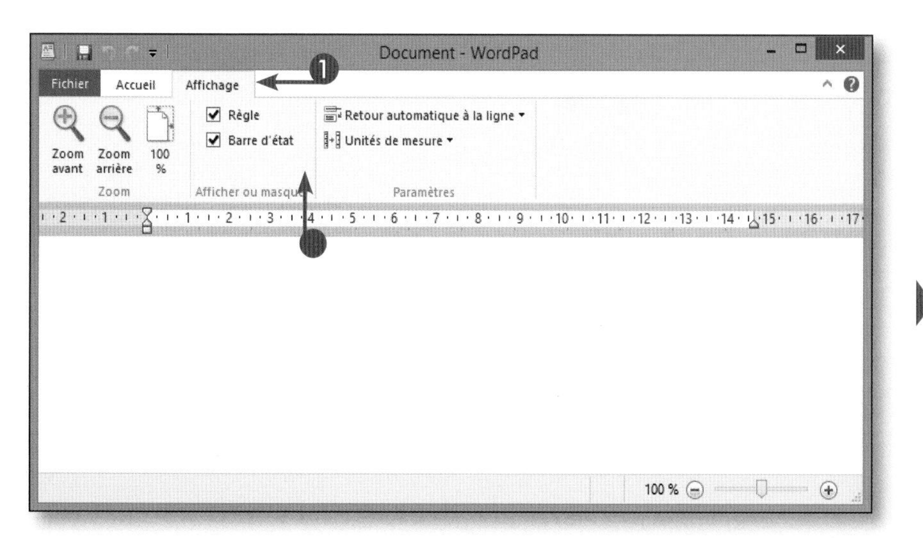

❶ Cliquez le nom de l'onglet.

● Le groupe de boutons de l'onglet s'affiche.

Vous pouvez ajouter autant de commandes que le permet la taille de la barre d'outils Accès rapide, ce qui permet d'y accéder en un clic, même si vous masquez le ruban. Il suffit de localiser la commande sur le ruban, de la cliquer avec le bouton droit, puis de cliquer Ajouter à la barre d'outils Accès rapide.

ACCÉDEZ AUX COMMANDES LIÉES AU FICHIER

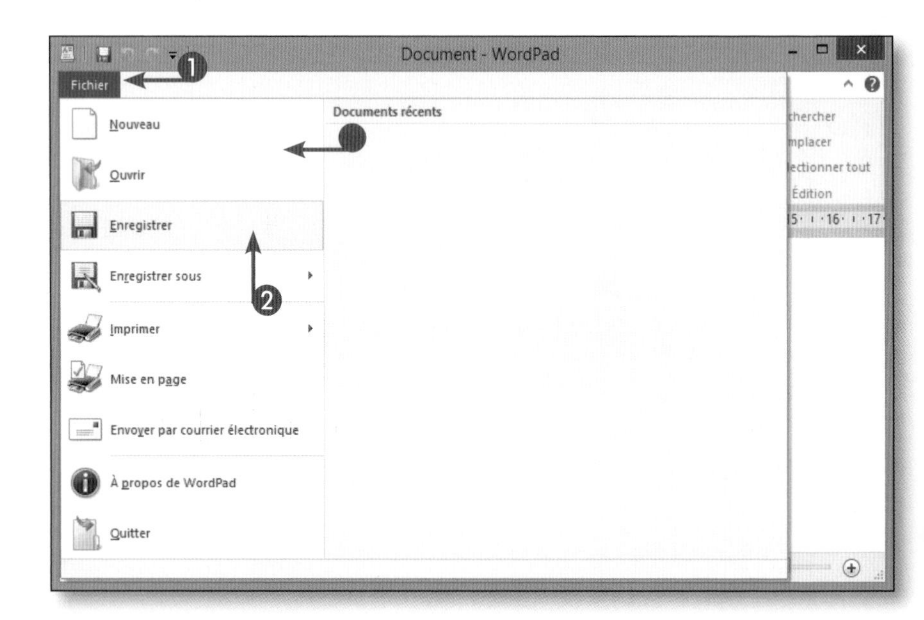

➊ Cliquez l'onglet **Fichier**.

● Le menu des commandes concernant le fichier apparaît.

➋ Cliquez la commande à exécuter.

Si votre barre d'outils Accès rapide ne contient plus assez de place pour ajouter vos commandes préférées, commencez par supprimer celles dont vous ne vous servez pas. Cliquez l'icône **Personnaliser la barre d'outils Accès rapide** (▾), puis la coche (✓) des commandes présentes. Sinon, déplacez la barre d'outils Accès rapide sous le ruban pour bénéficier de plus d'espace. Cliquez le ruban avec le bouton droit, puis cliquez **Afficher la barre d'outils Accès rapide** au-dessus du ruban.

MASQUEZ ET AFFICHEZ LE RUBAN

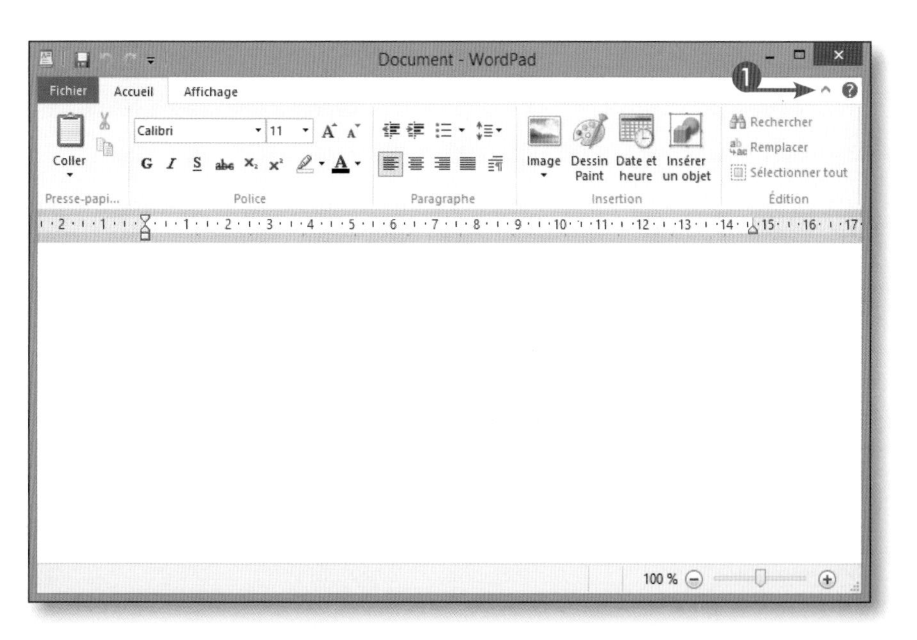

❶ Cliquez **Réduire le ruban** (^).

Le ruban est masqué et le bouton ^ devient ˅.

Pour afficher le ruban, cliquez ˅.

UTILISEZ LES MENUS

Les menus déroulants donnent accès aux différentes commandes et fonctions d'une application.

EXÉCUTEZ UNE COMMANDE

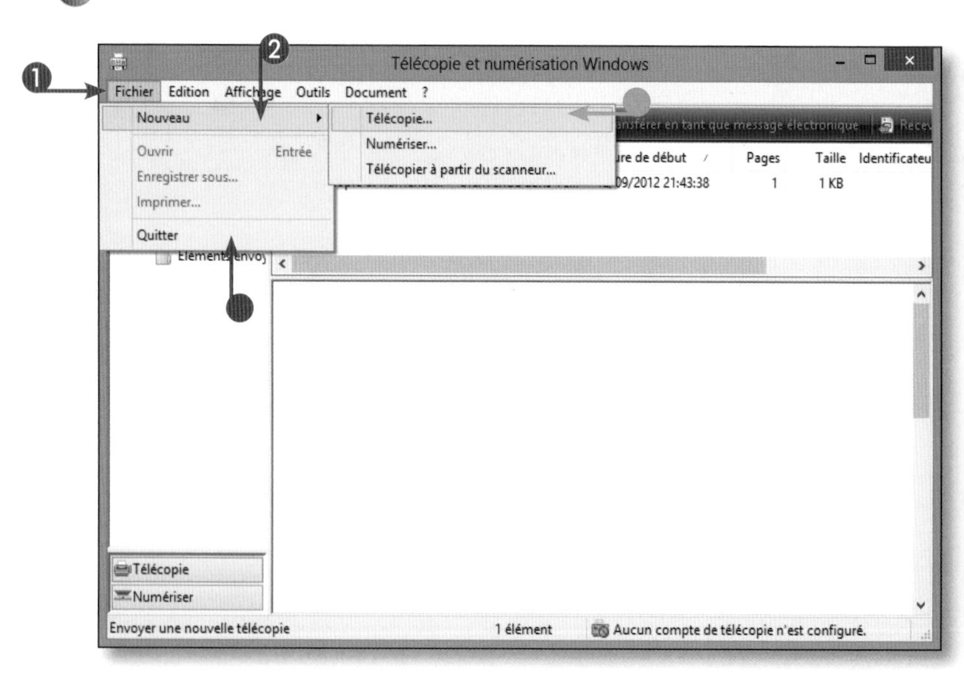

❶ Cliquez le nom du menu à afficher.

● Le menu s'affiche.

Vous pouvez aussi dérouler le menu en appuyant sur Alt, puis sur la lettre soulignée dans le nom du menu.

❷ Cliquez la commande à exécuter.

L'application exécute la commande.

● Si la commande se trouve dans un sous-menu, pointez ce dernier puis cliquez-la.

Chaque élément de la barre de menus représente un *menu déroulant*, c'est-à-dire un groupe de commandes généralement apparentées. Par exemple, les commandes du menu Fichier concernent habituellement les tâches liées au fichier, comme ouvrir et fermer des documents.

Certains éléments des menus exécutent une commande, c'est-à-dire une action dans l'application. D'autres activent ou désactivent une option. Si la barre de menus n'apparaît pas, appuyez sur Alt.

ACTIVEZ OU DÉSACTIVEZ UNE OPTION

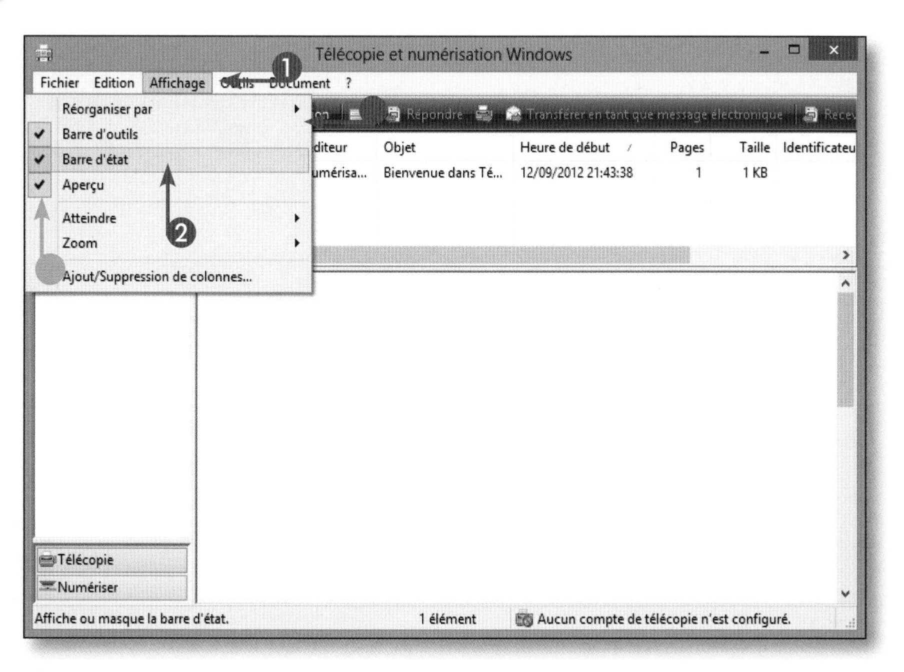

❶ Cliquez le nom du menu à afficher.

● Le menu s'affiche.

❷ Cliquez l'élément du menu.

Si nécessaire, pointez le sous-menu contenant l'option.

● Une commande à bascule est activée lorsqu'elle est cochée (☑). Cliquez-la à nouveau pour la désactiver (la coche disparaît).

UTILISEZ LES BARRES D'OUTILS

Les barres d'outils donnent un accès plus rapide aux commandes d'une application. Elles contiennent des boutons, des listes et d'autres commandes regroupés sur une bande, qui se situe généralement en haut de la fenêtre de l'application, juste sous la barre de menus.

EXÉCUTEZ UNE COMMANDE

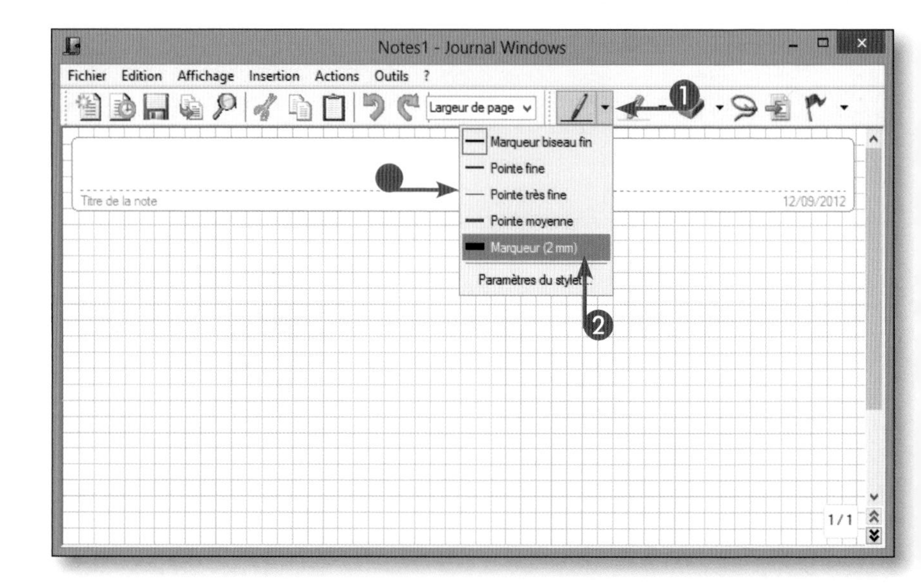

➊ Cliquez le bouton représentant la commande ou la liste souhaitée.

Note. *Si le bouton reste enfoncé, la fonction correspondante est activée. Pour la désactiver, cliquez à nouveau le bouton.*

● L'application exécute la commande ou déroule une liste.

➋ Si une liste apparaît, cliquez l'élément représentant la commande.

La commande s'exécute.

La barre d'outils étant toujours visible, elle donne accès en un clic aux fonctions les plus courantes de l'application. En utilisant la barre de menus, plusieurs clics sont parfois nécessaires pour atteindre une commande.

AFFICHEZ ET MASQUEZ UNE BARRE D'OUTILS

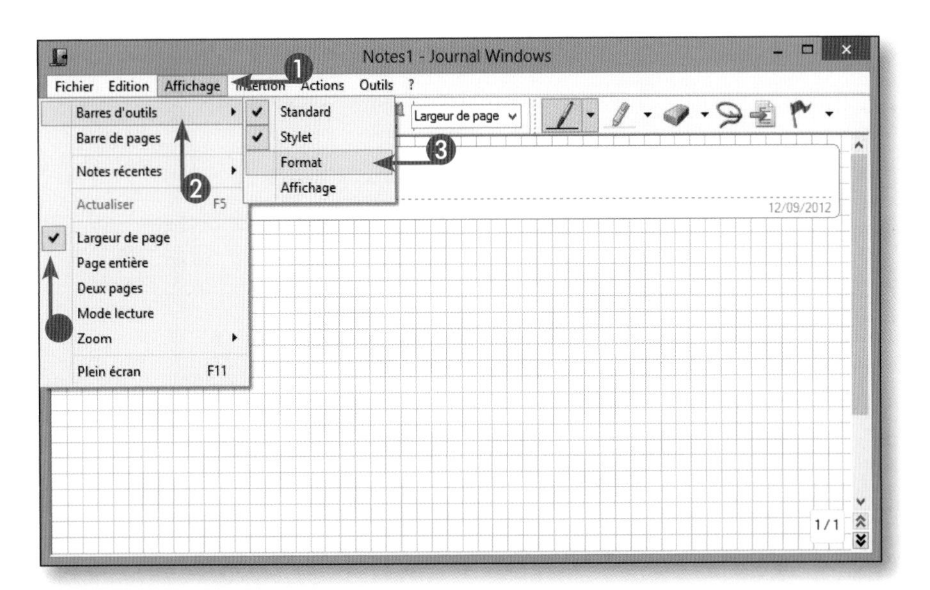

❶ Cliquez **Affichage**.

❷ Cliquez **Barres d'outils**.

❸ Cliquez le nom d'une barre d'outils.

● Si la barre d'outils est actuellement affichée (avec une coche ☑ dans le menu Affichage), l'application la masque.

Si la barre d'outils est actuellement masquée, l'application l'affiche (avec une coche ☑ dans le menu Affichage).

Note. *Si l'application ne possède qu'une seule barre d'outils, cliquez* ***Affichage****, puis* ***Barre d'outils*** *pour l'afficher ou la masquer.*

Les applications affichent une boîte de dialogue pour vous permettre de sélectionner des options ou de taper du texte.

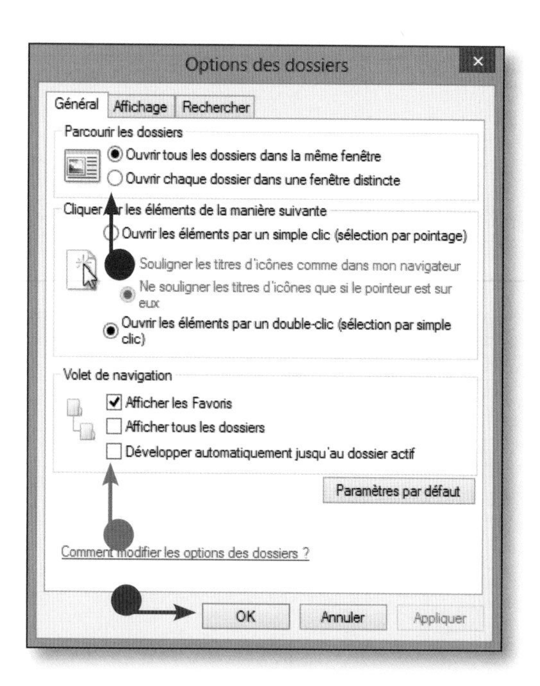

Bouton d'option

Activez une option en cliquant le bouton associé (○ devient ◉). Un seul bouton peut être activé au sein d'un groupe.

Case à cocher

Activez une option en cliquant la case à cocher associée (☐ devient ☑). Cliquez-la à nouveau pour désactiver l'option (☑ devient ☐).

Bouton de commande

Exécutez une commande en cliquant le bouton qui porte son nom. Par exemple, cliquez **OK** pour appliquer les paramètres sélectionnés dans une boîte de dialogue et fermer cette dernière. Cliquez **Appliquer** pour appliquer les paramètres sans fermer la boîte de dialogue ou **Annuler** pour fermer la boîte de dialogue sans appliquer les réglages.

Une *boîte de dialogue* est une fenêtre qui s'affiche lorsqu'une application vous transmet une information ou vous invite à en fournir. Par exemple, pour imprimer un document, faites appel à la boîte de dialogue Imprimer où vous indiquez, entre autres, le nombre de copies à imprimer. Vous fournissez toutes ces informations grâce aux différents éléments de la boîte de dialogue.

Onglet

Les différents onglets regroupent des options apparentées. Cliquez un onglet pour afficher les options correspondantes.

Bouton toupie

Le bouton toupie (⬍) permet de définir une valeur numérique.

Zone de liste

Une zone de liste contient un certain nombre d'options parmi lesquelles vous choisissez l'élément en le cliquant. Si vous ne voyez pas l'élément que vous souhaitez, servez-vous de la barre de défilement pour le visualiser (voir « Utilisez les barres de défilement », plus loin dans ce chapitre).

Zone de texte

Une zone de texte accueille le texte que vous saisissez.

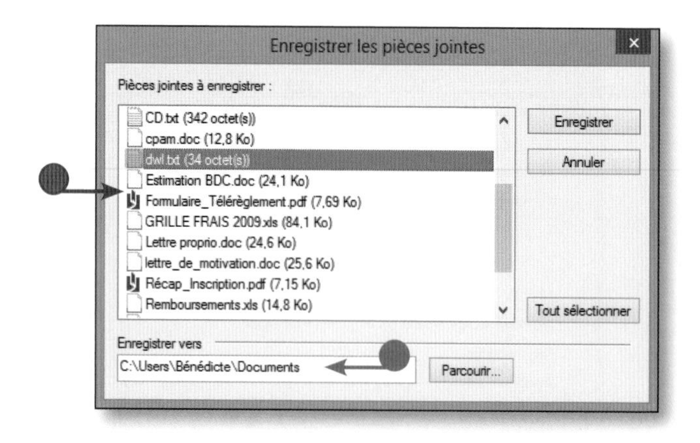

Zone combinée

Une zone combinée associe une zone de texte et une zone de liste. Pour y sélectionner une option, cliquez-la dans la zone de liste ou tapez directement son nom dans la zone de texte.

Liste déroulante

Une liste déroulante n'affiche que l'option sélectionnée. Pour sélectionner un autre élément, ouvrez la liste.

Curseur

Le curseur permet de positionner une valeur dans une gamme. Servez-vous de la souris pour déplacer le curseur (▯) vers la gauche (valeur inférieure) ou vers la droite (valeur supérieure).

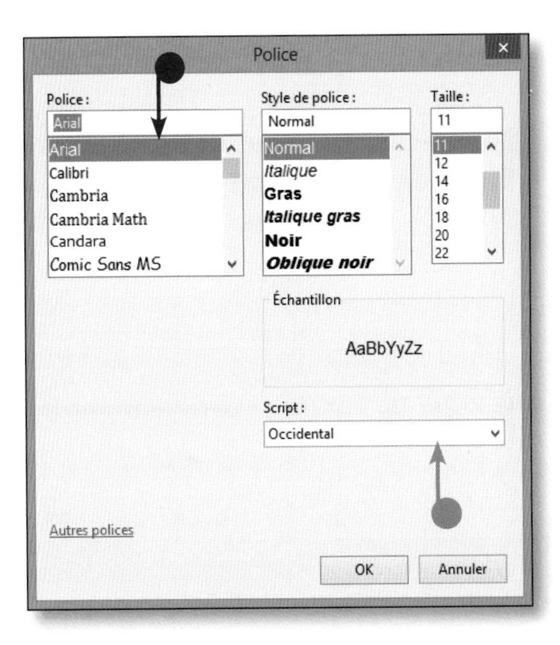
Police
Police :
Arial
Arial
Calibri
Cambria
Cambria Math
Candara
Comic Sans MS
Style de police :
Normal
Normal
Italique
Gras
Italique gras
Noir
Oblique noir
Taille :
11
11
12
14
16
18
20
22
Échantillon
AaBbYyZz
Script :
Occidental
Autres polices
OK
Annuler

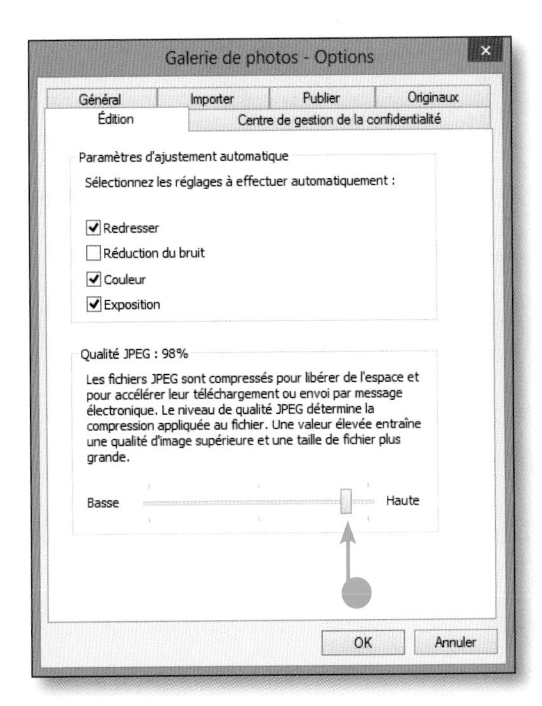
Galerie de photos - Options
Général
Importer
Publier
Originaux
Édition
Centre de gestion de la confidentialité
Paramètres d'ajustement automatique
Sélectionnez les réglages à effectuer automatiquement :
Redresser
Réduction du bruit
Couleur
Exposition
Qualité JPEG : 98%
Les fichiers JPEG sont compressés pour libérer de l'espace et pour accélérer leur téléchargement ou envoi par message électronique. Le niveau de qualité JPEG détermine la compression appliquée au fichier. Une valeur élevée entraîne une qualité d'image supérieure et une taille de fichier plus grande.
Basse
Haute
OK
Annuler

Maintenant que vous connaissez les différentes commandes d'une boîte de dialogue (voir section précédente), il est temps d'apprendre à les manipuler.

UTILISEZ UNE ZONE DE TEXTE

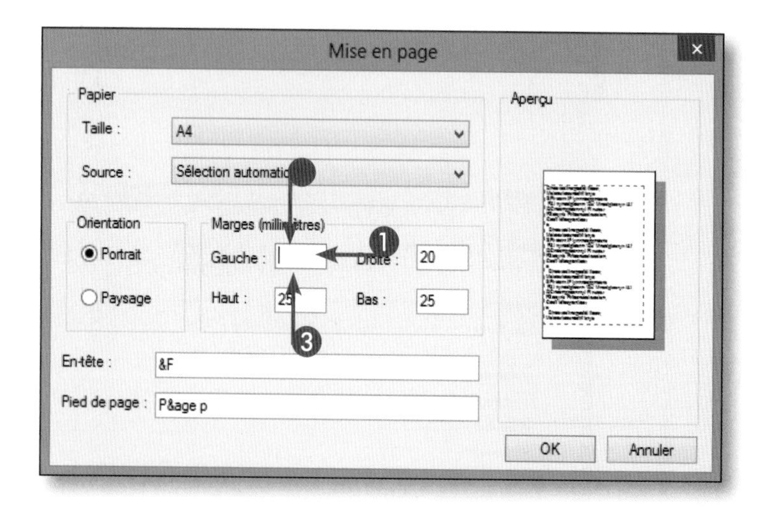

➊ Cliquez à l'intérieur de la zone de texte.

● Une barre verticale clignotante (appelée *curseur* ou *point d'insertion*) apparaît à l'intérieur de la zone de texte.

➋ Appuyez sur les touches **Retour arrière** ou **Suppr** pour supprimer des caractères.

➌ Saisissez votre texte.

Les commandes des boîtes de dialogue sont souvent très simples. Par exemple, il suffit de cliquer le bouton d'une option pour la sélectionner, de cocher une case pour l'activer, de cliquer un onglet pour afficher ses commandes et de cliquer le bouton d'une commande pour l'exécuter.

Certaines commandes sont un peu plus complexes. Cette section explique comment utiliser les zones de texte, les boutons toupie, les zones de liste et les zones combinées.

SAISISSEZ UNE VALEUR AVEC UN BOUTON TOUPIE

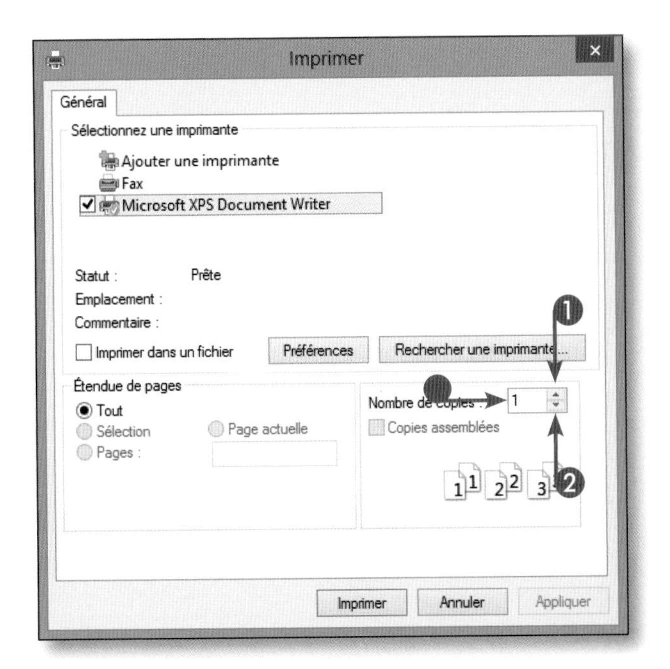

➊ Cliquez la flèche vers le haut du bouton toupie (⬍) pour augmenter la valeur.

➋ Cliquez la flèche vers le bas du bouton toupie (⬍) pour diminuer la valeur.

● Vous pouvez aussi saisir la valeur dans la zone de texte.

Il existe des raccourcis clavier qui facilitent l'utilisation des boîtes de dialogue. Voici les plus utiles.

SÉLECTIONNEZ UN ÉLÉMENT

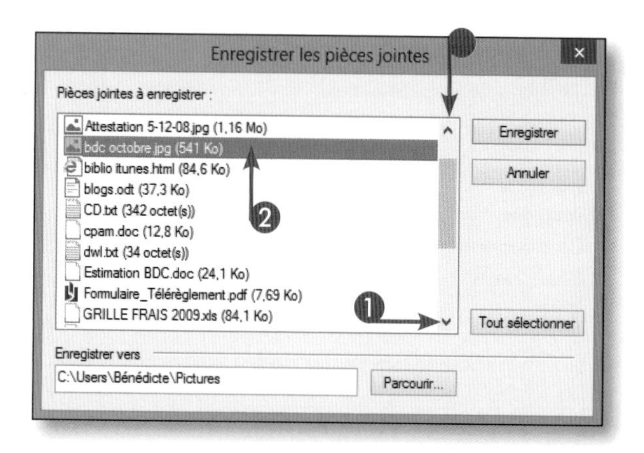

DANS UNE ZONE DE LISTE

❶ Si nécessaire, cliquez la flèche vers le bas (▾) pour parcourir la liste et visualiser un élément.

Note. *Lisez à cet effet la section « Utilisez les barres de défilement ».*

❷ Cliquez l'élément.

● Cliquez la flèche vers le haut (▴) pour remonter dans la liste.

Entrée	Actionne le bouton de commande sélectionné par défaut, généralement encadré d'un trait coloré.
Echap	Ferme la boîte de dialogue. Revient à cliquer le bouton Annuler.
Alt + lettre	Sélectionne l'élément dont le nom contient la lettre indiquée soulignée.
Tab	Sélectionne l'élément suivant.
Maj + Tab	Sélectionne l'élément précédent.
↑ et ↓	Sélectionne l'option précédente ou suivante dans un groupe d'options.
Alt + ↓	Développe la zone combinée ou la liste déroulante sélectionnée.

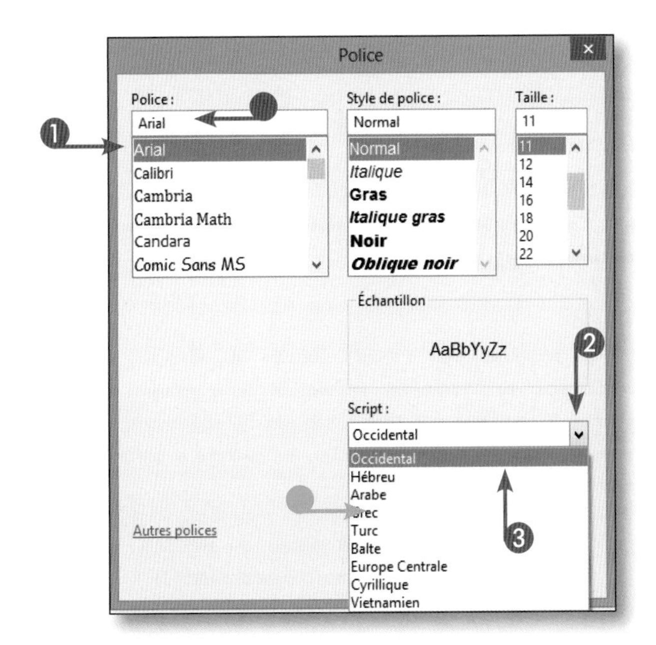

AVEC UNE ZONE COMBINÉE

❶ Cliquez l'élément de la zone de liste pour le sélectionner.

● Vous pouvez aussi saisir le nom de l'élément dans la zone de texte.

DANS UNE ZONE DE LISTE DÉROULANTE

❷ Cliquez la flèche déroulante (▾).

● La liste apparaît.

❸ Cliquez l'élément de la liste à sélectionner.

UTILISEZ LES BARRES DE DÉFILEMENT

Si la fenêtre du programme ne peut afficher tout le contenu d'un document, révélez la partie masquée en utilisant les barres de défilement.

UTILISEZ LA BARRE DE DÉFILEMENT VERTICAL

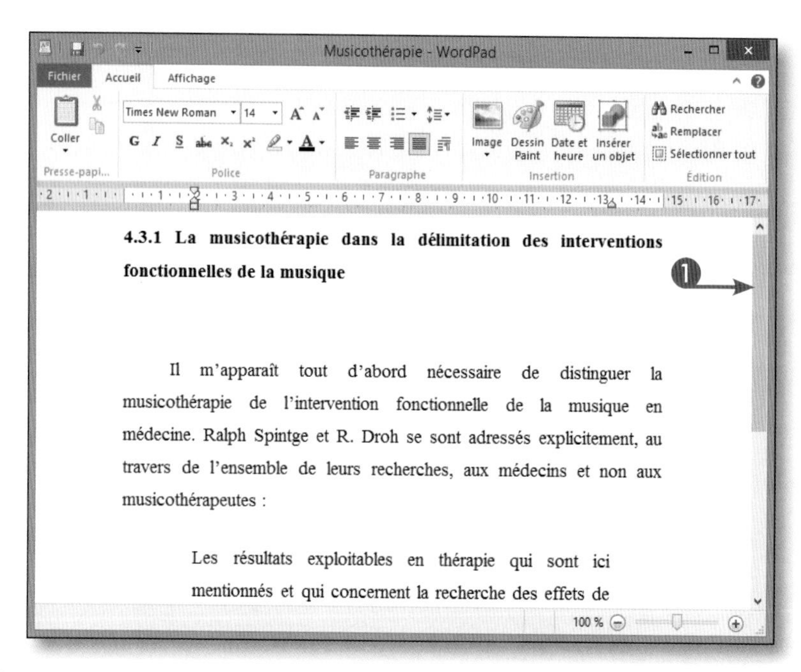

❶ Pour monter ou descendre dans la fenêtre, faites glisser le curseur de défilement vertical.

Vous pouvez aussi cliquer les flèches ⌃ ou ⌄.

Si le contenu est trop long par rapport à la fenêtre, utilisez la barre de défilement verticale pour monter ou descendre dans la fenêtre. S'il est trop large, utilisez la barre de défilement horizontale pour afficher les parties droite et gauche. Les instructions ci-après peuvent aussi servir dans les boîtes de dialogue. En effet, ces dernières peuvent présenter des barres de défilement dans les zones de liste.

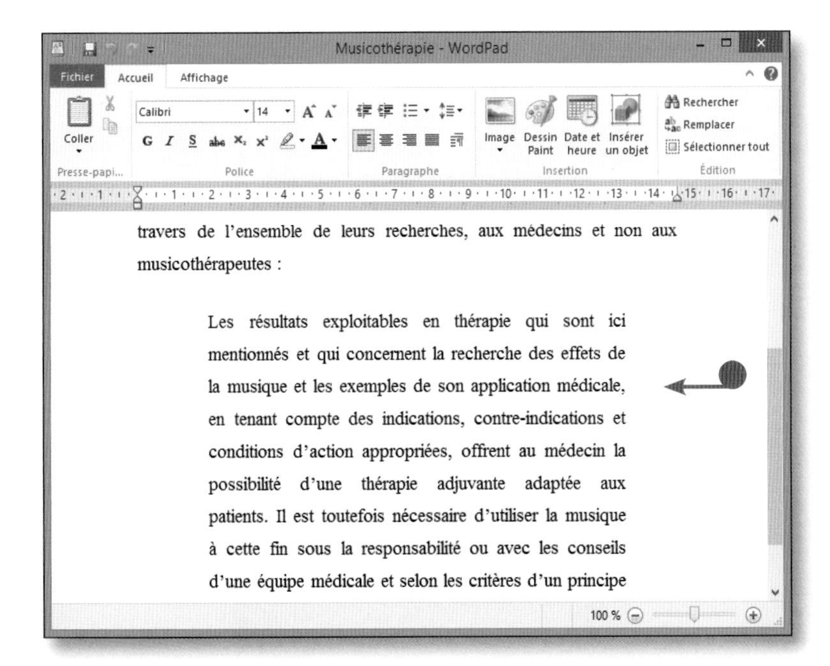

● Le contenu de la fenêtre défile verticalement.

UTILISEZ LES BARRES DE DÉFILEMENT

Si votre souris possède une molette entre les deux boutons, utilisez-la pour faire défiler verticalement le contenu d'une fenêtre.

UTILISEZ LA BARRE DE DÉFILEMENT HORIZONTAL

❶ Faites glisser le curseur de défilement horizontal.

Vous pouvez aussi cliquer les flèches < ou >.

Faire tourner la molette vers l'avant revient à cliquer ⌃, la faire tourner vers l'arrière équivaut à cliquer ⌄.

● Le contenu de la fenêtre défile latéralement.

DÉSINSTALLEZ UNE APPLICATION

Lorsque vous comptez ne plus utiliser une application, désinstallez-la de votre ordinateur pour libérer de l'espace sur le disque dur et désencombrer l'écran d'accueil.

DÉSINSTALLEZ UNE APPLICATION WINDOWS 8

❶ Dans l'écran d'accueil ou l'écran Applications, localisez l'application Windows 8 à désinstaller.

Note. *Pour afficher l'écran Applications, cliquez avec le bouton droit de la souris sur un emplacement vide de l'écran d'accueil, puis cliquez* ***Toutes les applications****.*

❷ Cliquez l'application avec le bouton droit.

● Windows 8 affiche la barre d'application.

❸ Cliquez **Désinstaller**.

Lorsque vous installez une application, le programme stocke ses fichiers sur votre disque dur et, même si la plupart des programmes sont assez peu volumineux, certains occupent des centaines de mégaoctets d'espace disque. En désinstallant une application, vous libérez l'espace disque qu'elle mobilise et supprimez sa ou ses vignettes de l'écran d'accueil, le cas échéant, et de l'écran Applications.

Windows 8 vous invite à confirmer.

4 Cliquez **Désinstaller**.

Windows 8 supprime l'application.

DÉSINSTALLEZ UNE APPLICATION

Pour désinstaller un programme Windows Essentials, suivez les étapes 1 à 3 de cette section. Ensuite, dans la fenêtre Programmes et fonctionnalités, cliquez Windows Essentials → Désinstaller/Modifier.

DÉSINSTALLEZ UNE APPLICATION DE BUREAU

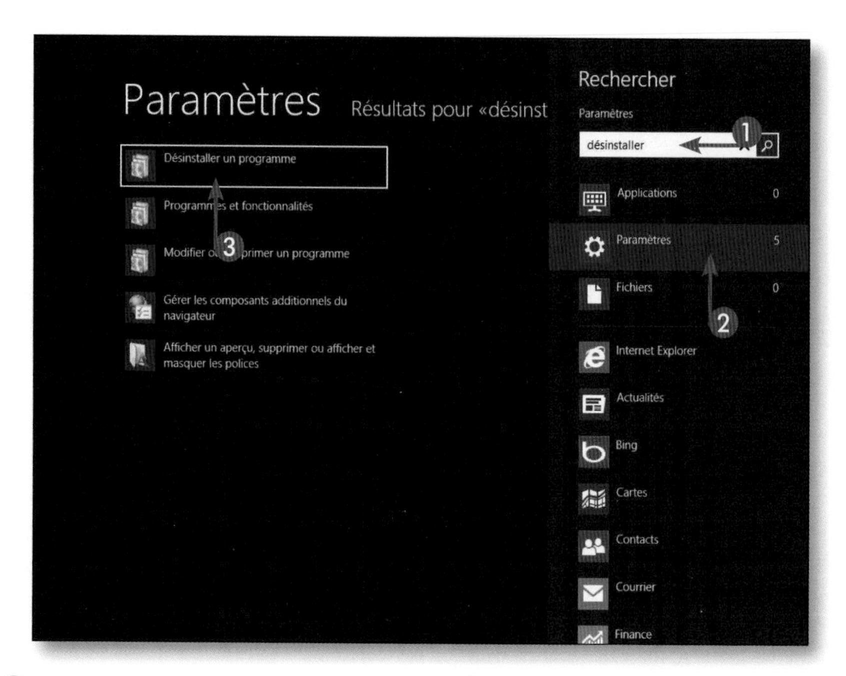

❶ Dans l'écran d'accueil, tapez **désinstaller**.

❷ Cliquez **Paramètres**.

❸ Cliquez **Désinstaller un programme**.

Dans la fenêtre qui s'affiche, cliquez **Désinstaller un ou plusieurs programmes Windows Essentials**. Cochez la case de chaque programme à supprimer (☐ devient ☑), puis cliquez **Désinstaller**.

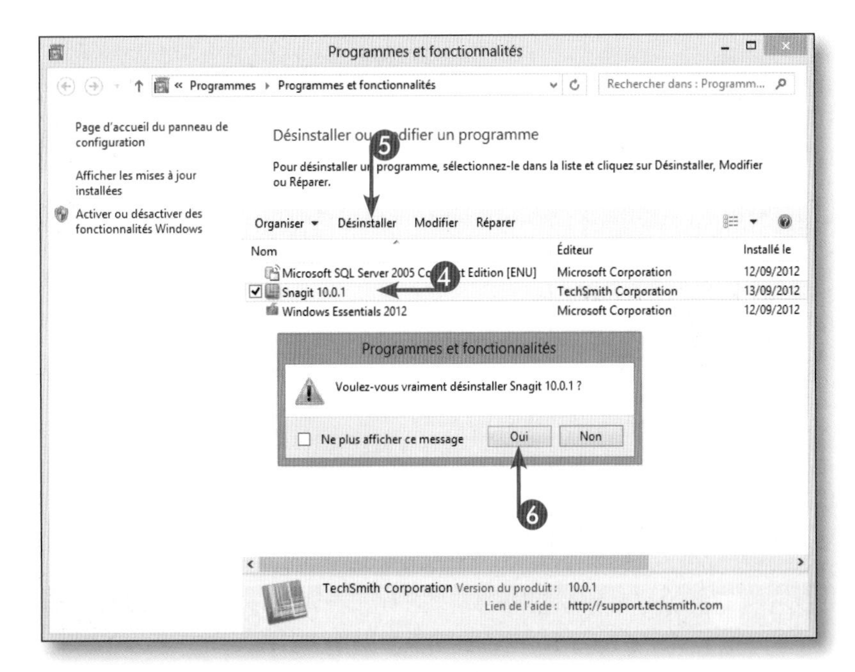

La fenêtre Programmes et fonctionnalités s'affiche.

4 Cliquez l'application à désinstaller.

5 Cliquez **Désinstaller** (ou **Désinstaller/Modifier**).

Une boîte de dialogue vous invite à confirmer la désinstallation.

6 Cliquez **Oui**.

La désinstallation commence.

7 Suivez les instructions qui s'affichent à l'écran. Elles varient d'une application à une autre.

Dès lors que votre ordinateur est connecté à Internet, vous pouvez utilisez un navigateur Web pour naviguer sur le Web.

DÉCOUVREZ INTERNET EXPLORER

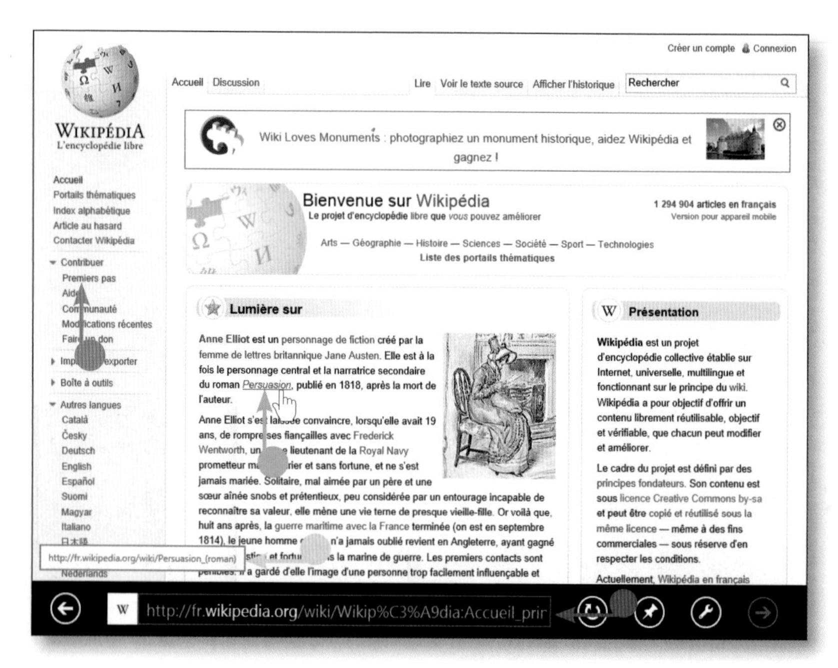

❶ Dans l'écran d'accueil, cliquez la vignette **Internet Explorer**.

● L'adresse de la page affichée est indiquée dans la barre d'adresse.

● Les liens vous mènent vers d'autres pages. Ils sont généralement d'une couleur différente.

● Lorsque vous pointez un lien, ⇖ devient ☝.

● Lorsque vous pointez un lien, cette bannière indique l'adresse de sa page.

Windows 8 propose deux programmes de navigation sur le Web : la version Bureau d'Internet Explorer, traitée au chapitre 4, et l'application Internet Explorer, traitée dans cette section.

SAISISSEZ L'ADRESSE D'UNE PAGE WEB

❶ Si vous connaissez l'adresse, cliquez à l'intérieur de la barre d'adresse.

Note. *Si la barre d'adresse n'est pas visible, cliquez dans l'écran avec le bouton droit.*

● La liste des pages que vous visitez le plus souvent s'affiche.

Si la page que vous souhaitez apparaît dans cette liste, cliquez-la.

❷ Tapez l'adresse.

❸ Cliquez **OK** (➔) ou appuyez sur Entrée.

Internet Explorer affiche la page.

Pour enregistrer un site Web que vous visitez souvent, ajoutez une vignette de sa page dans votre écran d'accueil, en cliquant Épingler le site ( ) dans la barre d'application, puis Épingler à l'écran d'accueil. Renommez la page, puis cliquez Épingler à l'écran d'accueil. Pour enregistrer la page dans Internet Explorer, cliquez , puis Ajouter aux Favoris. La vignette de la page s'ajoute à la liste Favoris, à droite de la liste Fréquent.

SÉLECTIONNEZ UN LIEN

❶ Placez le pointeur de la souris au-dessus d'un lien (devient).

● La bannière indique l'adresse de la page du lien.

❷ Cliquez le lien.

Internet Explorer affiche la page.

Les *onglets* d'Internet Explorer permettent d'ouvrir plusieurs pages simultanément, chacune dans son propre onglet. Cliquez dans l'écran avec le bouton droit pour afficher les onglets en haut de l'écran. Cliquez **Nouvel onglet** (⊕), tapez l'adresse, puis cliquez ⊖ (ou appuyez sur Entrée). Pour ouvrir un lien dans un nouvel onglet, cliquez le lien du bouton droit, puis cliquez **Ouvrir le lien dans un nouvel onglet**.

NAVIGUEZ DE PAGE EN PAGE

● Cliquez **Précédent** (⊖) pour afficher la page précédente. Cliquez-le autant que nécessaire pour revenir plusieurs fois en arrière.

● Cliquez **Suivant** (⊖) pour aller à la page suivante. Cliquez-le autant que nécessaire jusqu'à afficher la page souhaitée.

ENVOYEZ UN MESSAGE

Vous pouvez envoyer un message à un correspondant dès lors que vous connaissez son adresse de messagerie, une suite de caractères qui identifie l'emplacement unique d'une boîte aux lettres électronique.

ENVOYEZ UN MESSAGE

❶ Dans l'écran d'accueil, cliquez la vignette **Courrier**.

❷ Cliquez **Nouveau** (⊕).

Note. *Vous pouvez aussi appuyer sur* Ctrl + N.

Windows 8 propose deux façons d'envoyer des messages. Si vous possédez un compte Microsoft, utilisez l'application Courrier, décrite dans cette section. En outre, vous pouvez installer le programme Windows Live Mail, traité en détail au chapitre 5.

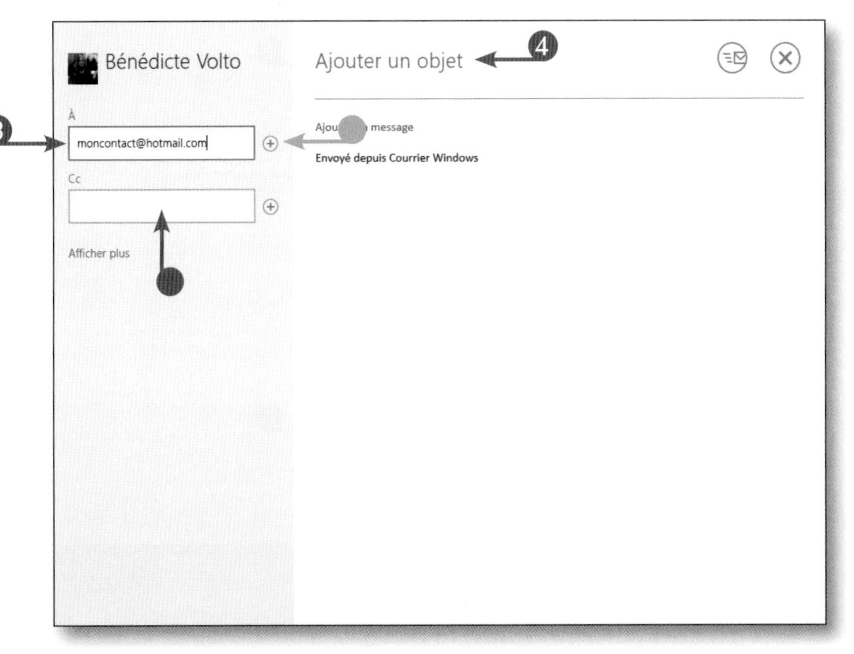

Une fenêtre de message s'affiche.

❸ Tapez l'adresse du destinataire dans la zone de texte **À**.

Note. *Vous pouvez saisir plusieurs adresses dans le champ* ***À****. Appuyez sur* Entrée *après chaque adresse.*

● Pour envoyer une copie du message à quelqu'un d'autre, tapez son adresse dans le champ **Cc**.

● Vous pouvez aussi cliquer ⊕ à côté de **À** ou **Cc** pour choisir une personne de votre application Contacts.

❹ Cliquez **Ajouter un objet**.

Joignez un fichier à votre message pour l'envoyer à votre destinataire et lui permettre de le modifier.

ENVOYEZ UN MESSAGE (SUITE)

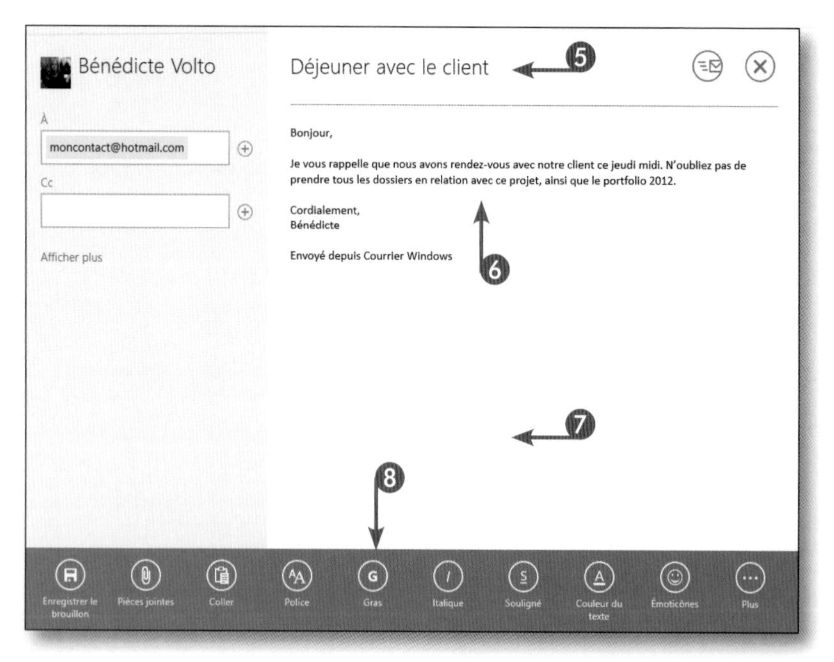

❺ Décrivez brièvement l'objet de votre message.

❻ Rédigez votre message.

❼ Cliquez dans l'écran avec le bouton droit.

❽ Servez-vous des boutons de la barre d'application pour mettre le texte du message en forme.

Dans la fenêtre du message, cliquez dans l'écran avec le bouton droit, puis cliquez **Pièces jointes** pour ouvrir l'écran Fichiers. Cliquez **Fichiers**, sélectionnez le dossier contenant le fichier à envoyer, cliquez le fichier, puis **Joindre**.

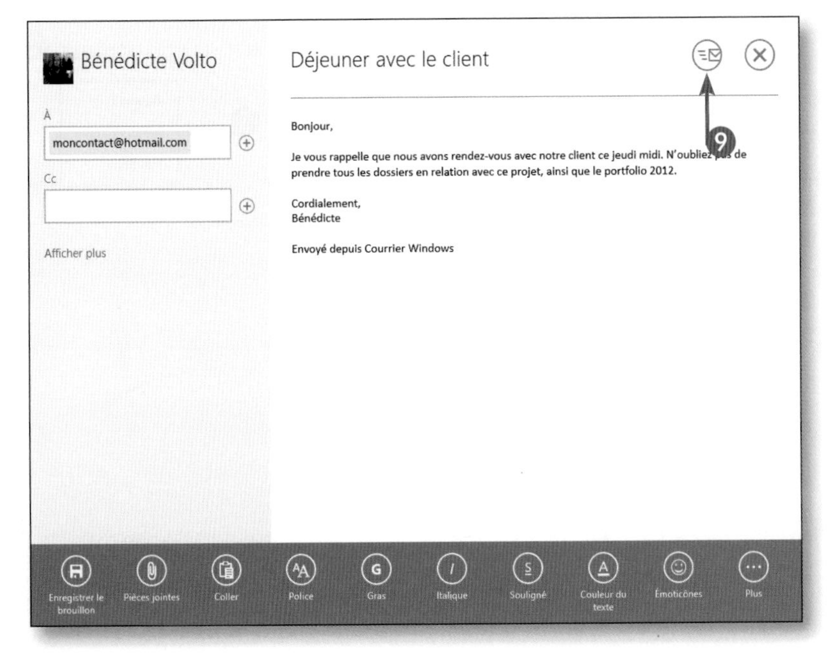

9 Cliquez **Envoyer** ().

Courrier envoie votre message.

RÉPONDEZ À UN MESSAGE

Que vous souhaitiez répondre à une question, donner une information ou réagir à des propos, vous pouvez répondre à un message que vous recevez.

RÉPONDEZ À UN MESSAGE

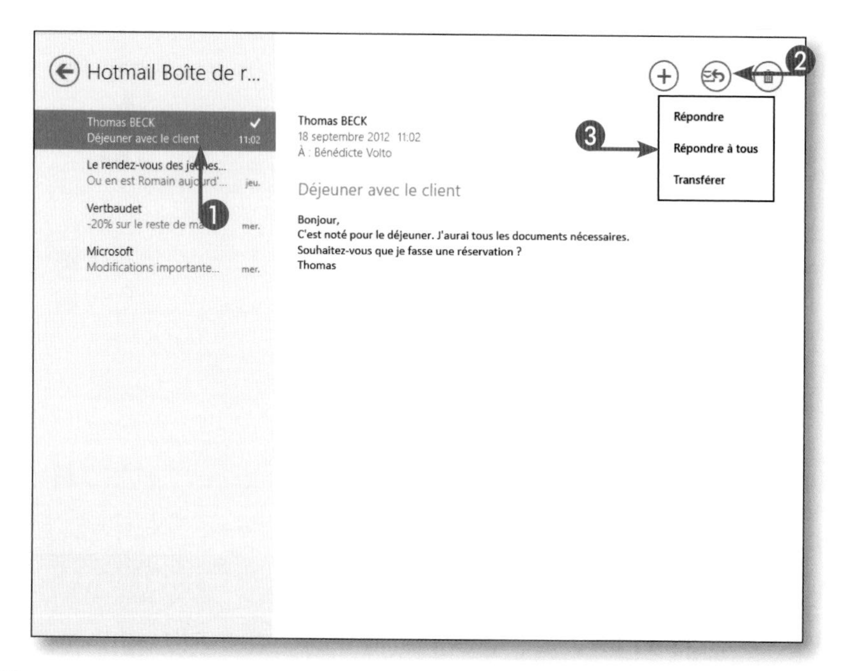

❶ Cliquez le message auquel vous souhaitez répondre.

❷ Cliquez **Répondre** (⑮).

❸ Selon les destinataires de la réponse :

Cliquez **Répondre** pour répondre uniquement à l'expéditeur du message.

Cliquez **Répondre à tous** pour envoyer aussi la réponse à tous les autres destinataires du message original.

Généralement, on répond à la personne qui a envoyé le message. Cependant, il est également possible d'envoyer la réponse à tous les destinataires inclus dans les champs **À** et **Cc** du message d'origine.

L'application Courrier reprend le texte du message dans la réponse, mais vous pouvez décider de garder uniquement le texte en rapport avec votre réponse.

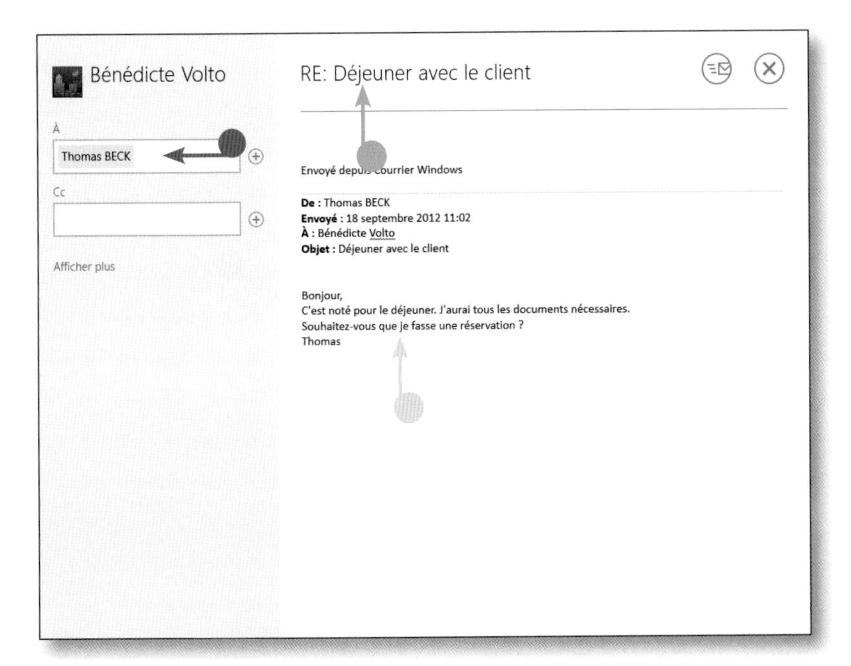

Une fenêtre de message s'affiche.

● Courrier insère automatiquement l'adresse du destinataire.

● Courrier reprend l'objet du message original précédé de RE:.

● Le message original, en-têtes inclus, apparaît dans le volet de rédaction.

La commande Transférer envoie une copie du message à une autre personne. Si un message contient une information susceptible d'intéresser quelqu'un d'autre, transférez-lui une copie. L'application crée alors un nouveau message, insère l'objet précédé de la mention FW, ainsi que le texte du message d'origine Ajoutez si vous le souhaitez des commentaires.

RÉPONDEZ À UN MESSAGE (SUITE)

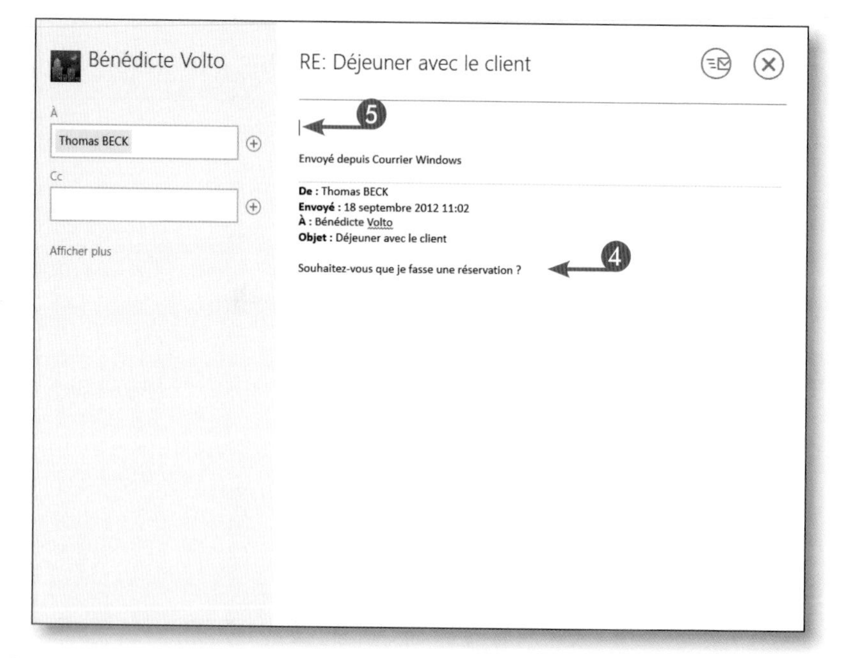

❹ Modifiez le message original pour ne laisser que ce qui est pertinent.

Note. *Cela se révèle nécessaire si le message original est long. Vous pouvez effacer les parties sans rapport avec votre réponse afin d'en faciliter la lecture pour votre destinataire.*

❺ Cliquez au-dessus du message original.

L'application Courrier vérifie automatiquement les messages entrants au démarrage. Si vous utilisez un compte Microsoft, tous les messages adressés à ce compte sont automatiquement envoyés à l'application dès réception. Pour les autres types de compte, l'application vérifie régulièrement. Pour réceptionner manuellement les nouveaux messages, appuyez sur F5 ou cliquez dans l'application avec le bouton droit, puis cliquez **Synchroniser**.

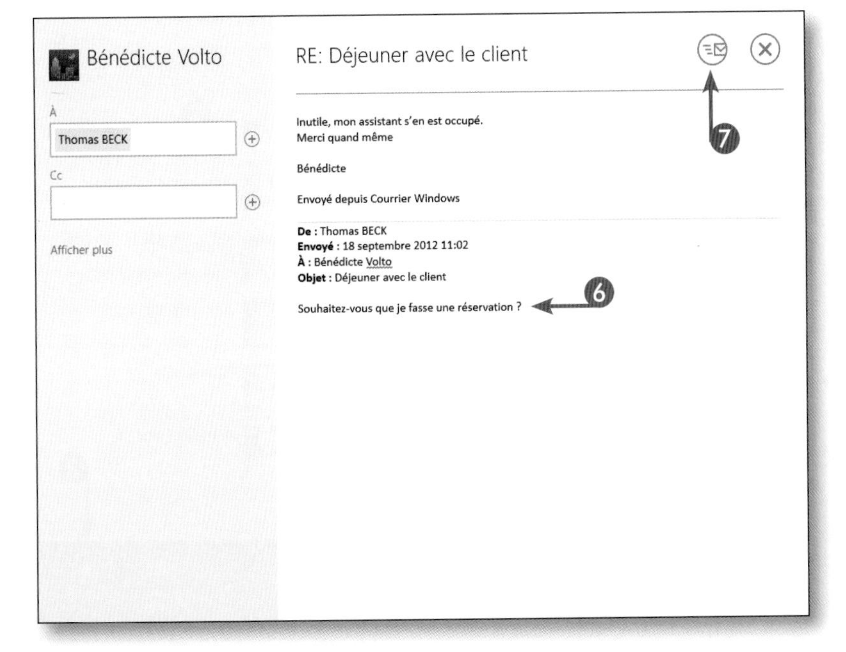

6 Tapez votre texte.

7 Cliquez **Envoyer** ().

Courrier envoie la réponse.

CRÉEZ UN CONTACT

L'application Contacts vous permet de stocker facilement des informations sur vos amis, votre famille et vos collègues, ainsi que de leur envoyer des messages.

CRÉEZ UN CONTACT

❶ Dans l'écran d'accueil, cliquez la vignette **Contacts**.

L'application Contacts démarre.

❷ Cliquez du bouton droit dans une zone vide de l'écran.

❸ Cliquez **Nouveau**.

Les informations d'un contact sont diverses : nom, prénom, nom de la société, adresse électronique, numéro de téléphone, adresse postale, *etc.*

Si vous avez déjà des contacts dans un réseau social comme Facebook ou LinkedIn, vous pouvez connecter votre compte à votre compte Microsoft afin d'y accéder *via* l'application Contacts.

L'écran Nouveau contact s'affiche.

4 Tapez le prénom de votre correspondant.

5 Tapez son nom de famille.

6 Tapez le nom de sa société.

7 Cliquez la flèche vers le bas sous **Courrier électronique**, puis choisissez le type d'adresse de messagerie.

Normalement, pour envoyer un message à un contact, vous ouvrez l'application Courrier, rédigez votre message, puis cliquez le bouton À pour ouvrir l'application Contacts et choisir votre destinataire. Cependant, si vous êtes déjà dans l'application Contacts, il est plus rapide de cliquer la vignette du contact pour afficher ses informations et cliquer Envoyer un message.

CRÉEZ UN CONTACT (SUITE)

8 Tapez son adresse de messagerie.

● Pour ajouter une autre adresse de messagerie, cliquez le signe ⊕ **Courrier électronique**, choisissez un type d'adresse, puis tapez l'adresse dans le champ qui apparaît.

Pour ajouter d'autres informations sur le contact, comme son site Web, cliquez le signe ⊕ **Autres informations**.

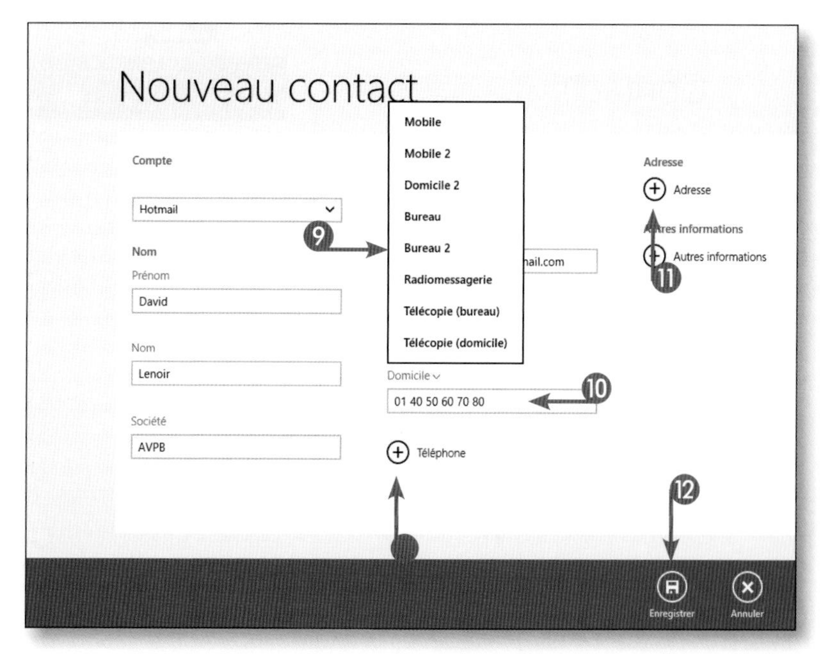

⑨ Cliquez la flèche vers le bas sous **Téléphone**, puis choisissez le type de numéro.

⑩ Tapez le numéro de téléphone.

● Pour ajouter un autre numéro de téléphone, cliquez le signe ⊕ **Téléphone**, choisissez un type de numéro, puis tapez le numéro dans le champ qui apparaît.

⑪ Pour ajouter une adresse, cliquez le signe ⊕ **Adresse**.

⑫ Cliquez **Enregistrer**.

L'application Contacts crée le nouveau contact.

AJOUTEZ LES CONTACTS DE VOS RÉSEAUX SOCIAUX

Connectez à votre compte Microsoft les contacts de vos réseaux sociaux, à savoir Facebook, Twitter, LinkedIn et Google.

AJOUTEZ LES CONTACTS DE VOS RÉSEAUX SOCIAUX

1 Dans l'écran d'accueil, cliquez la vignette **Contacts**.

L'application Contacts démarre.

2 Cliquez **Connecté à**.

3 Cliquez **Ajouter un compte**.

4 Cliquez le réseau social à ajouter à l'application.

L'écran d'accueil a été conçu par Microsoft avec l'objectif de vous fournir un seul emplacement pour tout votre environnement : la météo, votre dernier message, votre messagerie instantanée ou le diaporama de vos photos. L'application Contacts peut afficher les derniers messages Facebook, Twitter et des autres réseaux sociaux. Il vous suffit de connecter vos réseaux sociaux à votre compte Microsoft.

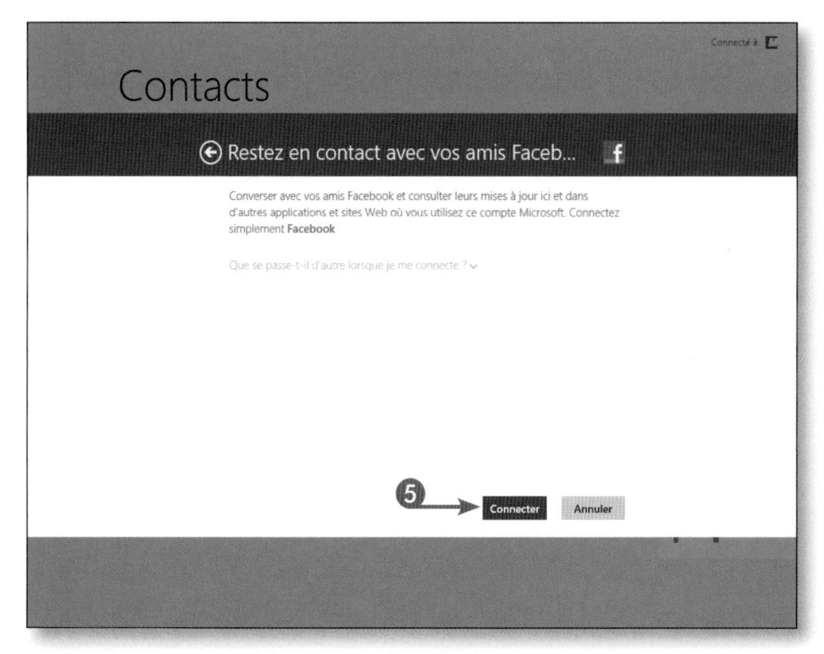

L'application Contacts affiche une description de la connexion.

5 Cliquez **Connecter**.

AJOUTEZ LES CONTACTS DE VOS RÉSEAUX SOCIAUX

Les mises à jour et les notifications des contacts de vos réseaux sociaux apparaissent sur la vignette de l'application Contacts, dans l'écran d'accueil. Pour voir toutes les mises à jour, cliquez l'application Contacts, puis l'onglet Quoi de neuf. L'onglet Moi affiche les messages que vous avez publiés, ainsi que les notifications qui vous sont envoyées depuis le service de réseau social.

AJOUTEZ LES CONTACTS DE VOS RÉSEAUX SOCIAUX (SUITE)

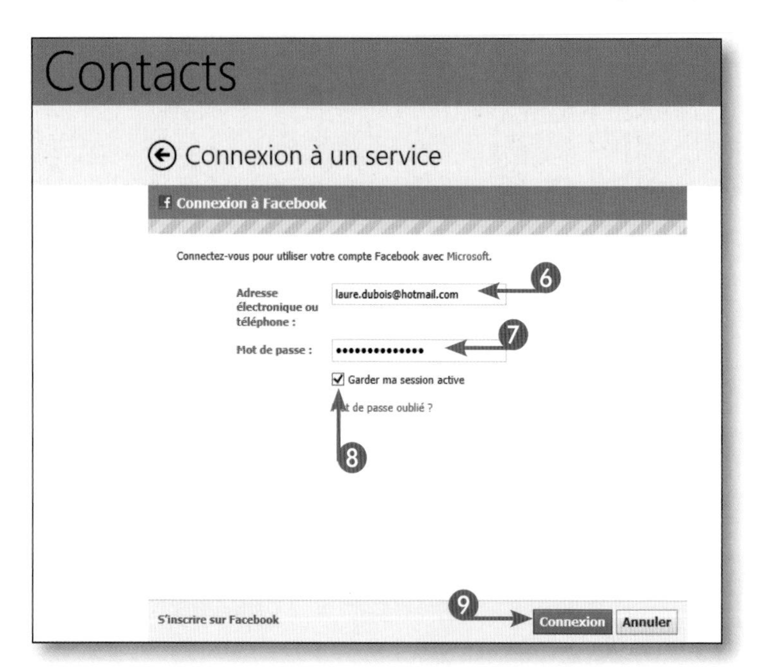

Le réseau social vous invite à ouvrir votre session.

❻ Tapez votre nom d'utilisateur ou adresse de messagerie.

❼ Tapez votre mot de passe.

❽ Cochez cette case (☐ devient ☑).

❾ Cliquez **Connexion**.

Note. *Le nom du bouton varie selon le réseau social. Par exemple, avec Twitter, cliquez* ***Autoriser l'application****.*

Pour interagir avec vos réseaux sociaux, par exemple « aimer » une publication Facebook, cliquez cette dernière dans l'application Contacts, puis cliquez l'icône **J'aime**. Vous pouvez aussi commenter une publication. Pour Twitter, cliquez le tweet, puis **Retweeter** pour le retweeter, **Favori** pour l'enregistrer ou **Répondre** pour répondre à la personne.

Le réseau social se connecte à votre compte Microsoft.

⑩ Cliquez **Terminé**.

VISIONNEZ VOS PHOTOS

Avec Windows 8, vous pouvez parcourir toutes les photos de votre bibliothèque d'images manuellement ou en démarrant un diaporama qui affiche automatiquement chaque photo pendant quelques secondes.

VISIONNEZ VOS PHOTOS

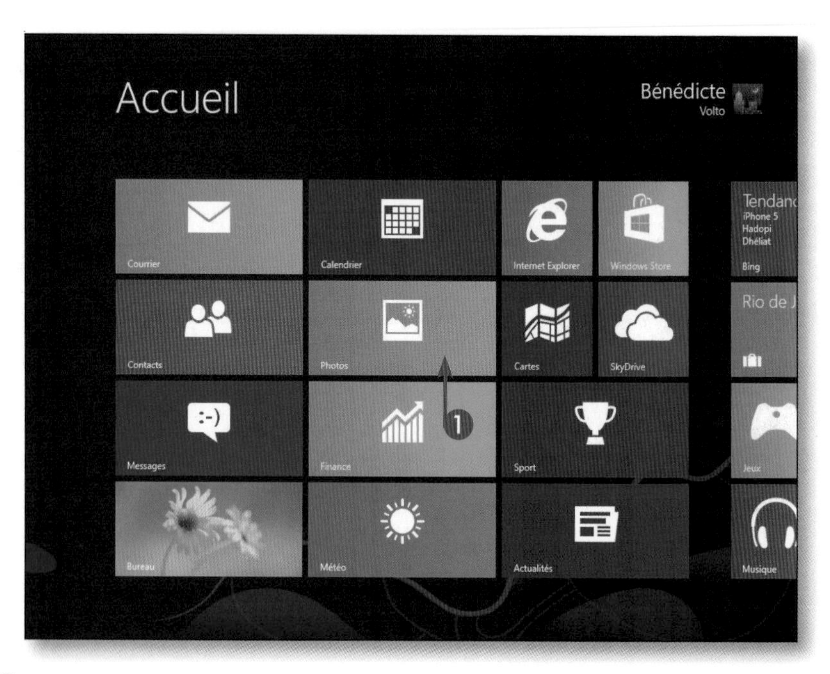

❶ Dans l'écran d'accueil, cliquez la vignette **Photos**.

Windows 8 contient deux programmes qui permettent de visionner vos photos : Visionneuse de photos Windows, un programme de Bureau traité au chapitre 6, et Photos, une application Windows 8 traitée dans cette section.

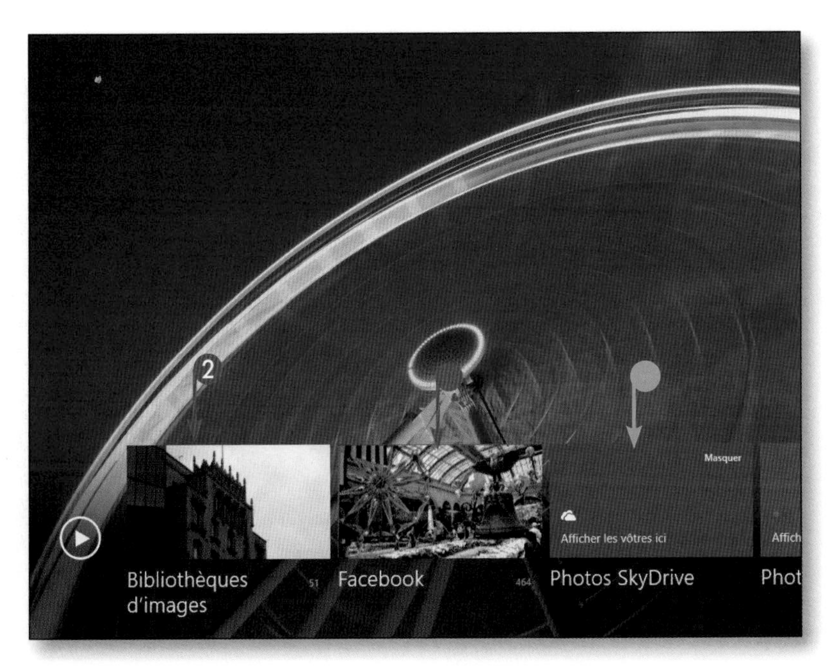

Windows 8 démarre l'application Photos.

2 Cliquez **Bibliothèques d'images**.

Si vous avez connecté vos comptes Facebook et Microsoft (voir la section précédente), vous pouvez cliquer **Facebook** pour visionner vos photos.

Si vous avez téléchargé des photos sur SkyDrive, comme décrit plus loin dans ce chapitre, cliquez **Photos SkyDrive** pour les afficher.

VISIONNEZ VOS PHOTOS

Pour désactiver l'affichage aléatoire de vos images dans la vignette Photos de l'écran d'accueil, cliquez cette dernière du bouton droit, puis cliquez Vignette désactivée dans la barre d'application.

VISIONNEZ VOS PHOTOS (SUITE)

L'application Photos affiche les albums et images de votre bibliothèque d'images.

❸ Cliquez l'album contenant les photos à afficher.

Pour supprimer une photo de votre bibliothèque d'images, affichez-la dans l'application Photos, cliquez-la avec le bouton droit, puis cliquez **Supprimer**. À l'invite, cliquez **Supprimer**.

L'application ouvre l'album.

4 Cliquez la première photo à visionner.

● Pour exécuter un diaporama, cliquez du bouton droit dans l'écran, puis cliquez **Diaporama**.

5 Appuyez sur → et ← pour afficher respectivement la photo suivante ou la photo précédente.

REGARDEZ UNE VIDÉO

L'application Vidéo vous permet de visionner vos fichiers vidéo en plein écran, pour profiter pleinement de cette expérience. Vous pouvez alors suspendre, redémarrer, avancer ou reculer la lecture.

DÉMARREZ UNE VIDÉO

❶ Dans l'écran d'accueil, cliquez la vignette **Vidéo**.

❷ Faites défiler la fenêtre vers la gauche et cliquez **mes vidéos**.

● Si la vidéo que vous souhaitez regarder apparaît, cliquez-la et passez les étapes suivantes.

Windows 8 propose deux programmes pour regarder des vidéos : le programme de Bureau Lecteur Windows Media (traité au chapitre 7), et Vidéo, une application Windows 8, décrite dans cette section.

❸ Cliquez l'onglet contenant la vidéo à regarder.

Outre l'onglet Mes vidéos, l'application Vidéo contient deux autres onglets. L'onglet À la une présente les films et émissions populaires. L'onglet Store films propose des films à la location ou à la vente.

Parcourez les différents onglets, comme Nouveautés ou Genres, pour rechercher une vidéo. Cliquez la vidéo, **Acheter** (ou **Louer**, si disponible), puis saisissez vos informations d'identification et de paiement.

DÉMARREZ UNE VIDÉO (SUITE)

4 Cliquez la vidéo.

L'application démarre la lecture de la vidéo.

CONTRÔLEZ LA LECTURE DE LA VIDÉO

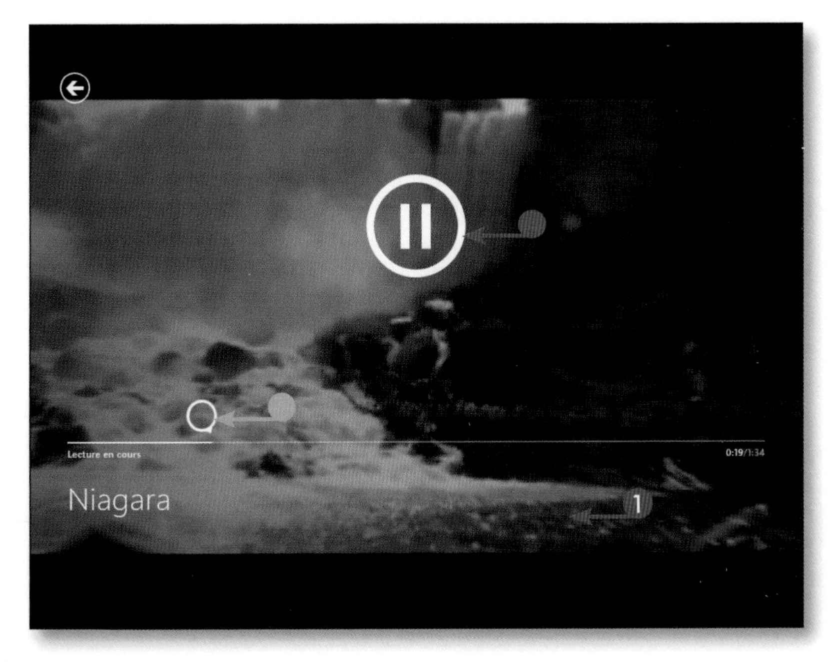

❶ Cliquez dans l'écran.

Les contrôles de lecture apparaissent.

❷ Cliquez le signe **Pause** pour interrompre et redémarrer la lecture.

❸ Cliquez et faites glisser le curseur pour revenir en arrière ou avancer la vidéo.

Écoutez la musique de votre bibliothèque tout en travaillant sur votre ordinateur. Vous pouvez écouter toutes les pistes d'un album, toutes les chansons d'un artiste en particulier ou des titres individuels, et tout cela dans un ordre aléatoire et/ou en répétant les albums et les artistes.

DÉMARREZ LA LECTURE

1 Dans l'écran d'accueil, cliquez la vignette **Musique**.

2 Faites défiler la fenêtre vers la gauche et cliquez **ma musique**.

● Si l'album que vous souhaitez écouter apparaît, cliquez-le et passez les étapes suivantes.

Windows 8 propose deux programmes pour écouter de la musique : le programme de Bureau Lecteur Windows Media (traité au chapitre 7) et Musique, une application Windows 8, décrite dans cette section.

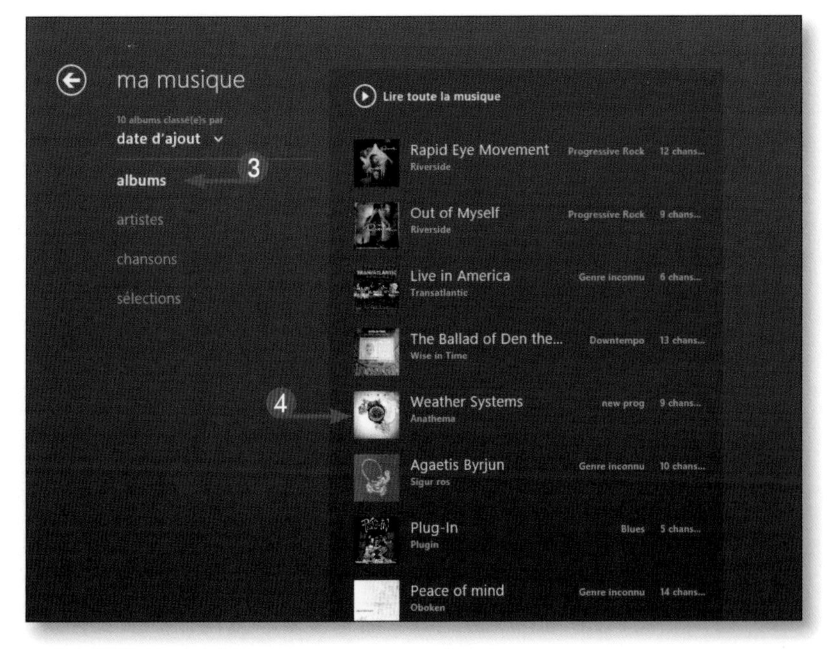

3 Cliquez l'onglet contenant la musique à écouter.

4 Cliquez l'album, l'artiste ou le morceau.

Les autres onglets de l'écran de l'application proposent d'acheter de la musique. Cliquez Store musique xbox, puis l'onglet de votre choix pour sélectionner un genre de musique.

Lorsque vous ouvrez un album, vous pouvez cliquer **Aperçu** pour écouter chaque titre et **Acheter l'album**. Pour un titre individuel, cliquez-le, puis cliquez soit **Aperçu**, soit **Acheter la chanson**. Saisissez ensuite vos informations d'identification et de paiement.

DÉMARREZ LA LECTURE (SUITE)

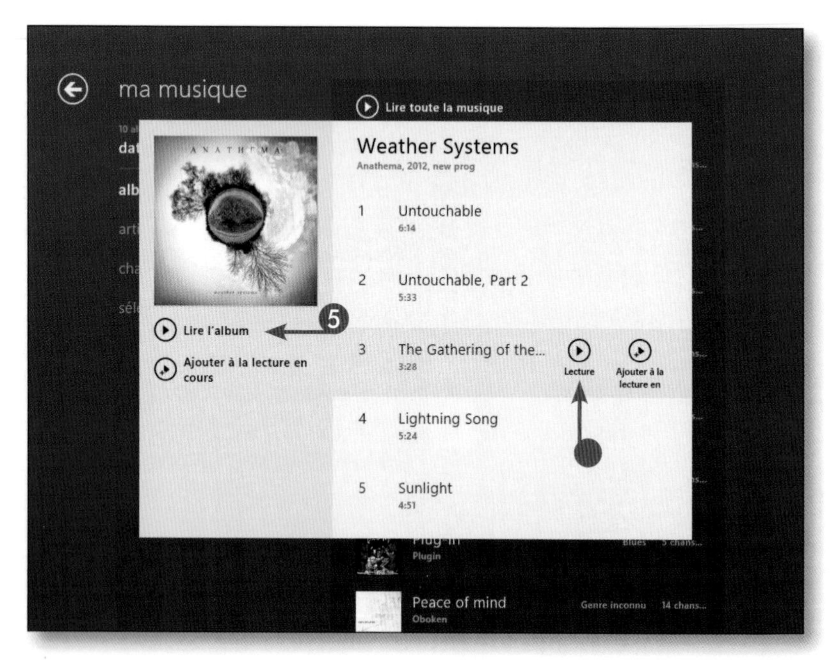

L'album s'affiche, avec la liste des titres.

5 Cliquez **Lire l'album**.

● Vous pouvez aussi cliquer un titre, puis **Lecture**.

CONTRÔLEZ LA LECTURE

1 Cliquez dans l'écran avec le bouton droit.

Les contrôles de lecture apparaissent.

Cliquez **Pause** pour interrompre et redémarrer la lecture.

Cliquez **Suivant** pour passer au titre suivant.

Cliquez **Précédent** pour revenir au titre précédent.

CONSULTEZ VOTRE CALENDRIER

L'application Windows 8 Calendrier vous permet de gérer tout votre emploi du temps. Avant de créer un événement, comme un rendez-vous ou une réunion, ou un événement sur la journée, tel qu'une conférence ou un voyage, commencez par sélectionner la date correspondante.

PAR MOIS

❶ Dans l'écran d'accueil, cliquez la vignette **Calendrier**.

❷ Cliquez dans l'écran avec le bouton droit.

❸ Cliquez **Mois**.

❹ Déplacez le pointeur de la souris ⇱.

❺ Cliquez les flèches pour parcourir les mois.

Modifiez si vous le souhaitez l'affichage du calendrier, pour ne visionner que les événements importants d'une journée et vous concentrer sur les activités de ce jour. De même, vous pouvez afficher les événements d'une semaine ou d'un mois, si vous souhaitez vous faire une idée de votre emploi du temps à plus long terme.

PAR SEMAINE

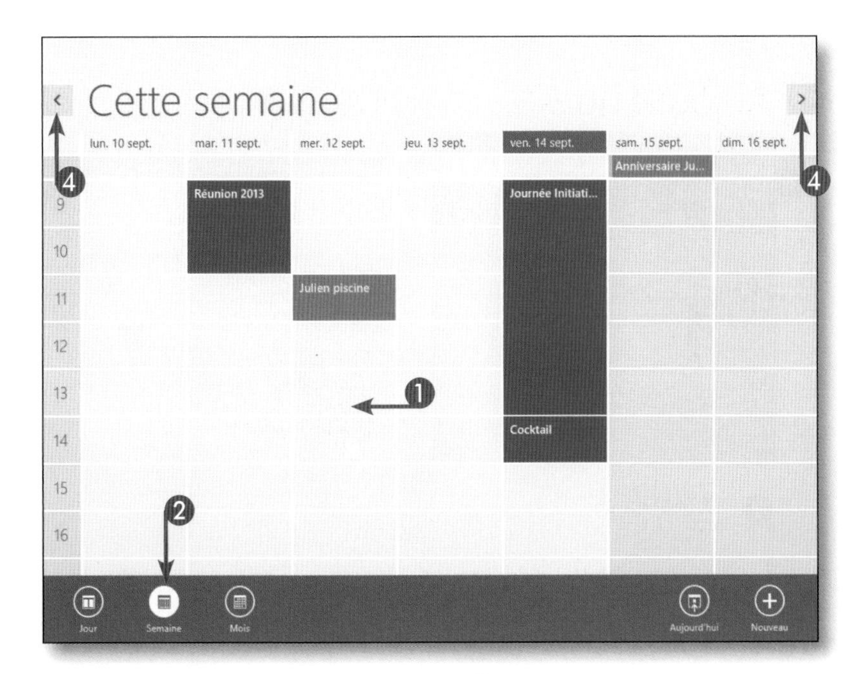

❶ Cliquez dans l'écran avec le bouton droit.

❷ Cliquez **Semaine**.

❸ Déplacez le pointeur de la souris.

❹ Cliquez les flèches pour parcourir les semaines.

CONSULTEZ VOTRE CALENDRIER

Voici les raccourcis permettant de changer l'affichage du calendrier :

PAR JOUR

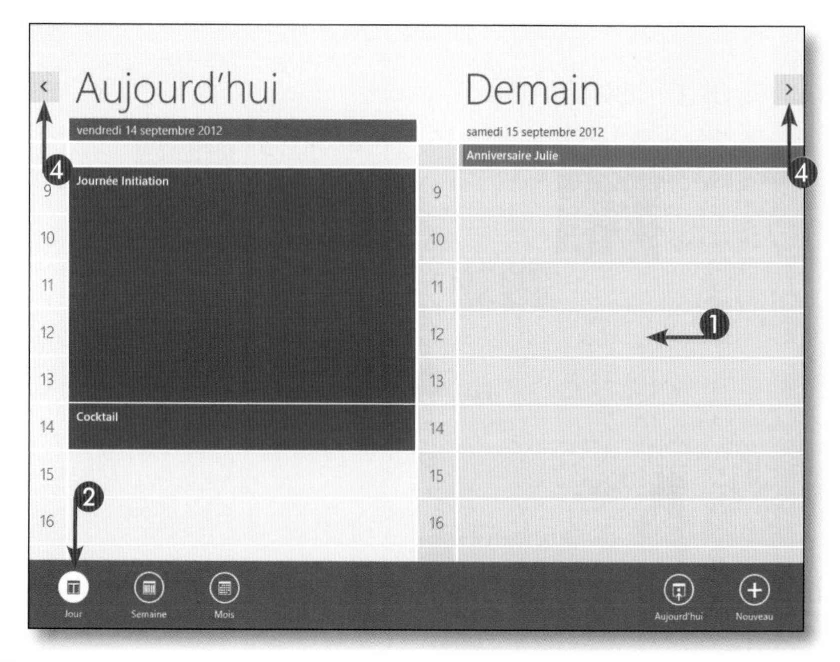

❶ Cliquez dans l'écran avec le bouton droit.

❷ Cliquez **Jour**.

❸ Déplacez le pointeur de la souris.

❹ Cliquez les flèches pour parcourir les jours.

Appuyez sur	Pour
Ctrl + 1	Passer en affichage Jour.
Ctrl + 2	Passer en affichage Semaine.
Ctrl + 3	Passer en affichage Mois.
Ctrl + T	Afficher les événements du jour.
→	Passer à l'écran suivant avec l'affichage en cours.
←	Revenir à l'écran précédent avec l'affichage en cours

AFFICHEZ LES ÉVÉNEMENTS DU JOUR

❶ Cliquez dans l'écran avec le bouton droit.

❷ Cliquez **Aujourd'hui**.

La date du jour apparaît dans l'affichage sélectionné.

AJOUTEZ UN ÉVÉNEMENT AU CALENDRIER

L'application Calendrier vous aide à organiser votre emploi du temps en consignant vos événements, tels que vos rendez-vous, réunions et appels téléphoniques, le jour et l'heure où ils ont lieu.

AJOUTEZ UN ÉVÉNEMENT AU CALENDRIER

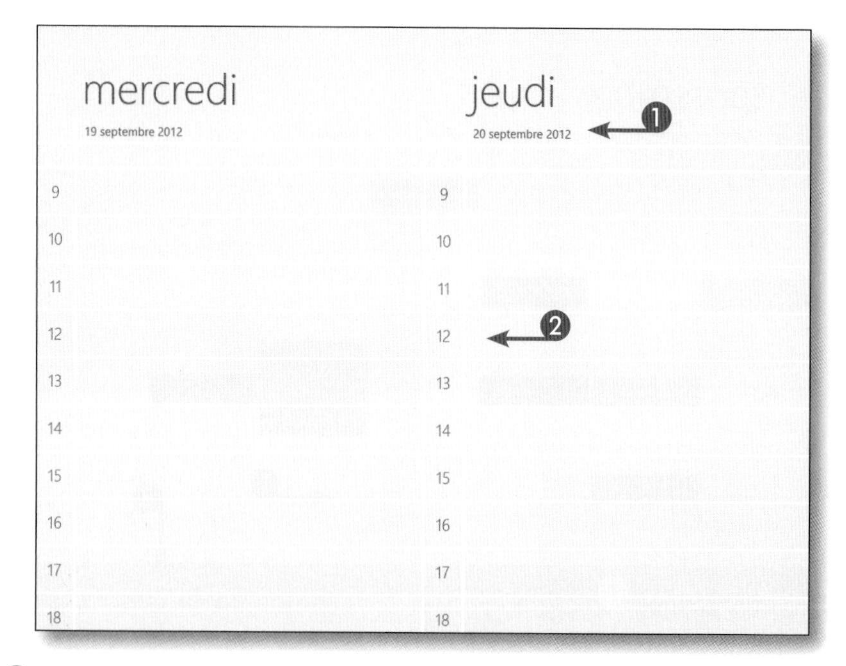

❶ Cliquez la date de l'événement.

❷ Cliquez l'heure de début de l'événement.

Note. *Si le calendrier est affiché en mode Mois, cliquez le jour de l'événement.*

Note. *Pour créer un nouvel événement, vous pouvez également cliquer l'écran avec le bouton droit, puis cliquer* ***Nouveau****, ou appuyer sur* Ctrl + N.

Certains événements ont lieu à des heures précises et pour une durée précise, comme une réunion ou un déjeuner d'affaires. Pour ajouter des anniversaires ou des périodes de vacances, créez des événements avec l'option **Toute la journée**.

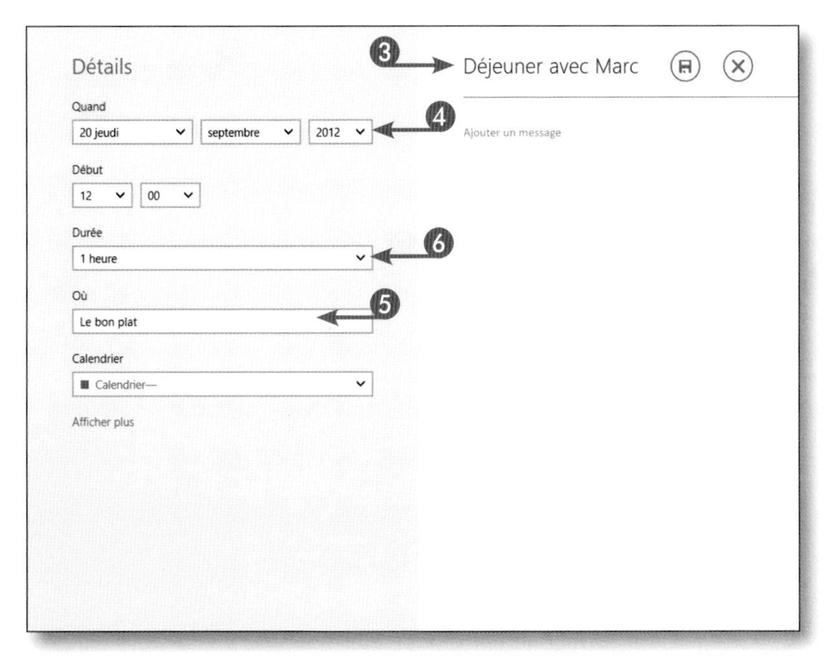

L'écran du nouvel événement s'affiche.

❸ Tapez le nom de l'événement.

❹ Si l'heure de début est incorrecte, corrigez-la dans le champ **Début**.

❺ Tapez le lieu de l'événement dans le champ **Où**.

❻ Cliquez la flèche **Durée** ▾.

Le Calendrier peut répéter un événement qui se produit régulièrement, à savoir tous les jours, toutes les semaines, tous les mois, *etc*.

Répétez les étapes 1 à 8 pour créer un nouvel événement ou double-cliquez un événement existant. Cliquez **Afficher plus**, puis la flèche **Fréquence** (▾). Choisissez l'intervalle à définir.

AJOUTEZ UN ÉVÉNEMENT AU CALENDRIER (SUITE)

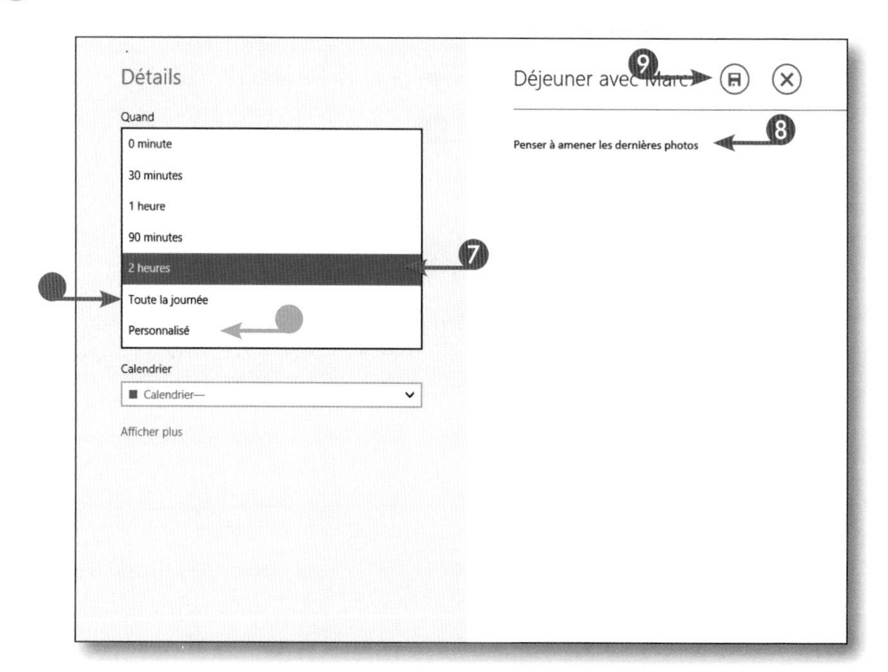

7 Choisissez la durée de l'événement.

● S'il s'agit d'un anniversaire ou d'un autre événement durant toute la journée, cliquez **Toute la journée**.

● Pour choisir une heure de fin, cliquez **Personnalisé**.

8 Tapez vos commentaires dans la zone **Ajouter un message**.

9 Cliquez **Enregistrer ce rendez-vous** (💾).

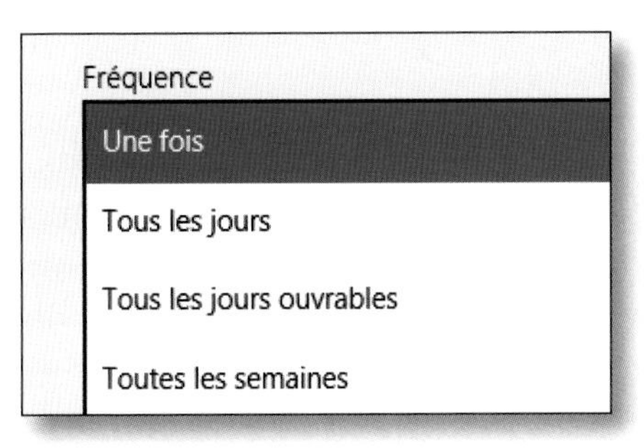

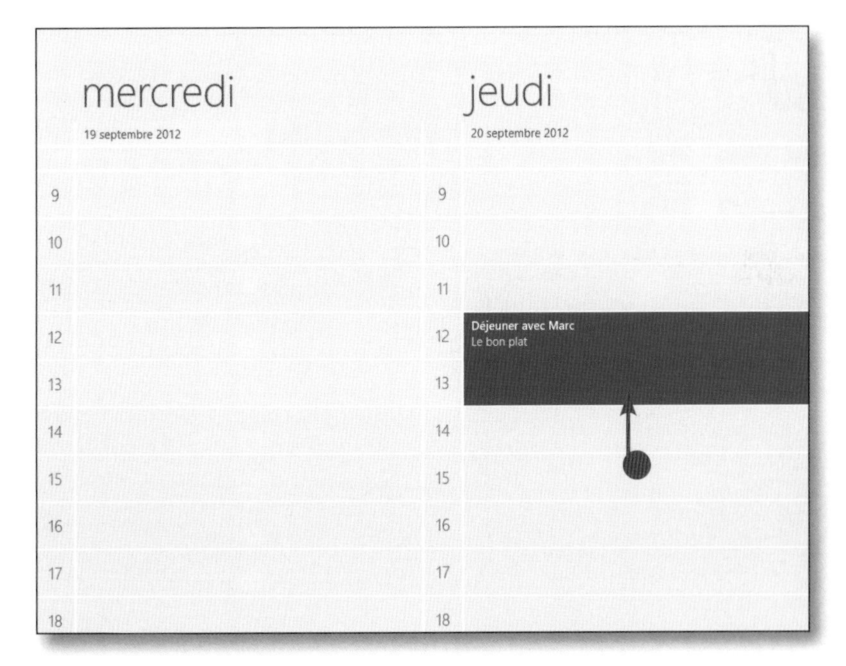

● L'événement est enregistré.

Note. *Pour modifier l'événement, double-cliquez-le.*

Pour gagner du temps et utiliser plus facilement votre ordinateur, apprenez à rechercher les applications, paramètres et fichiers dont vous avez besoin.

RECHERCHEZ DES APPLICATIONS

❶ Dans l'écran d'accueil, tapez le nom de l'application.

L'écran de recherche Applications apparaît.

● Windows 8 inscrit votre texte dans la zone de recherche.

● Windows 8 affiche toutes les applications dont le nom inclut votre terme de recherche.

❷ Si l'application recherchée apparaît, cliquez son nom pour l'ouvrir.

Au bout d'un certain temps d'utilisation, votre ordinateur peut contenir tellement de fichiers qu'il devient difficile d'en localiser un en particulier. La fonction de recherche de Windows 8 peut alors vous faire gagner un temps précieux. Vous pouvez aussi utiliser l'écran d'accueil pour rechercher des applications et des paramètres système.

Si vous utilisez l'application Bureau, vous pouvez rechercher des fichiers à l'aide de la zone de recherche des fenêtres de dossier.

RECHERCHEZ DES PARAMÈTRES

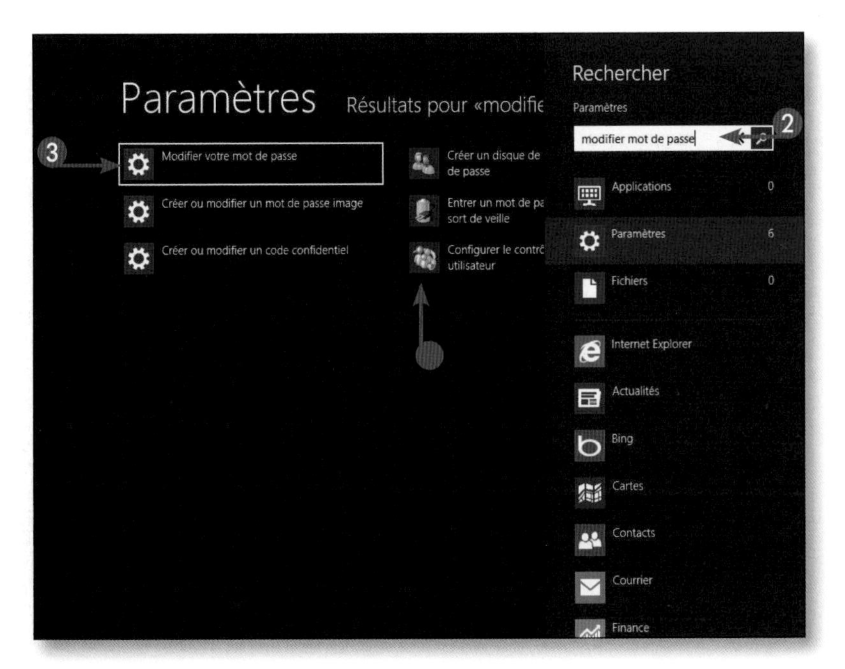

❶ Dans l'écran d'accueil, appuyez sur ⊞ + W.

L'écran de recherche Paramètres apparaît.

❷ Tapez le nom du paramètre.

● Windows 8 affiche tous les paramètres qui correspondent au terme de votre recherche.

❸ Si le paramètre recherché apparaît, cliquez son nom pour l'ouvrir.

En supprimant les applications inutiles du volet de recherche, vous parcourez et retrouvez plus facilement les autres applications.

RECHERCHEZ DES FICHIERS

① Dans l'écran d'accueil, appuyez sur [Windows] + [F].

L'écran de recherche Fichiers apparaît.

② Tapez le nom du fichier, puis appuyez sur [Entrée].

● Windows 8 affiche tous les fichiers qui correspondent au terme de votre recherche.

③ Si le fichier recherché apparaît, cliquez son nom pour l'ouvrir.

Pour ce faire, appuyez sur ⊞ + I, cliquez **Modifier les paramètres du PC → Rechercher**, puis désactivez les applications à supprimer.

DANS LA FENÊTRE D'UN DOSSIER

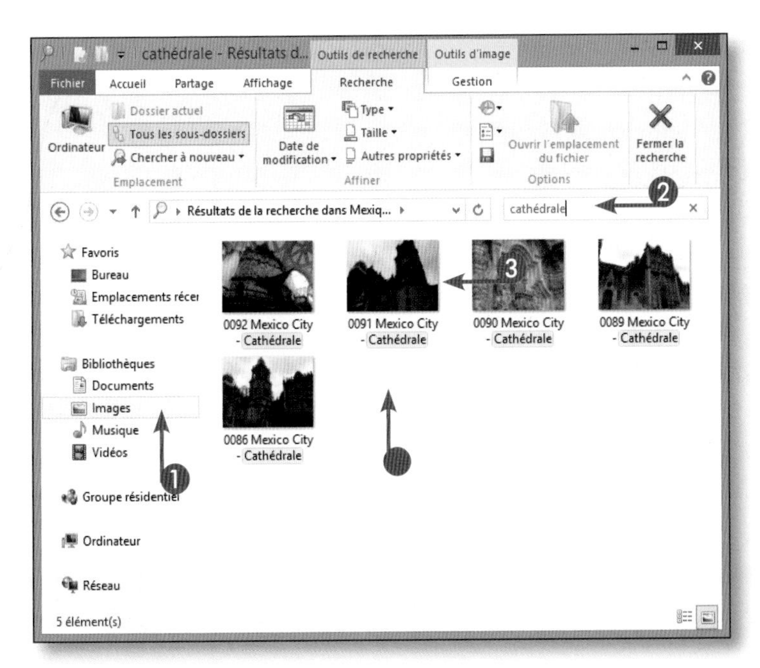

❶ Ouvrez le dossier à inspecter.

❷ Tapez le texte dans la zone de recherche.

● Windows 8 affiche les dossiers et les fichiers dont le nom, le contenu ou les mots-clés incluent votre terme de recherche.

❸ Si le dossier ou le fichier recherché apparaît, double-cliquez-le pour l'ouvrir.

TROUVEZ UN ITINÉRAIRE

Suivez les itinéraires de l'application Cartes pour vous rendre d'un point à un autre.

TROUVEZ UN ITINÉRAIRE

❶ Dans l'écran d'accueil, cliquez la vignette **Cartes**.

Au premier démarrage, l'application vous demande si elle peut utiliser votre position.

❷ Cliquez **Autoriser**.

❸ Cliquez dans l'écran du bouton droit, puis cliquez **Itinéraire**.

L'application Windows 8 Cartes affiche une carte numérique qui permet de visualiser n'importe quel endroit au monde, et notamment les routes de la plupart des villes et pays. Si vous désignez un point de départ et une destination, Cartes vous fournit l'itinéraire à suivre. Elle met en évidence votre route sur la carte et vous donne les indications pour chaque étape de votre trajet.

❹ Tapez le nom ou l'adresse de votre point de départ.

Note. *Si Cartes vous localise précisément et adopte votre position comme point de départ, passez l'étape* ***4****.*

❺ Tapez le nom ou l'adresse de votre destination.

❻ Cliquez la flèche **Trouver des adresses** (➔).

L'application Cartes utilise pas moins de trois données pour déterminer votre position. Tout d'abord, elle recherche des hotspots Wi-Fi, c'est-à-dire des établissements publics qui offrent un accès Internet sans fil. Ensuite, si vous êtes connecté à Internet, elle récupère vos informations de géolocalisation contenues dans votre adresse IP (*Internet Protocol*). Enfin, si votre ordinateur est équipé d'un récepteur GPS, il utilise ces données pour vous localiser très précisément.

TROUVEZ UN ITINÉRAIRE (SUITE)

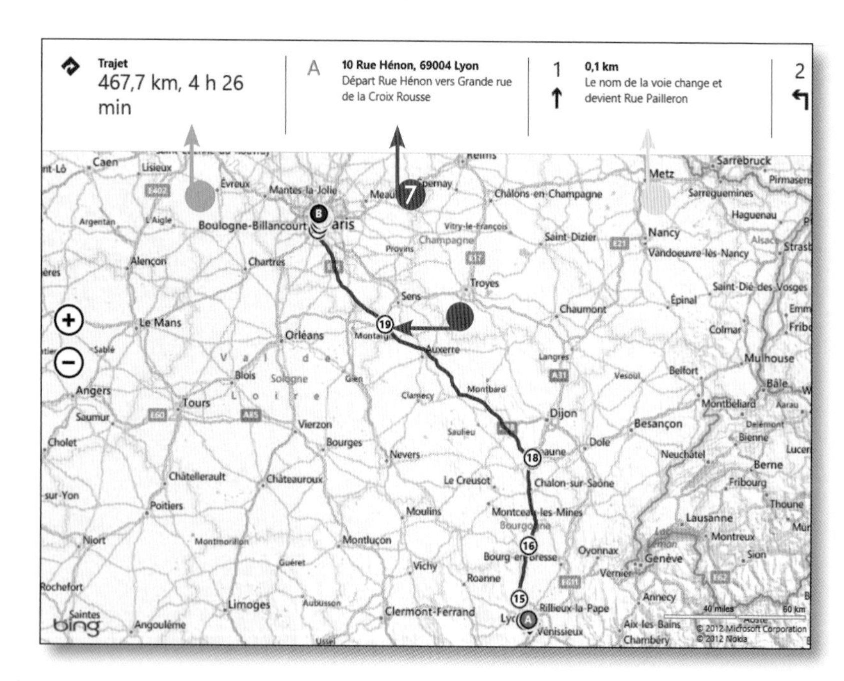

● Votre trajet apparaît sur la carte.

● Cette zone indique la distance et le temps approximatif nécessaire en voiture.

● Cette zone indique les différentes étapes du voyage.

7 Cliquez la première étape du trajet.

Pour consulter l'état du trafic sur votre route, cliquez du bouton droit dans la carte, puis **Afficher le trafic**. Le vert identifie les routes fluides, tandis que la couleur orange indique les zones à ralentissement et le rouge les zones embouteillées.

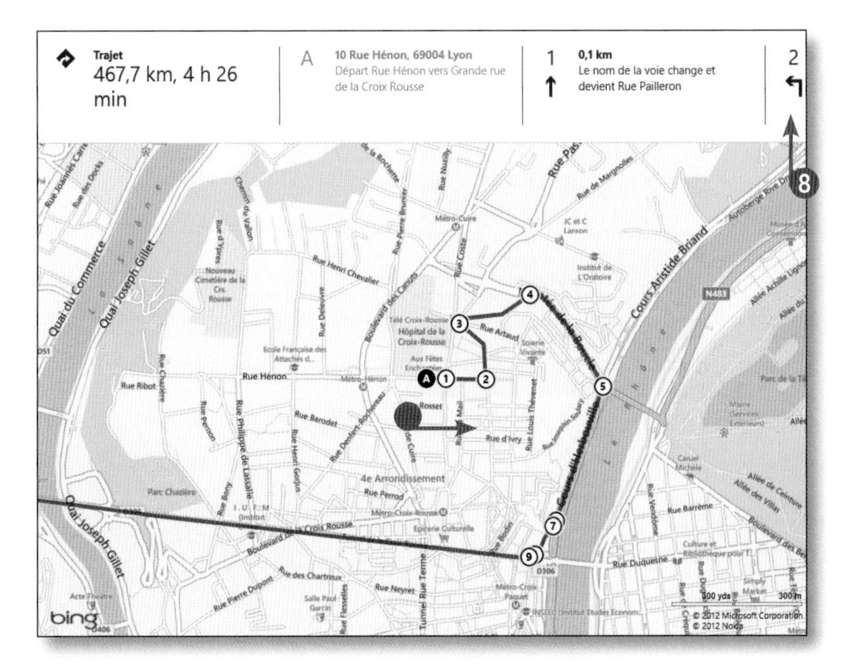

● L'application zoome sur la zone de cette étape.

8 Cliquez l'étape suivante pour lire les instructions correspondantes.

AJOUTEZ UN FICHIER SUR SKYDRIVE

L'application SkyDrive vous permet de stocker un fichier sur un espace en ligne, fourni avec votre compte Microsoft.

AJOUTEZ UN FICHIER SUR SKYDRIVE

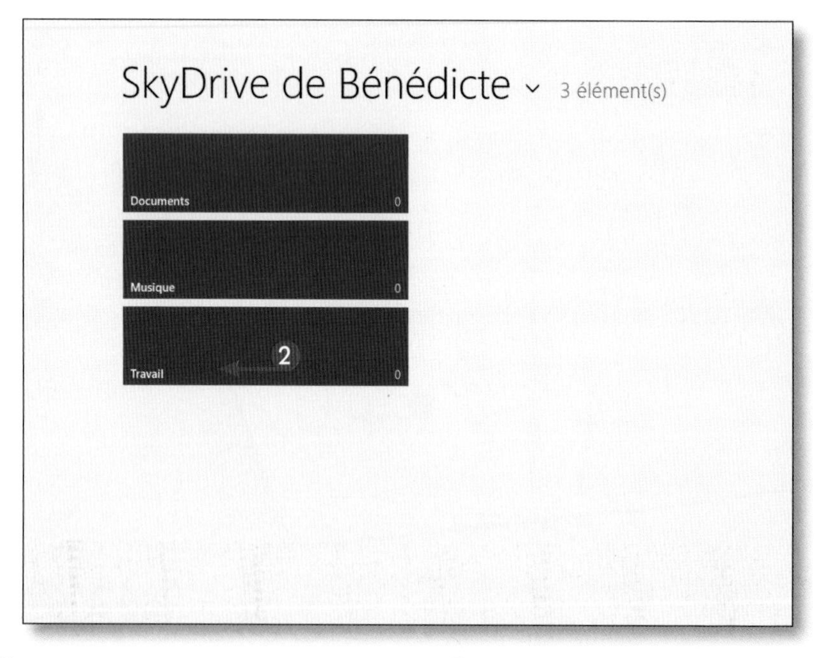

❶ Dans l'écran d'accueil, cliquez la vignette **SkyDrive**.

❷ Cliquez le dossier SkyDrive où stocker le fichier.

Si vous utilisez Windows 8 avec un compte Microsoft, vous bénéficiez d'un espace de stockage en ligne appelé SkyDrive, sur lequel vous pouvez stocker vos fichiers. Vous disposez ainsi d'un accès à distance permanent à vos fichiers. SkyDrive étant accessible partout où vous avez une connexion à Internet, vous pouvez afficher et modifier vos fichiers sur n'importe quel ordinateur.

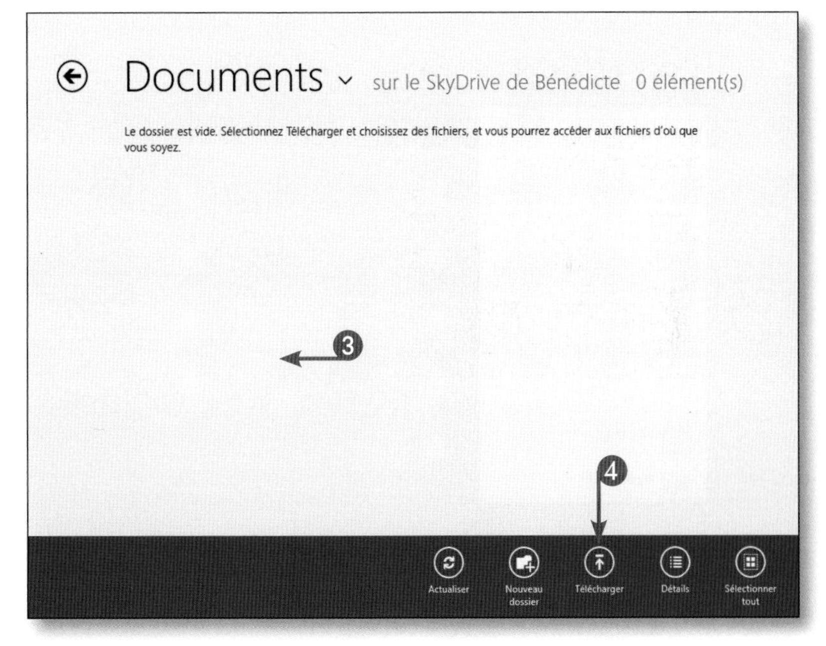

3 Cliquez dans l'écran avec le bouton droit.

4 Cliquez **Télécharger**.

L'application SkyDrive ne vous permet que d'envoyer des fichiers existants sur votre SkyDrive. Pour créer de nouveaux dossiers, renommer des fichiers, en supprimer, *etc.*, rendez-vous sur le site Web de SkyDrive (`https://skydrive.live.com/`).

AJOUTEZ UN FICHIER SUR SKYDRIVE (SUITE)

L'écran Fichiers apparaît.

5 Cliquez **Fichiers**.

6 Cliquez le dossier contenant le fichier à télécharger.

Les fichiers du dossier sélectionné s'affichent.

7 Cliquez le fichier à envoyer.

8 Cliquez **Ajouter à SkyDrive**.

Microsoft vous donne accès aux applications Office Web, des versions allégées en ligne de Word, Excel, PowerPoint et OneNote. Pour créer des documents avec ces programmes, à partir de votre SkyDrive en ligne, cliquez **Créer → Document Word**, **Classeur Excel**, **Présentation PowerPoint** ou **Bloc-notes OneNote**.

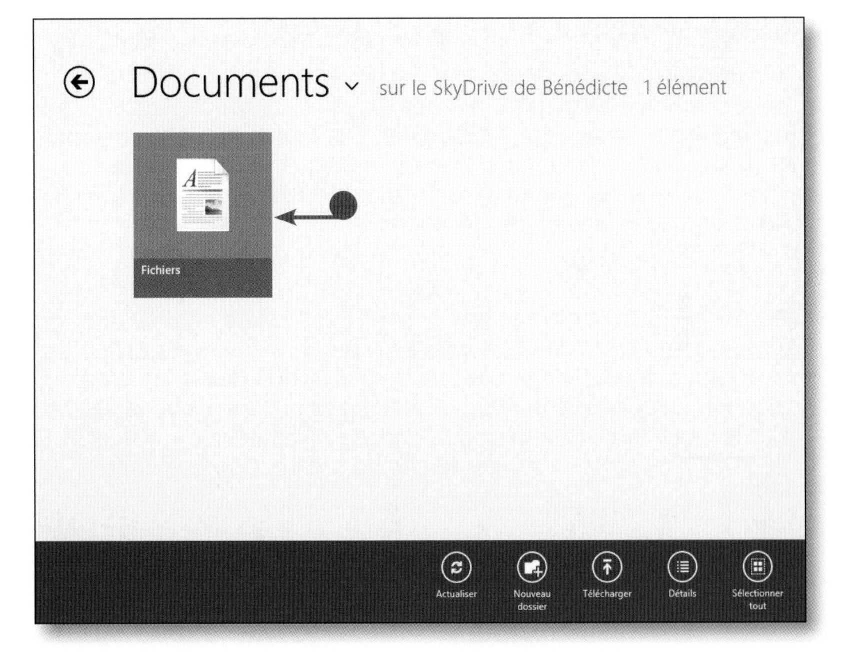

L'application SkyDrive télécharge le fichier.

● Une fois le transfert terminé, le fichier apparaît dans le dossier SkyDrive.

Le Web accueille une masse d'informations stockées sur des ordinateurs, ou *serveurs Web,* répartis dans le monde entier.

Page Web

Sur le Web, les informations se présentent sous la forme de pages que vous consultez sur votre ordinateur grâce à un navigateur comme Internet Explorer. Les pages peuvent contenir du texte, des images, du son, de la musique et même de la vidéo. Le Web est composé de milliards de pages traitant tous les sujets possibles et imaginables.

Lien

Appelé aussi *hyperlien*, le lien peut être considéré comme une sorte de référence dans une page Web qui renvoie vers une autre page. Il peut s'agir d'un texte (généralement souligné ou d'une couleur différente) ou d'une image qui, lorsque vous les cliquez, ouvrent une autre page dans le navigateur. La nouvelle page peut appartenir au même site ou à n'importe quel autre site Web.

- Bureautique
- Graphisme/Photo/Vidéo
- Réseaux
- Internet
- Langages
- Matériel
- Systèmes
- Mac
- Smartphones / Tablettes
- Réseaux sociaux

Les internautes passent la majorité de leur temps en ligne à naviguer sur le Web, ce qui n'est pas étonnant, puisque celui-ci est non seulement utile et intéressant, mais il sait également amuser, divertir et provoquer.

Cette section présente le Web et, en particulier, quatre concepts fondamentaux : la page Web, le site Web, l'adresse Web et le lien. Voilà de quoi vous constituer un bon bagage de départ pour partir explorer la Toile.

Site Web

Un site Web rassemble des pages créées par ou se rapportant à une personne, une entreprise, un gouvernement, une institution ou toute autre organisation. Les sites Web sont hébergés sur des ordinateurs (serveurs Web) spécialement configurés pour mettre les pages Web à la disposition du public. Un serveur Web est généralement un ordinateur très puissant, capable de traiter des milliers de visites simultanément. Les plus gros sites Web sont exécutés par des *fermes de serveurs*, c'est-à-dire des réseaux contenant des dizaines, des centaines ou des milliers de serveurs.

Adresse Web

Chaque page Web possède une adresse Web unique, appelée aussi URL (*Uniform Ressource Locator*). Si vous connaissez l'adresse d'une page Web, il suffit, pour ouvrir la page, de saisir cette adresse dans un navigateur Web.

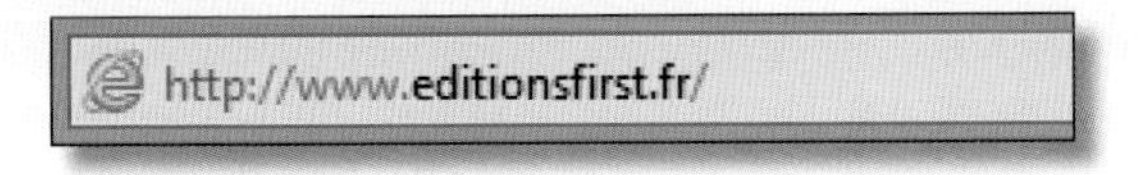

OUVREZ INTERNET EXPLORER

Windows 8 intègre un navigateur Web, Internet Explorer, que vous pouvez ouvrir pour surfer sur le Web.

OUVREZ INTERNET EXPLORER

❶ Appuyez sur [Windows] + D.

Le Bureau s'affiche.

❷ Cliquez **Internet Explorer** ( ).

La version Bureau d'Internet Explorer offre de nombreuses fonctionnalités de navigation. Par exemple, vous pouvez ouvrir plusieurs pages dans une même fenêtre, enregistrer vos sites préférés pour y accéder plus facilement et effectuer des recherches sur Internet à partir de la fenêtre d'Internet Explorer.

Découvrez comment démarrer l'application, puis la fermer une fois que vous avez terminé, afin d'économiser les ressources système de votre ordinateur.

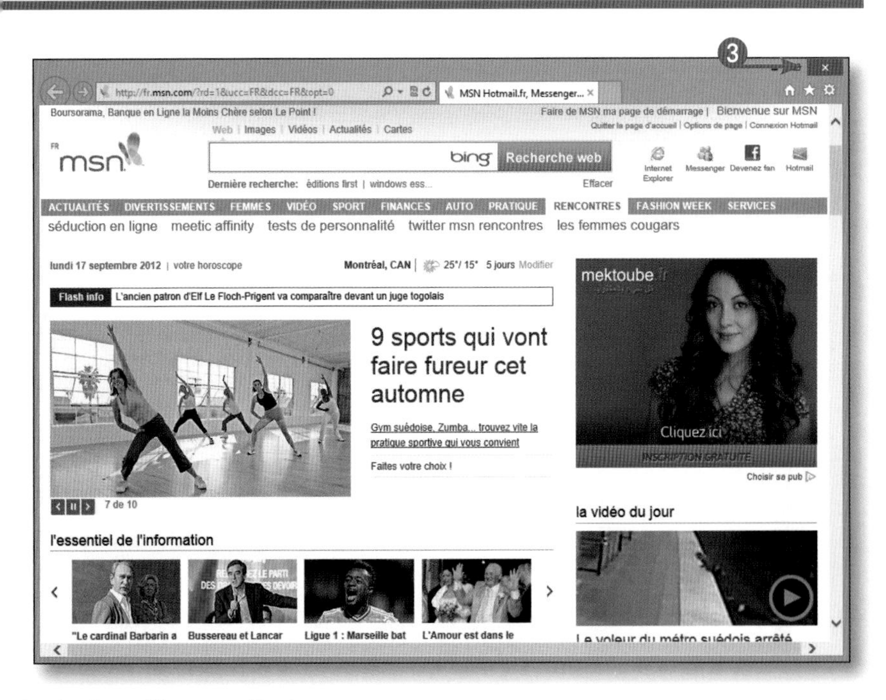

La fenêtre d'Internet Explorer s'affiche.

3 Cliquez ✕ lorsque vous avez fini de naviguer sur le Web.

Votre navigation sur le Web sera d'autant plus fructueuse que vous connaissez les éléments de la fenêtre d'Internet Explorer. En particulier, il est important de bien connaître les fonctionnalités d'Internet Explorer, comme la barre d'adresse et l'onglet d'une page Web.

Barre d'adresse

L'adresse de la page Web affichée apparaît ici. Vous pouvez aussi y saisir l'adresse de la page Web à consulter.

Barre de titre

Elle affiche le titre de la page Web qui apparaît dans la fenêtre d'Internet Explorer.

Lien

Les liens peuvent prendre la forme de textes ou d'images. Dans le premier cas, ils sont souvent, mais pas nécessairement, soulignés et d'une couleur différente (habituellement bleue) de celle du texte.

Lien sélectionné

Il s'agit du lien pointé par la souris. Le pointeur devient . Sur certaines pages, le lien peut alors être souligné et changer de couleur.

Adresse du lien

Lorsque vous pointez un lien, l'adresse de la page associée apparaît dans une bannière.

Vous devez également savoir identifier un lien et où il vous mène avant de le cliquer.

SÉLECTIONNEZ UN LIEN

Pratiquement toutes les pages Web contiennent des liens vers d'autres pages se rapportant aux mêmes sujets. Vous pouvez cliquer ces liens pour naviguer vers d'autres pages Web.

SÉLECTIONNEZ UN LIEN

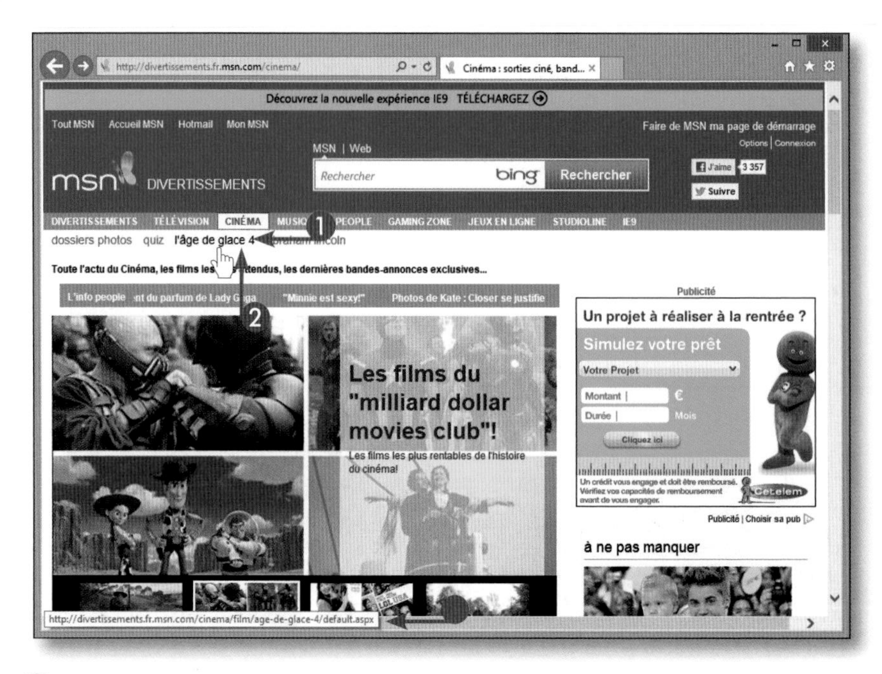

❶ Pointez le lien (↖ devient 👆).

❷ Cliquez le texte ou l'image.

● La bannière indique l'adresse de la page du lien.

Note. *L'adresse affichée lorsque vous pointez le lien peut être différente de celle qui apparaît au cours du téléchargement. Cela se produit lorsque le site Web « redirige » le lien, ce qui arrive fréquemment.*

Les liens apparaissent sous la forme de texte et d'images. Un lien textuel est un mot ou une phrase généralement souligné et d'une couleur différente de celle du texte. Cependant, les concepteurs de pages Web peuvent définir différemment l'apparence des liens.

Savoir identifier les mots, phrases ou images comme des liens n'est donc pas toujours évident. Pour vous en assurer, placez le pointeur de la souris sur le texte ou l'image. Si devient, il s'agit d'un lien.

La page Web s'affiche.

● Le titre et l'adresse de la page s'affichent.

SAISISSEZ L'ADRESSE D'UNE PAGE WEB

Si vous connaissez l'adresse d'une page Web précise, tapez-la dans le navigateur Web pour qu'il ouvre cette page. Chaque page possède une adresse unique appelée URL (*Uniform Resource Locator*).

SAISISSEZ L'ADRESSE D'UNE PAGE WEB

❶ Cliquez dans la barre d'adresse.

❷ Tapez l'adresse de la page Web.

L'URL se compose de quatre parties : le *protocole de transfert* (habituellement HTTP, *Hypertext Transfer Protocol*), le *nom de domaine* du site Web, le *répertoire* qui héberge la page Web sur le serveur et le *nom de fichier de la page Web*.

Le suffixe du nom de domaine le plus utilisé est .com (commercial), mais d'autres sont assez courants, comme les domaines des pays (.fr), .gov (gouvernement) ou .org (organisation à but non lucratif).

❸ Cliquez le bouton **Atteindre** (→).

Voici les raccourcis les plus utiles pour saisir une adresse Web :

- Appuyez sur Entrée, au lieu de cliquer le bouton **Atteindre** (→), lorsque vous avez saisi l'adresse.

- La majorité des adresses Web commencent par *http://*. Vous pouvez omettre ces caractères lorsque vous tapez l'adresse. Internet Explorer les ajoute automatiquement.

- Pour une adresse de type *http://www.site.com,* tapez uniquement *site.* Appuyez ensuite sur Ctrl + Entrée. Internet Explorer ajoute automatiquement *http://www* au début, et *.com* à la fin.

SAISISSEZ L'ADRESSE D'UNE PAGE WEB (SUITE)

La page Web s'affiche.

- Le titre de la page Web s'affiche lorsqu'elle est chargée.

Le message « Page introuvable » qui apparaît parfois lorsque vous chargez une page signifie qu'Internet Explorer ne peut entrer en contact avec le serveur Web à l'adresse indiquée. Il s'agit en général d'un incident temporaire. Cliquez **Actualiser** (⟳) ou appuyez sur F5 pour recharger la page. Si le problème persiste, vérifiez que vous avez correctement saisi l'adresse. Dans l'affirmative, le site est peut-être indisponible pour diverses raisons. Réessayez plus tard.

AFFICHEZ UNE PAGE WEB DÉJÀ VISITÉE

❶ Cliquez ▾ dans la barre d'adresse.

La liste d'adresses Web que vous avez saisies auparavant s'affiche.

❷ Cliquez l'adresse de la page à consulter.

La page Web s'affiche.

Note. *Lorsque vous tapez les premières lettres de l'adresse (**goog**, par exemple), une liste d'adresses commençant par ces lettres se déroule. Si l'adresse voulue apparaît, cliquez-la pour ouvrir la page.*

Lorsque vous avez consulté plusieurs pages, vous pouvez retourner à l'une d'elles. Au lieu de retaper l'adresse ou de rechercher le lien, employez les méthodes, plus pratiques, proposées par Internet Explorer.

RECULEZ D'UNE PAGE

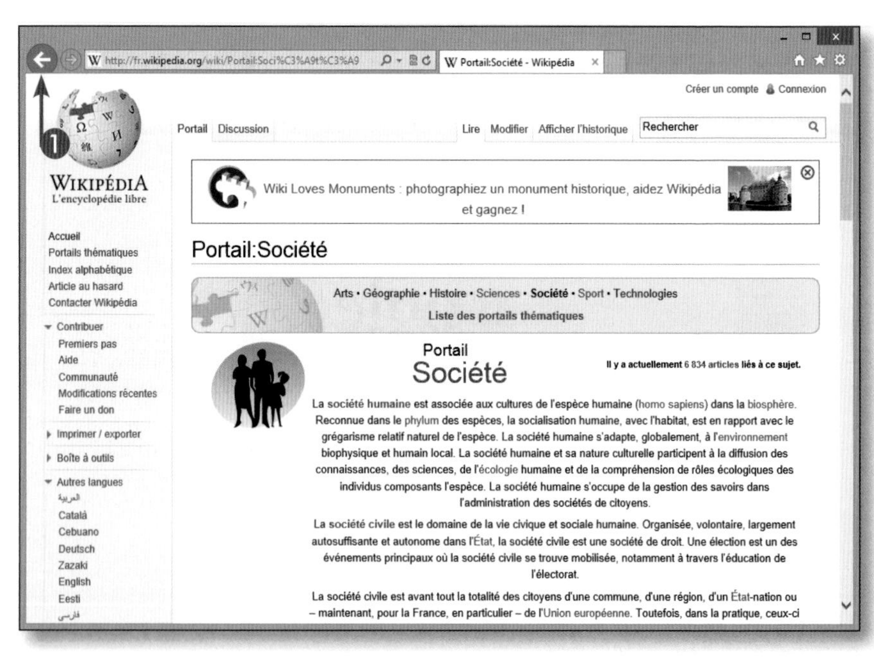

➊ Cliquez le bouton **Retour à** (←).

Lorsque vous naviguez de page en page, vous créez une sorte de « chemin » sur la Toile. Internet Explorer l'enregistre en conservant la liste des pages que vous avez visitées. Il suffit d'utiliser cette liste pour retrouver une page déjà visitée et avancer à nouveau dans la chronologie des pages.

RECULEZ DE PLUSIEURS PAGES

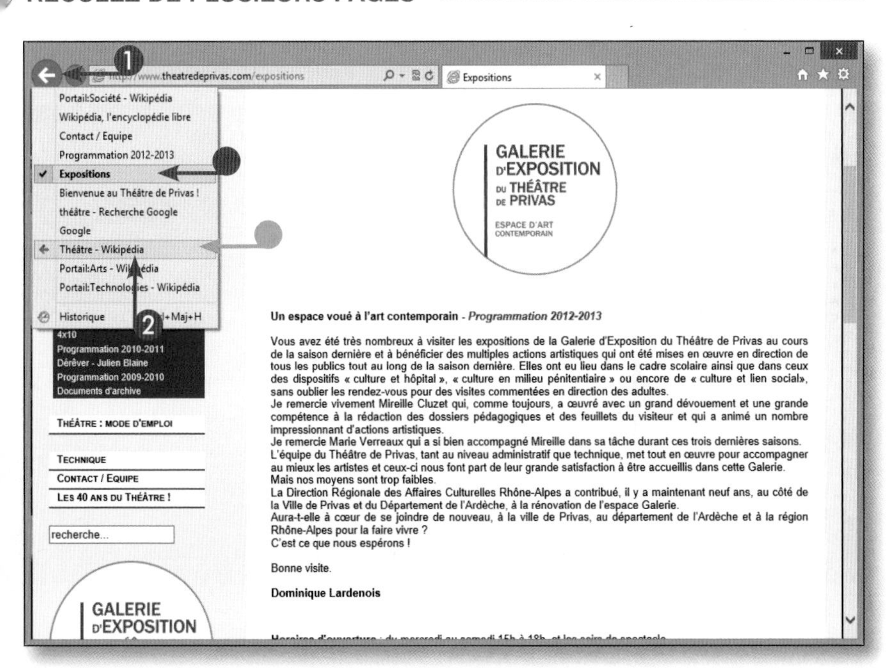

La page précédente apparaît.

❶ Cliquez le bouton **Retour à** ( ) en maintenant enfoncé le bouton de la souris.

La liste des pages consultées apparaît.

● La page en cours est cochée (☑).

● Les pages listées sous la page en cours sont celles visitées avant cette dernière. Lorsque vous placez le pointeur sur l'une de ces pages, apparaît.

❷ Cliquez la page à afficher.

La page apparaît.

NAVIGUEZ DE PAGE EN PAGE

Pour avancer ou reculer d'une page tout en gardant à l'écran la page en cours, ouvrez une deuxième fenêtre d'Internet Explorer. La page courante reste affichée dans la première fenêtre, tandis que la deuxième servira à naviguer d'une page à l'autre. Pour ce faire, appuyez sur Ctrl + N. Utilisez les techniques de cette section pour naviguer d'une page à l'autre.

AVANCEZ D'UNE PAGE

1 Cliquez le bouton **Avancer à** (→).

La page qui suit celle en cours d'affichage dans la chronologie apparaît.

Note. *Si la page en cours est la dernière consultée depuis le lancement du navigateur, le bouton Avancer à (→) est inactif.*

AVANCEZ DE PLUSIEURS PAGES

❶ Cliquez le bouton **Avancer à** (→) en maintenant enfoncé le bouton de la souris.

La liste des pages consultées apparaît.

● Les pages listées au-dessus de la page courante sont celles visitées après cette dernière. Lorsque vous placez le pointeur sur l'une de ces pages, → apparaît.

❷ Cliquez la page à afficher.

La page apparaît.

ENREGISTREZ UNE PAGE WEB FAVORITE

Vous visitez sans doute souvent certaines pages Web en particulier. Pour gagner du temps, vous pouvez les enregistrer dans vos favoris afin de les ouvrir ensuite en deux clics.

ENREGISTREZ UNE PAGE WEB FAVORITE

❶ Affichez la page Web à enregistrer dans les Favoris.

❷ Cliquez le bouton **Afficher vos favoris** (☆).

❸ Cliquez **Ajouter aux Favoris**.

Lorsqu'une page Web est enregistrée dans les Favoris, vous n'avez plus besoin de taper son adresse ou de la rechercher. Il suffit de la cliquer dans la liste des favoris pour l'ouvrir.

La boîte de dialogue Ajouter un favori s'affiche.

Note. *Vous pouvez aussi ouvrir la boîte de dialogue Ajouter un favori en appuyant sur* Ctrl + D.

4 Modifiez le nom de la page, si nécessaire.

5 Cliquez **Ajouter**.

Pour supprimer une page de la liste Favoris, cliquez le bouton Afficher vos favoris (☆) ➜ Favoris, cliquez du bouton droit le favori à supprimer, puis cliquez Supprimer.

AFFICHEZ UNE PAGE WEB FAVORITE

❶ Cliquez le bouton **Afficher vos favoris** (☆).

❷ Cliquez **Favoris**.

La liste des favoris apparaît.

❸ Cliquez la page Web à afficher.

La page Web s'affiche.

● Pour afficher en permanence la liste Favoris, cliquez **Afficher vos favoris** (☆), puis **Épingler le Centre des favoris** (⊞). Le Centre des favoris est visible en permanence dans la partie gauche de la fenêtre d'Internet Explorer.

RECHERCHEZ UN SITE WEB

Si vous recherchez des informations sur un sujet précis, Internet Explorer intègre une fonction de recherche permettant de trouver des pages Web traitant du sujet.

RECHERCHEZ UN SITE WEB

❶ Dans la barre d'adresse, cliquez **Rechercher** (🔍).

Note. *Vous pouvez aussi appuyer sur* Ctrl + E.

La barre d'adresse devient une barre de recherche.

Il existe sur le Web de nombreux *moteurs de recherche.* Internet Explorer utilise par défaut le site de recherche Bing.

Les recherches d'un seul mot retournent souvent des dizaines de milliers de résultats. Pour améliorer votre recherche, tapez plusieurs termes. Pour rechercher une phrase, ajoutez des guillemets.

❷ Tapez un mot, une expression ou une question décrivant l'information à rechercher.

❸ Appuyez sur Entrée.

Pour ajouter un autre moteur de recherche, cliquez la flèche ⊡ de la barre d'adresse, puis Ajouter. Le site Galerie Internet Explorer s'affiche. Cliquez la catégorie recherche, puis sélectionnez le moteur de recherche à utiliser avec Internet Explorer. Cliquez Ajouter à Internet Explorer, puis Ajouter à l'invite.

RECHERCHEZ UN SITE WEB (SUITE)

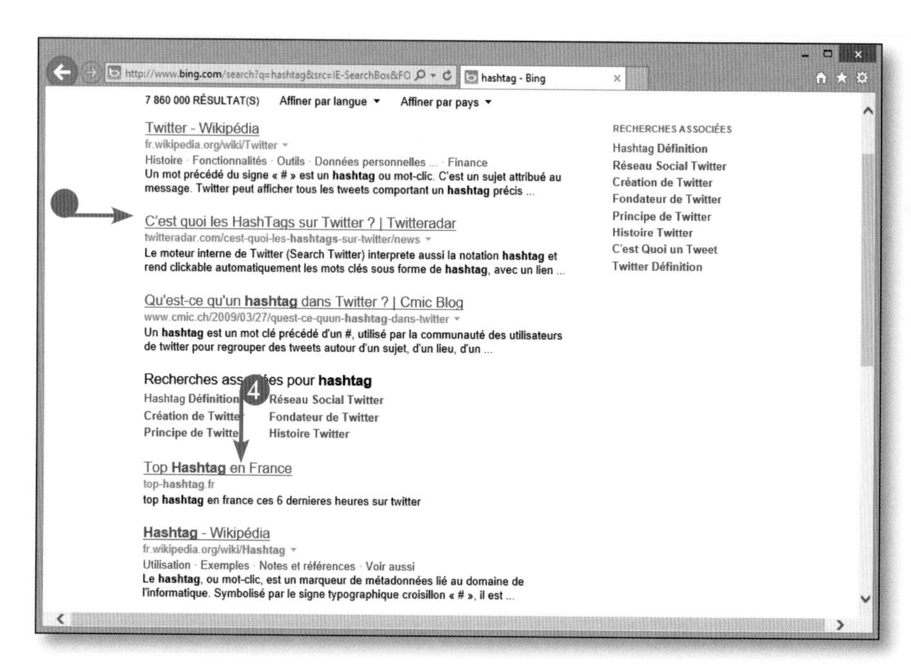

● La liste de pages répondant aux critères de la recherche apparaît.

④ Cliquez un lien.

Pour utiliser le nouveau moteur de recherche, cliquez la flèche ▾ de la barre d'adresse, puis cliquez l'icône au bas de la liste.

La page apparaît.

CONSULTEZ L'HISTORIQUE DES PAGES VISITÉES

Si les boutons Retour à et Avancer à (◀ et ▶) permettent d'afficher les pages déjà consultées durant la session en cours, c'est-à-dire le temps compris entre l'ouverture et la fermeture d'Internet Explorer, l'historique permet de revenir sur une page consultée plusieurs jours, voire plusieurs semaines auparavant.

CONSULTEZ L'HISTORIQUE DES PAGES VISITÉES

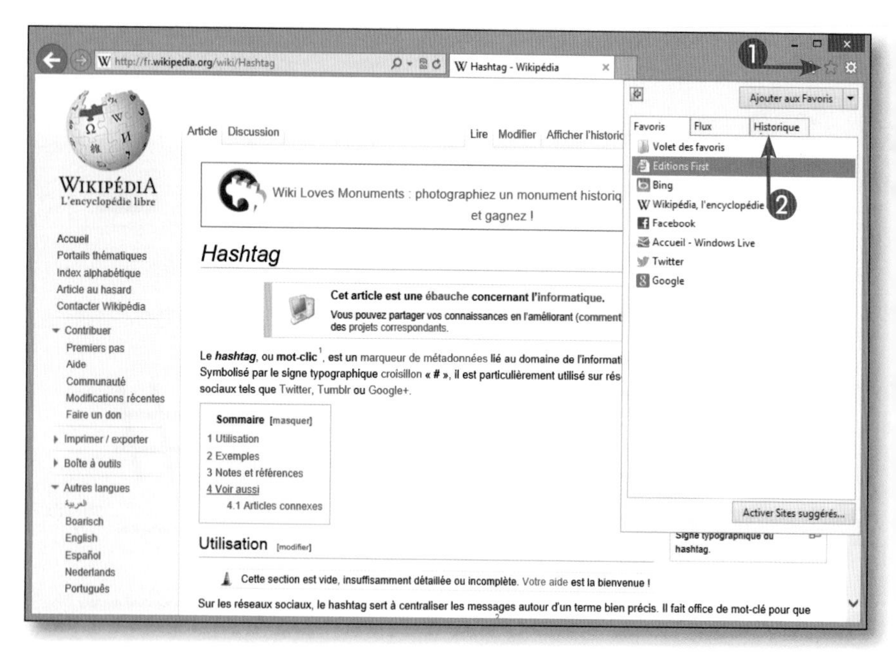

❶ Cliquez le bouton **Afficher vos favoris** (☆).

❷ Cliquez **Historique**.

Si vous visitez des pages sensibles, comme votre site de banque en ligne ou d'entreprise, nettoyez votre historique pour améliorer la sécurité et vous assurer que personne ne suive votre parcours sur Internet.

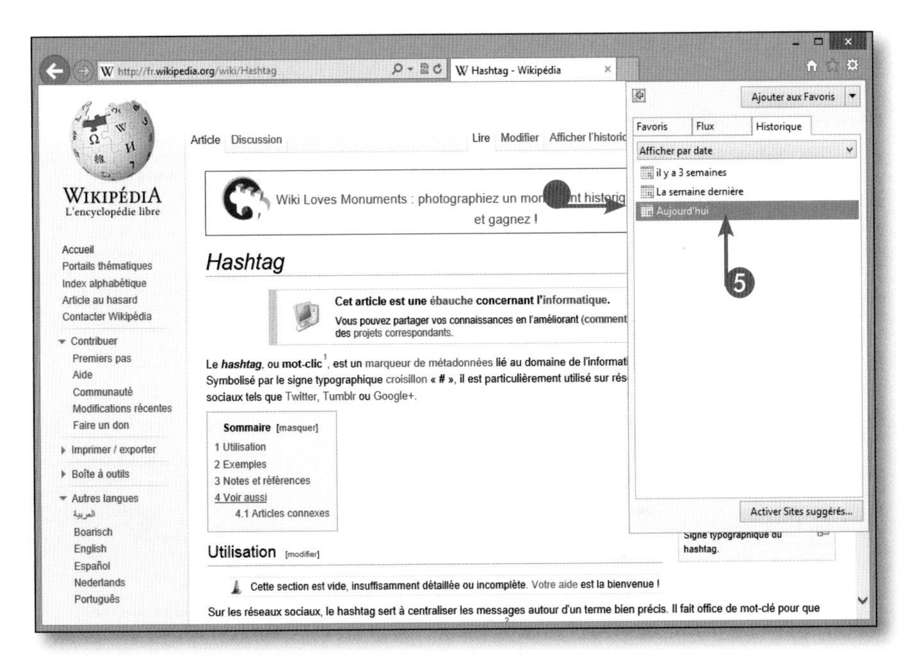

● L'historique s'affiche.

❸ Cliquez le jour ou la semaine où vous avez consulté la page.

CONSULTEZ L'HISTORIQUE DES PAGES VISITÉES

Pour effacer l'historique, cliquez Outils (⚙) → Sécurité → Supprimer l'historique de navigation (ou appuyez sur Ctrl + Maj + Suppr). Cochez la case Historique (☐ devient ☑) et supprimez la coche des autres cases (☑ devient ☐). Cliquez Supprimer.

CONSULTEZ L'HISTORIQUE DES PAGES VISITÉES (SUITE)

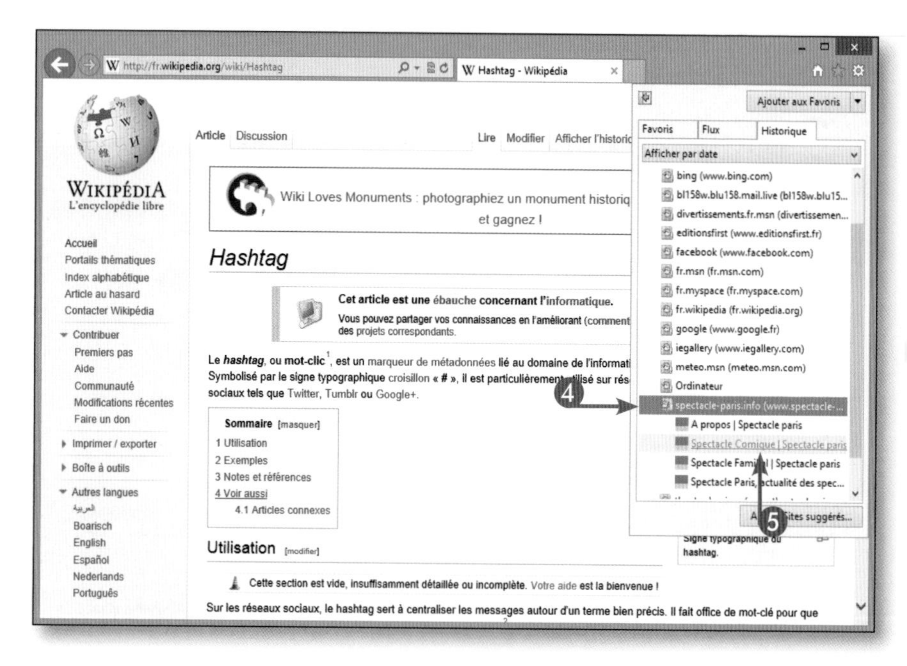

La liste des sites visités ce jour ou cette semaine apparaît.

4 Cliquez le site contenant la page recherchée.

La liste des pages consultées sur le site apparaît.

5 Cliquez la page à afficher.

Pour déterminer le nombre de jours pendant lesquels Internet Explorer garde le suivi des pages que vous visitez, cliquez **Outils** (⚙) → **Options Internet**. Dans l'onglet Général, cliquez **Paramètres**. Dans la boîte de dialogue Paramètres des données du site Web, cliquez l'onglet **Historique**, puis définissez le nombre de jours pendant lesquels conserver les pages. Cliquez **OK**.

La page apparaît.

OUVREZ ET FERMEZ WINDOWS LIVE MAIL

Windows Live Mail vous permet d'utiliser un compte de messagerie électronique pour échanger et gérer des e-mails. Le courrier électronique est l'un des services Internet les plus appréciés parce qu'il présente trois avantages majeurs : communiquer par e-mail est pratique, rapide et universel.

OUVREZ WINDOWS LIVE MAIL

❶ Dans l'écran d'accueil, cliquez **Windows Live Mail**.

Le courrier électronique est universel parce que toute personne en mesure d'accéder à Internet possède une adresse e-mail. C'est rapide car les messages parviennent à destination en quelques minutes seulement. Les échanges par e-mail sont pratiques parce que vous pouvez envoyer un message à toute heure de la journée sans qu'il soit nécessaire que le destinataire se trouve devant son ordinateur ou connecté à Internet.

Avant de pouvoir envoyer des messages, vous devez savoir comment démarrer l'application Windows Live Mail.

Lors du premier lancement de Windows Live Mail, il vous est demandé d'accepter le contrat de licence.

2 Cliquez **Accepter**.

OUVREZ ET FERMEZ WINDOWS LIVE MAIL

Si vous avez détaché l'icône Windows Live Mail de l'écran d'accueil, vous pouvez lancer ce programme par une autre méthode. Appuyez sur ⊞ pour afficher l'écran d'accueil, puis tapez Mail et cliquez Windows Live Mail dans les résultats de recherche. Vous pouvez également épingler Windows Live Mail à la barre des tâches. Une fois le programme ouvert, cliquez du bouton droit son icône dans la barre des tâches et choisissez Épingler ce programme à la barre des tâches.

OUVREZ WINDOWS LIVE MAIL (SUITE)

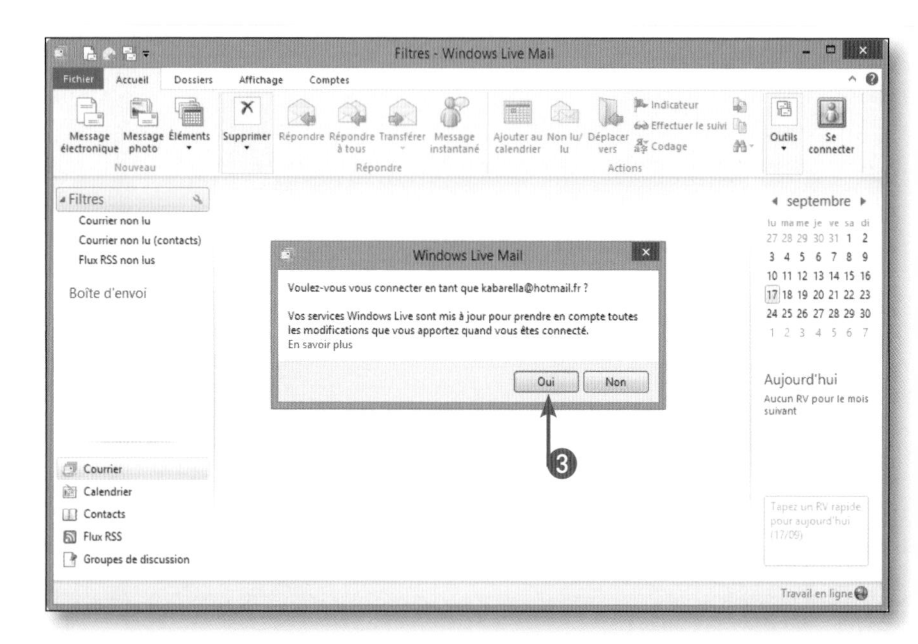

Si vous utilisez un compte Microsoft pour votre compte d'utilisateur Windows 8, Windows Live Mail vous propose de vous connecter avec ce compte.

3 Cliquez **Oui**.

4 Cliquez **Terminer** (non illustré).

La fenêtre Windows Live Mail apparaît.

La méthode la plus rapide pour fermer Windows Live Mail consiste à cliquer son bouton de fermeture (x). Vous pouvez aussi cliquer son icône dans la barre des tâches et choisir **Fermer la fenêtre**.

FERMEZ WINDOWS LIVE MAIL

1 Cliquez l'onglet **Fichier**.

2 Cliquez **Quitter**.

Avant de pouvoir envoyer un message électronique, vous devez configurer votre compte de messagerie, condition indispensable pour recevoir les messages qui sont envoyés à votre adresse électronique.

CONFIGUREZ UN COMPTE DE MESSAGERIE

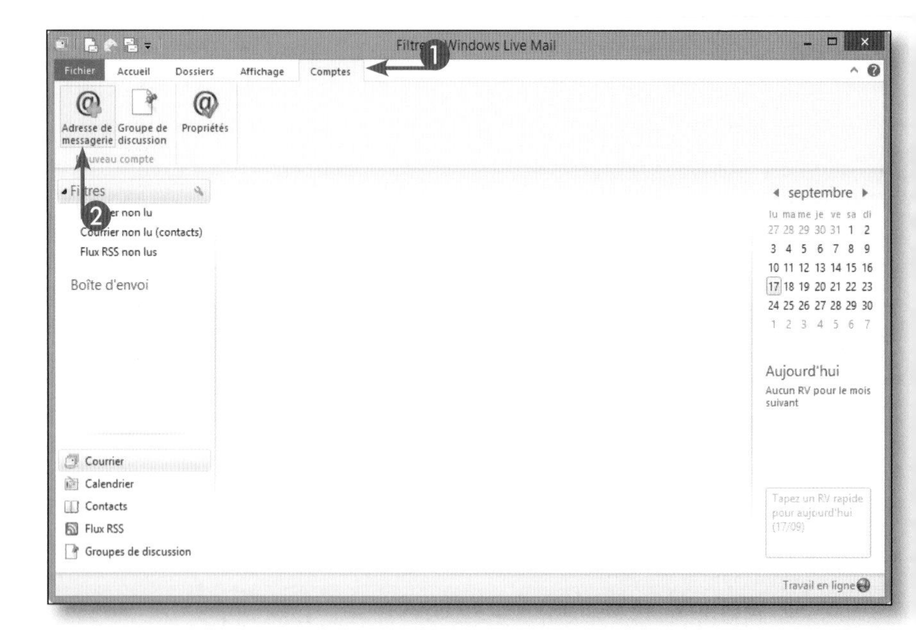

❶ Cliquez l'onglet **Comptes**.

❷ Cliquez **Adresse de messagerie**.

Note. *Si vous avez ouvert la session Windows avec votre compte Live.com ou Hotmail, vous n'avez pas besoin de configurer le compte de messagerie.*

Vous pouvez utiliser un compte de messagerie Web tel que Hotmail ou Gmail. L'intérêt d'un tel compte est qu'il permet d'envoyer et de recevoir des messages depuis n'importe quel ordinateur. Autrement, vous utiliserez le compte POP (*Post Office Protocol*) fourni par votre FAI, lequel doit vous communiquer les données du compte POP.

❸ Tapez votre adresse de messagerie.

❹ Tapez votre mot de passe.

❺ Cliquez **Mémoriser ce mot de passe** (☐ devient ☑).

❻ Tapez votre nom.

❼ Cliquez **Suivant**.

Si Windows Live Mail ne parvient pas à configurer votre compte automatiquement, vous passerez par la boîte de dialogue Configurer les paramètres du serveur. Vous devrez indiquer le nom d'utilisateur de votre compte de messagerie, ainsi que le nom du serveur de courrier entrant et du serveur de courrier sortant de votre FAI. Vérifiez auprès de votre FAI pour savoir si le serveur sortant utilise un autre numéro de port et exige une authentification.

CONFIGUREZ UN COMPTE DE MESSAGERIE (SUITE)

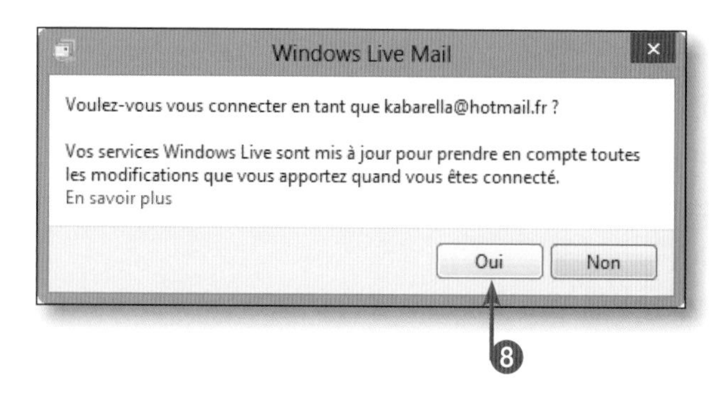

Si vous configurez un compte Microsoft, le programme propose de vous connecter à ce compte.

Note. *Si la boîte de dialogue Configurer les paramètres du serveur apparaît, voyez les indications au début de cette page pour définir les paramètres de connexion.*

8 Cliquez **Oui**.

Votre compte de messagerie configuré, Windows Live Mail l'ajoute au volet des dossiers, dans la partie gauche de la fenêtre. Pour le modifier, cliquez son nom du bouton droit, puis **Propriétés**. Apportez les modifications nécessaires dans les onglets de la boîte de dialogue Propriétés.

Windows Live Mail indique que le compte de messagerie a été ajouté.

9 Cliquez **Terminer**.

Votre compte de messagerie est désormais prêt à l'emploi.

ENVOYEZ UN MESSAGE

Vous pouvez envoyer un message à un correspondant dès lors que vous connaissez son adresse de messagerie. Votre message lui parvient dans les minutes qui suivent.

ENVOYEZ UN MESSAGE

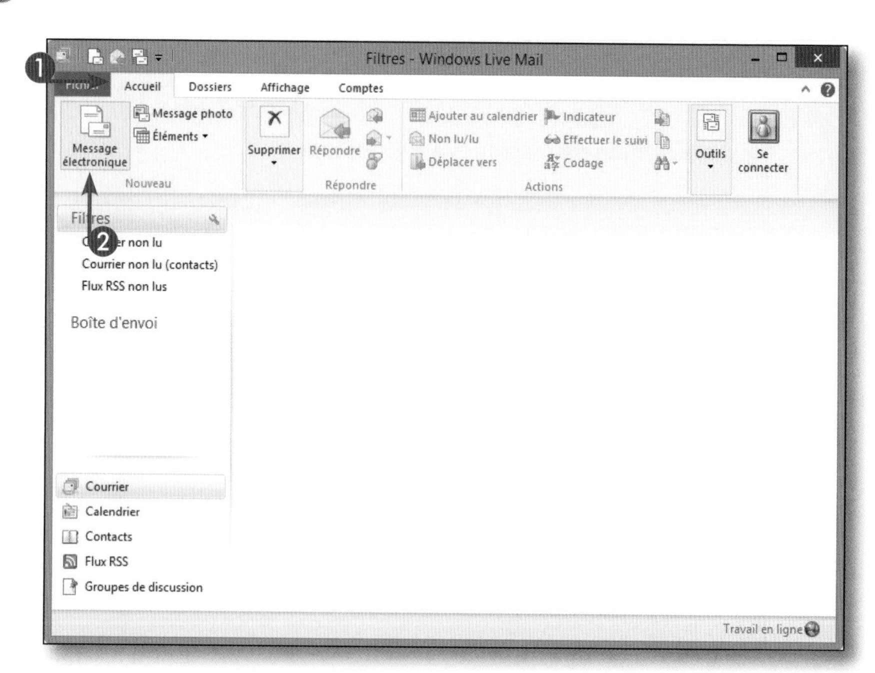

1. Cliquez l'onglet **Accueil**.
2. Cliquez **Message électronique**.

Note. *Vous pouvez aussi taper* Ctrl + N.

Lorsque vous envoyez un e-mail, il transite par le serveur de courrier sortant de votre FAI. Ce serveur fait parvenir le message au serveur de courrier entrant de votre correspondant, qui l'entrepose dans la boîte de réception du destinataire.

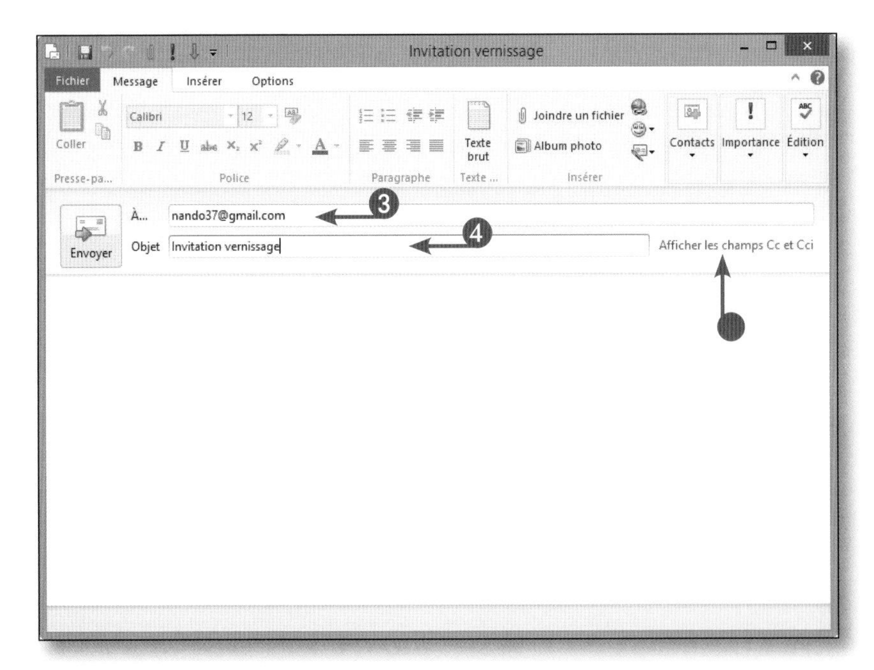

Une fenêtre de message s'affiche.

❸ Tapez l'adresse du destinataire.

Note. *Vous pouvez saisir plusieurs adresses dans le champ* ***À*** *en les séparant par des points-virgules (;).*

● Pour envoyer une copie du message à une autre personne, cliquez **Afficher les champs Cc et Cci**, puis tapez son adresse dans le champ **Cc**.

❹ Décrivez brièvement l'objet de votre message.

Si vous possédez plusieurs adresses électroniques, personnelles et professionnelles, vous pouvez configurer plusieurs comptes dans Windows Live Mail. Vous obtenez alors une liste de comptes dans le volet gauche de Windows Live Mail. Chaque compte est identifié par le nom du service de messagerie, suivi de votre nom d'utilisateur auprès du service. Pour définir votre compte de messagerie principal, cliquez le nom d'un compte dans le volet gauche et cliquez Définir comme compte par défaut.

ENVOYEZ UN MESSAGE (SUITE)

❺ Rédigez votre message.

❻ Servez-vous des boutons de la barre de mise en forme pour mettre en forme le texte du message.

Pensez à cliquer le nom d'un compte avant de commencer un nouveau message. Autrement, dans la fenêtre Nouveau message, vous choisirez le compte à utiliser pour l'envoi du message en le sélectionnant dans la liste **De**, à droite du champ À.

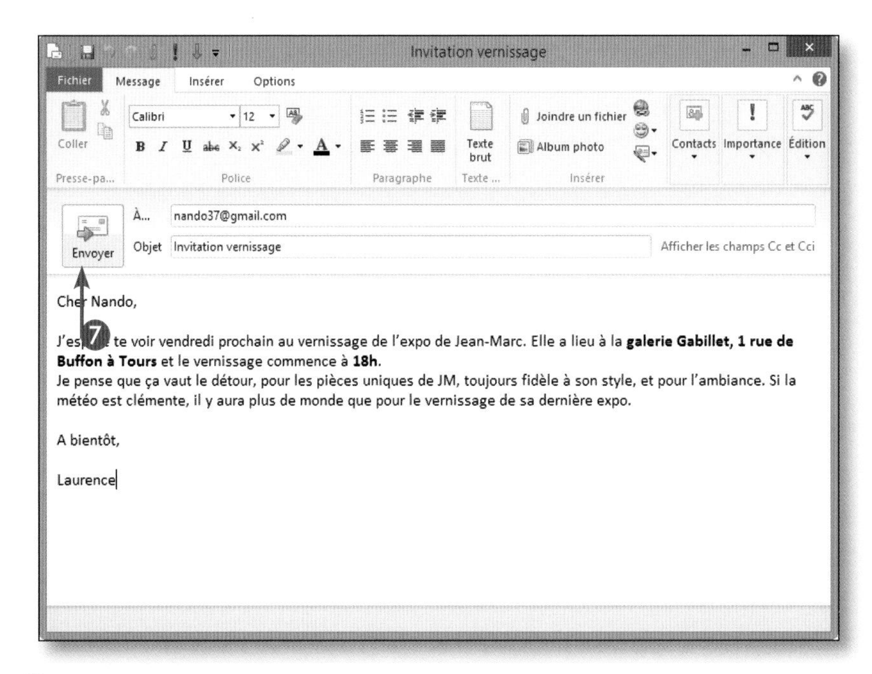

7 Cliquez **Envoyer**.

Windows Live Mail envoie le message.

Note. *Une copie du message est conservée dans le dossier Éléments envoyés.*

CRÉEZ UN NOUVEAU CONTACT

La fonction Contacts sert à mémoriser les noms et adresses électroniques de vos correspondants. Pour ajouter les coordonnées d'une personne, il suffit de créer un nouveau contact. Les fiches de contact permettent de mémoriser diverses informations à propos d'une personne : son nom, le nom de son entreprise, ses numéros de téléphone, son adresse e-mail, ses coordonnées de messagerie instantanée, son adresse postale, des commentaires, *etc.*

CRÉEZ UN NOUVEAU CONTACT

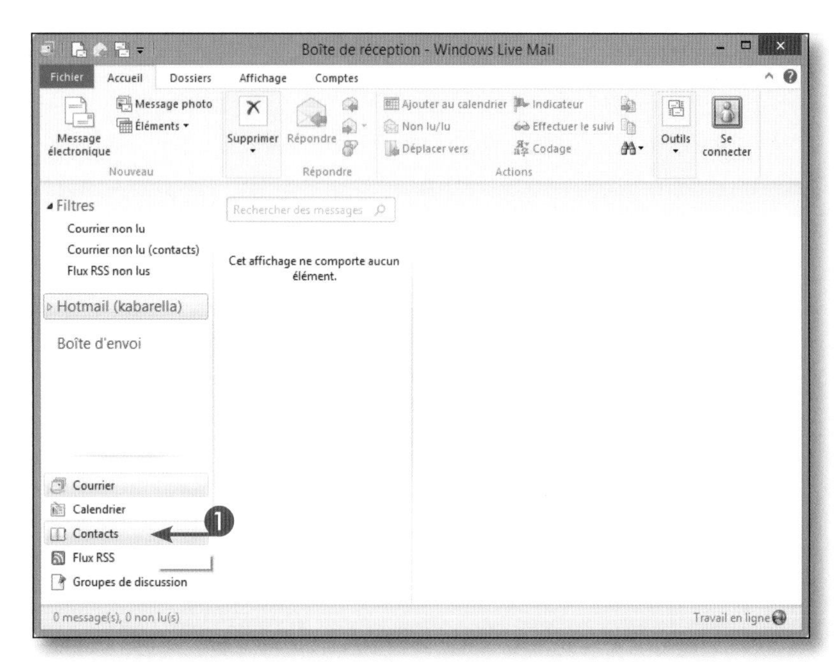

❶ Cliquez **Contacts** (📖).

Lorsque vous sélectionnez un correspondant parmi vos contacts lors de la composition d'un message, Windows Live Mail ajoute automatiquement son adresse dans le champ À.

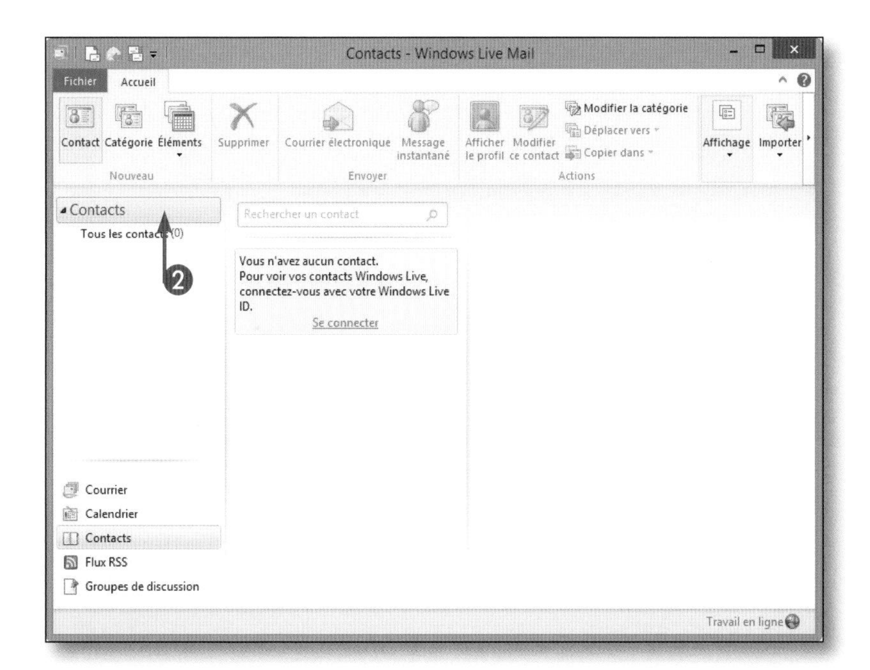

La fenêtre Contacts Windows Live Mail s'affiche.

❷ Cliquez **Contacts**.

Note. *Vous pouvez aussi ajouter un contact en appuyant sur* Ctrl + N *depuis la fenêtre Contacts.*

Pour modifier les informations d'un contact, cliquez-le dans la fenêtre Contacts, cliquez l'onglet Accueil puis Modifier ce contact. Vous pouvez aussi double-cliquer son nom ou cliquer le lien Modifier ce contact dans la zone de visualisation des informations du contact sélectionné. Apportez vos modifications dans la boîte de dialogue Modifier ce contact, puis cliquez Enregistrer.

CRÉEZ UN NOUVEAU CONTACT (SUITE)

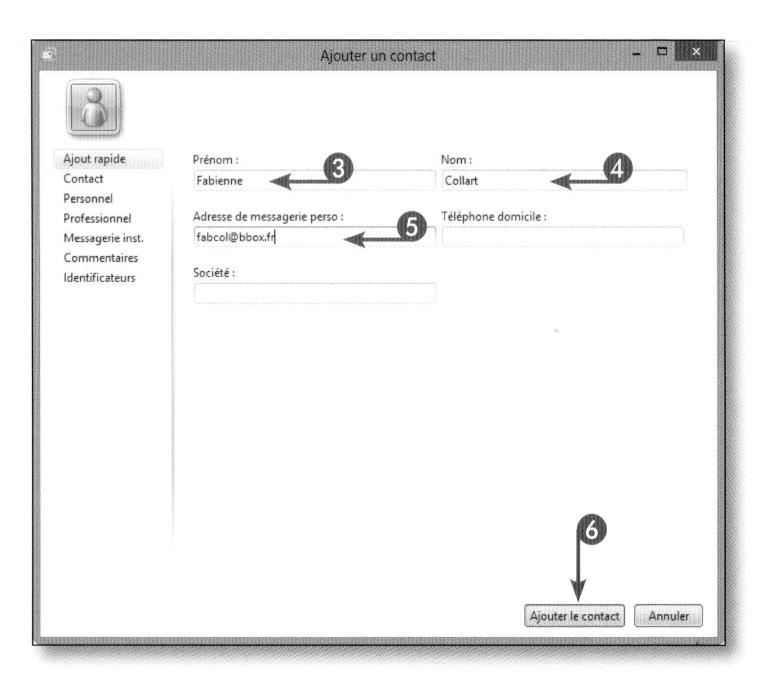

La boîte de dialogue Ajouter un contact s'affiche.

❸ Tapez le prénom de votre correspondant.

❹ Tapez son nom de famille.

❺ Tapez son adresse de messagerie.

Note. *Les autres onglets permettent d'ajouter des informations complémentaires, comme ses coordonnées professionnelles ou privées, le nom de son conjoint et de ses enfants, etc.*

❻ Cliquez **Ajouter le contact**.

Pour supprimer un contact, cliquez-le dans la fenêtre Contacts, cliquez l'onglet **Accueil** puis **Supprimer**. À l'invite de confirmation, cliquez **OK**.

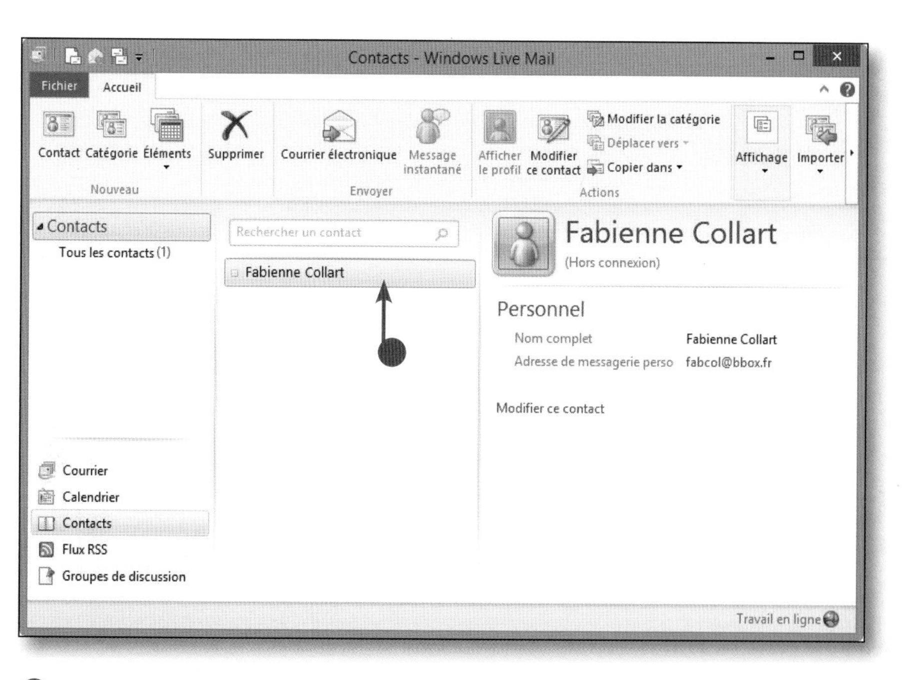

● Le nouveau contact s'ajoute à votre liste Contacts.

SÉLECTIONNEZ UN CONTACT

Pour adresser rapidement un message, sans avoir à taper l'adresse du destinataire, sélectionnez ce dernier dans la liste Contacts.

SÉLECTIONNEZ UN CONTACT

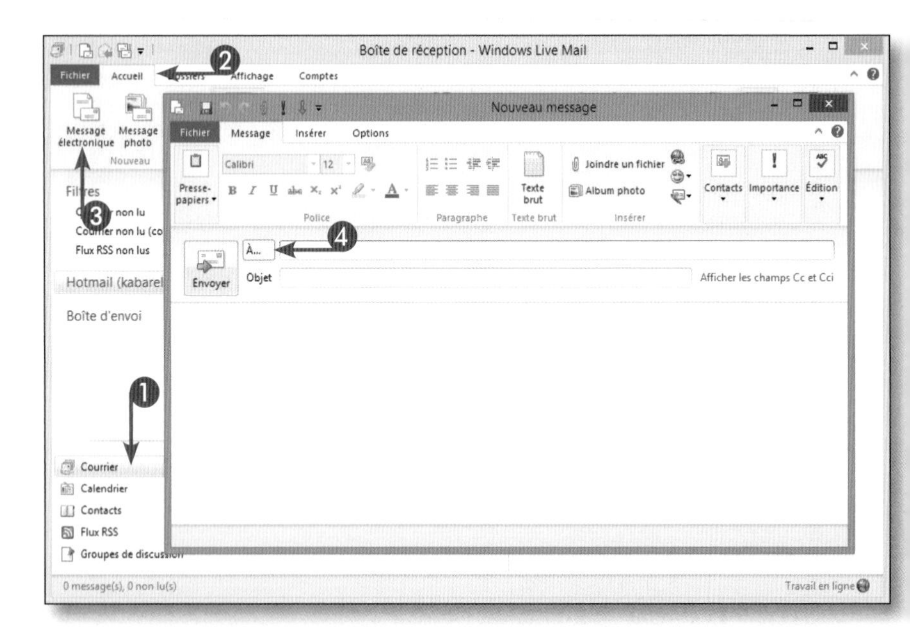

❶ Si vous êtes encore dans la fenêtre Contacts, cliquez **Courrier** ( ).

❷ Cliquez l'onglet **Accueil**.

❸ Cliquez **Message électronique** pour commencer un nouveau message.

❹ Cliquez **À**.

Lors de la composition d'un nouveau message, l'une des premières étapes consiste à taper l'adresse e-mail du destinataire. Cette étape cruciale vous oblige à mémoriser l'adresse et surtout à la taper correctement. En conservant cette information dans votre liste de contacts, vous simplifiez l'opération en vous contentant de sélectionner le contact au lieu de taper son adresse.

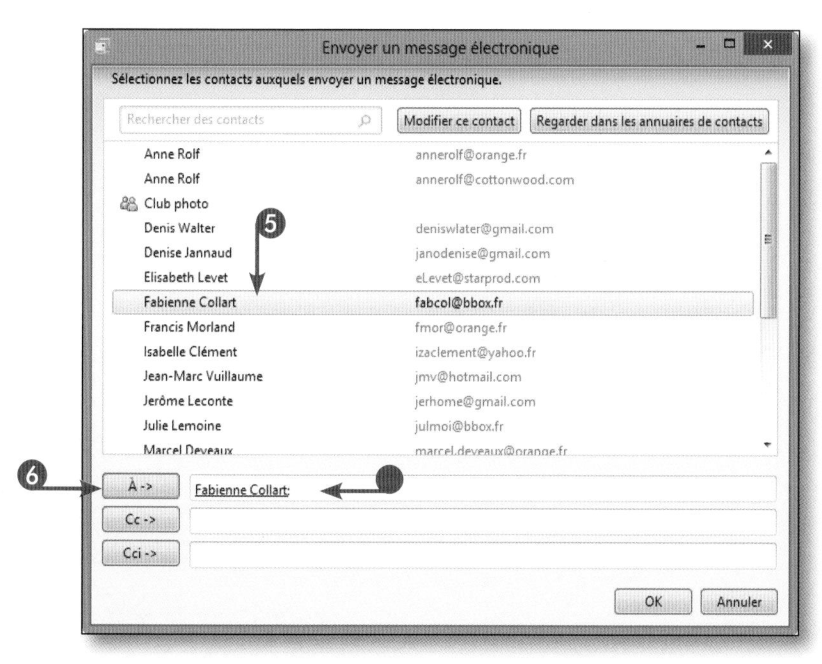

La boîte de dialogue Envoyer un message électronique s'ouvre.

5 Cliquez le destinataire du message.

6 Cliquez **À**.

● Le nom du contact apparaît dans la zone À.

7 Répétez les étapes **3** et **4** pour tous les autres destinataires.

Pour envoyer un message directement depuis la fenêtre Contacts, cliquez le destinataire du message, cliquez l'onglet Accueil puis Courrier électronique. Vous pourriez aussi survoler un contact avec la souris et cliquer Envoyer un message. Vous obtenez une fenêtre de nouveau message avec l'adresse du destinataire déjà indiquée.

SÉLECTIONNEZ UN CONTACT (SUITE)

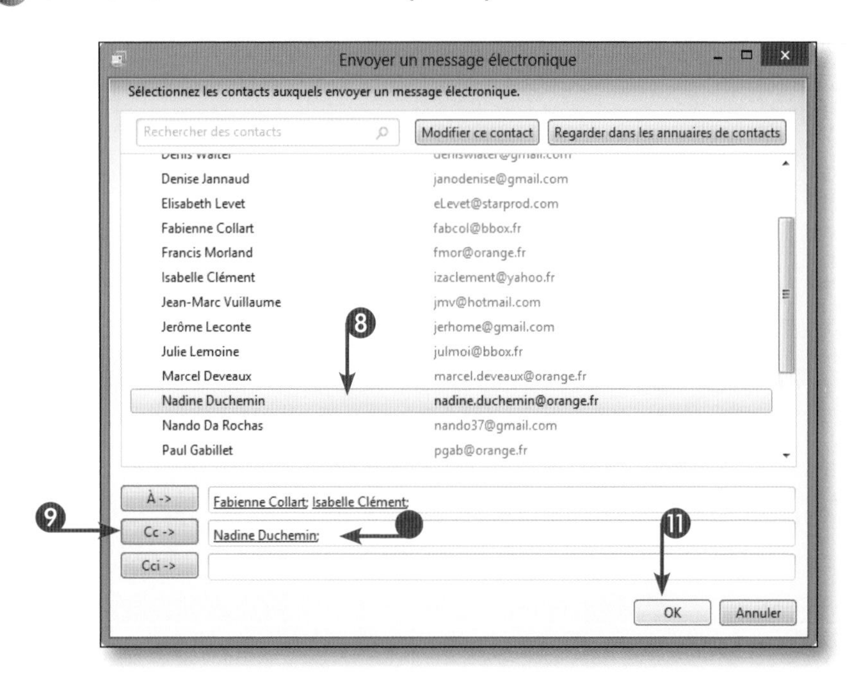

8 Pour envoyer une copie du message à un autre destinataire, cliquez son nom.

9 Cliquez **Cc**.

● Le nom du contact apparaît dans la zone des destinataires.

10 Répétez les étapes **8** et **9** pour ajouter d'autres destinataires à la zone Cc.

11 Cliquez **OK**.

Pour envoyer une copie d'un message à une personne dont les autres destinataires ne verront pas l'adresse, dans la boîte de dialogue Envoyer un message électronique, cliquez son nom, puis **Cci**. Pour masquer le champ Cci dans la fenêtre du message, cliquez **Masquer les champs Cc et Cci**.

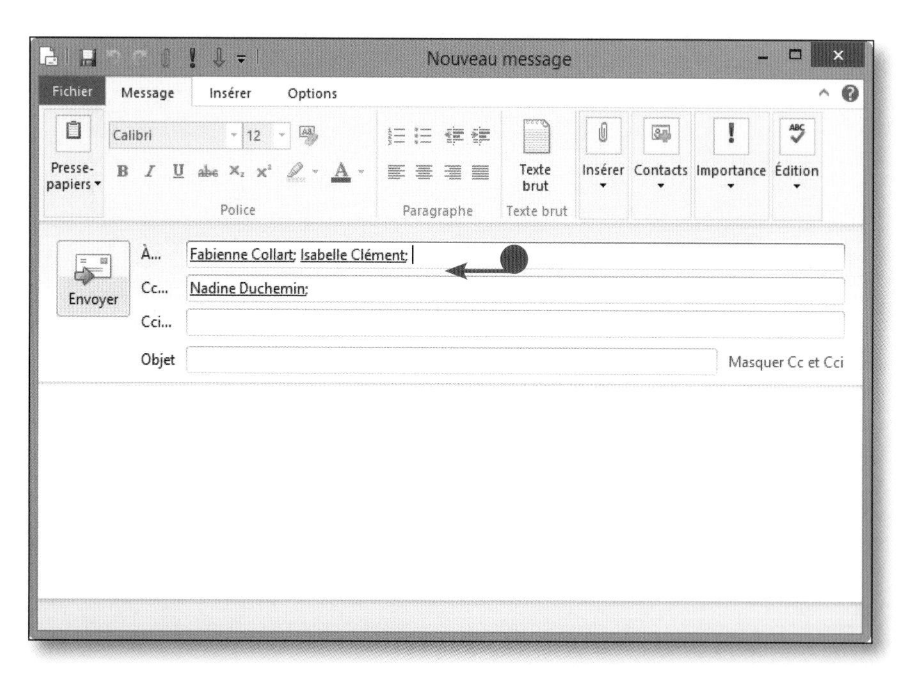

Windows Live Mail insère les adresses des destinataires dans les champs À et Cc du nouveau message.

JOIGNEZ UN FICHIER À UN MESSAGE

Vous pouvez joindre à un message électronique une note de service, une image ou tout autre document à transmettre à un correspondant. Les messages électroniques sont conçus pour contenir du texte, c'est pourquoi les données plus complexes doivent être envoyées en pièce jointe dans un fichier à part. Vous pouvez ainsi envoyer un classeur Excel, une présentation PowerPoint, des images, *etc.*

À PARTIR D'UNE BOÎTE DE DIALOGUE

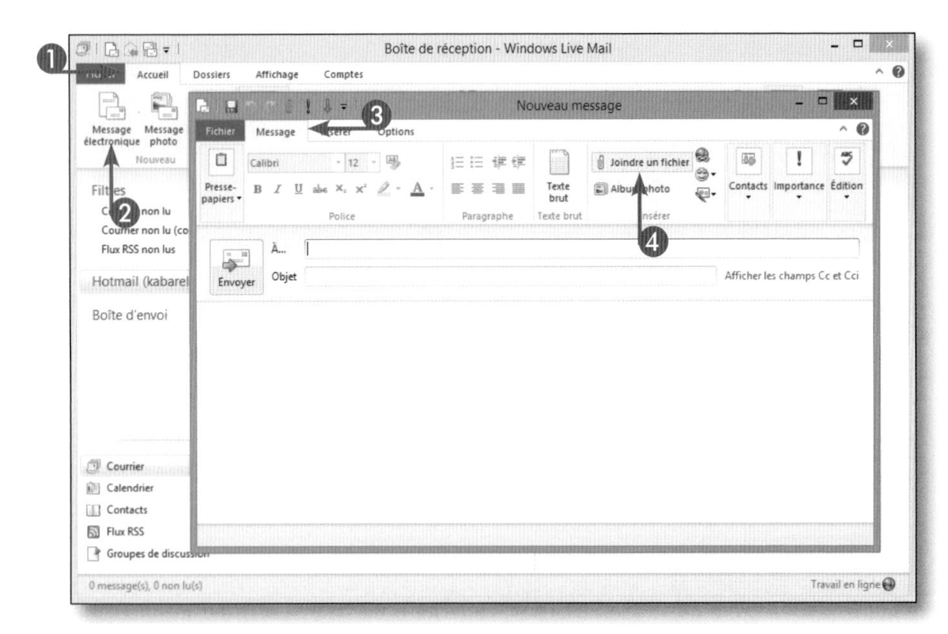

❶ Cliquez l'onglet **Accueil**.

❷ Cliquez **Message électronique** pour commencer un nouveau message.

❸ Cliquez l'onglet **Message**.

❹ Cliquez **Joindre un fichier**.

Il est possible de joindre à un même message plusieurs fichiers, séparément ou regroupés dans un dossier compressé. La pièce jointe est immédiatement disponible à son destinataire dès réception du message.

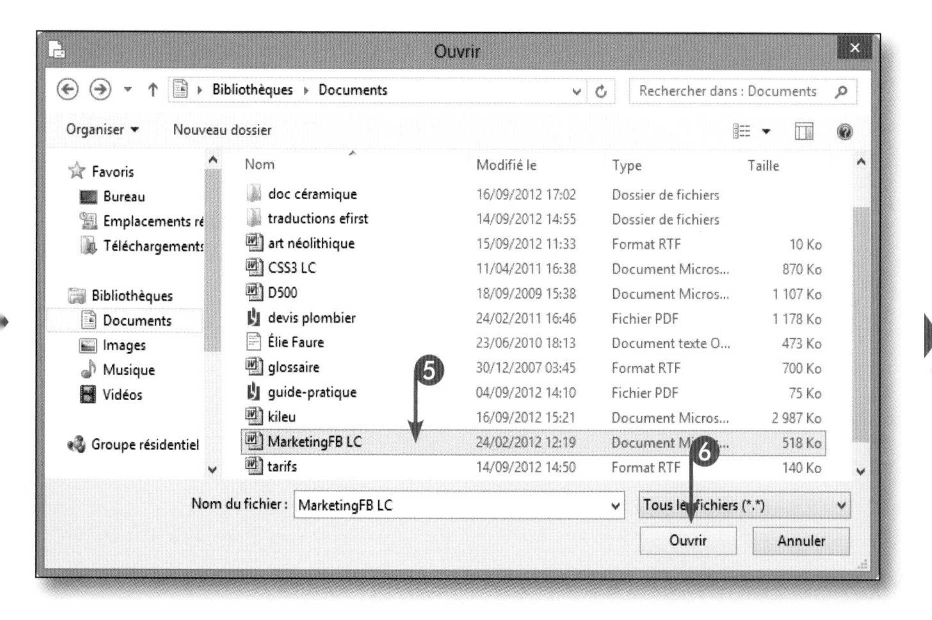

La boîte de dialogue Ouvrir s'affiche.

❺ Cliquez le fichier à joindre au message.

❻ Cliquez **Ouvrir**.

JOIGNEZ UN FICHIER À UN MESSAGE

En théorie, vous pouvez joindre à un message autant de fichiers que vous le souhaitez. Vous devez toutefois tenir compte de la taille globale des fichiers joints. Si votre connexion Internet ou celle de votre correspondant est lente, l'envoi ou la réception du message peut prendre beaucoup de temps. En outre, certains FAI limitent la taille des fichiers joints à environ 25 Mo. En règle générale, évitez de joindre trop de fichiers à un message.

À PARTIR D'UNE BOÎTE DE DIALOGUE (SUITE)

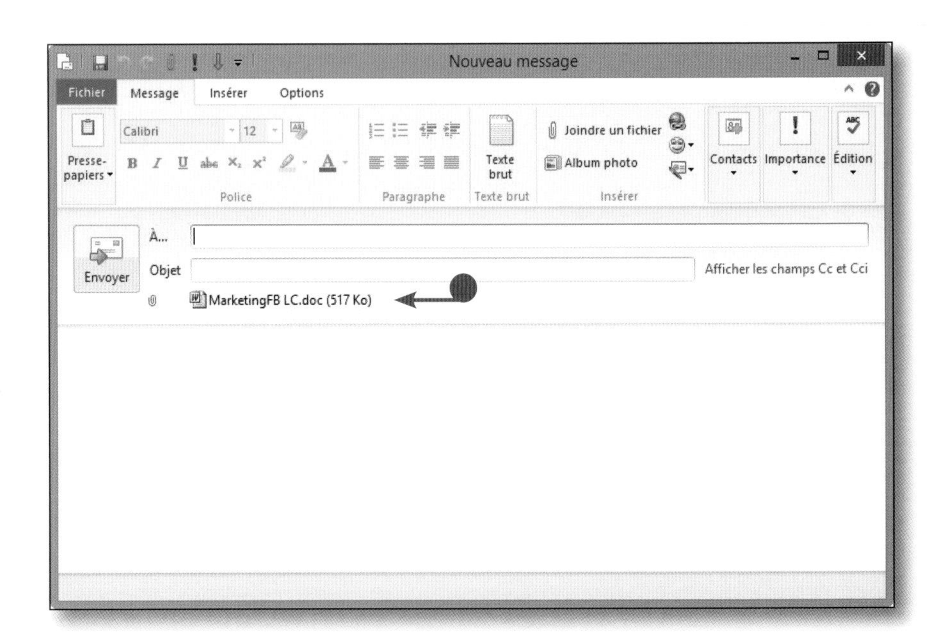

⑥ Windows Live Mail joint le fichier au message.

⑦ Répétez les étapes **4** à **6** pour joindre d'autres fichiers.

Pour l'envoi d'un grand nombre fichiers, vous pouvez créer un dossier compressé au préalable, ce qui vous permet de sélectionner un seul élément lors de l'ajout de la pièce jointe.

À PARTIR D'UNE FENÊTRE DE DOSSIER

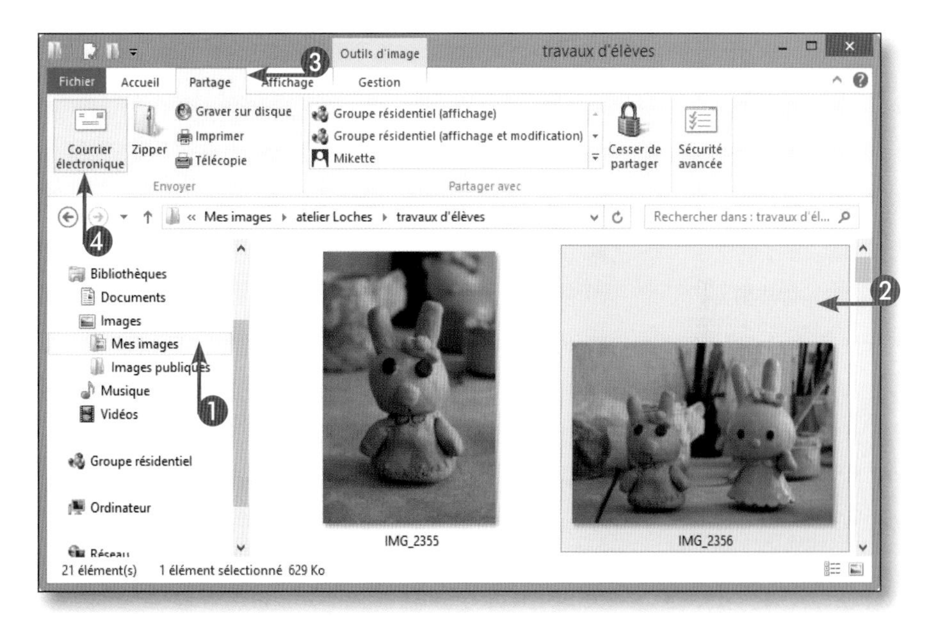

1. Ouvrez le dossier contenant le fichier à envoyer en pièce jointe.
2. Cliquez le fichier.
3. Cliquez l'onglet **Partage**.
4. Cliquez **Courrier électronique**.

Note. *Lorsque vous envoyez une image en pièce jointe, vous êtes invité à choisir la taille de l'image. Dans la liste Taille de l'image, sélectionnez une taille, puis cliquez Joindre.*

Windows Live Mail ouvre un nouveau message avec le fichier déjà inséré en pièce jointe.

RECEVEZ ET LISEZ VOTRE COURRIER

Lorsqu'un correspondant vous envoie un message, il est stocké sur le serveur de messagerie électronique de votre FAI. Pour le télécharger sur votre ordinateur et le lire, vous devez vous connecter à ce serveur.

RECEVEZ LES MESSAGES

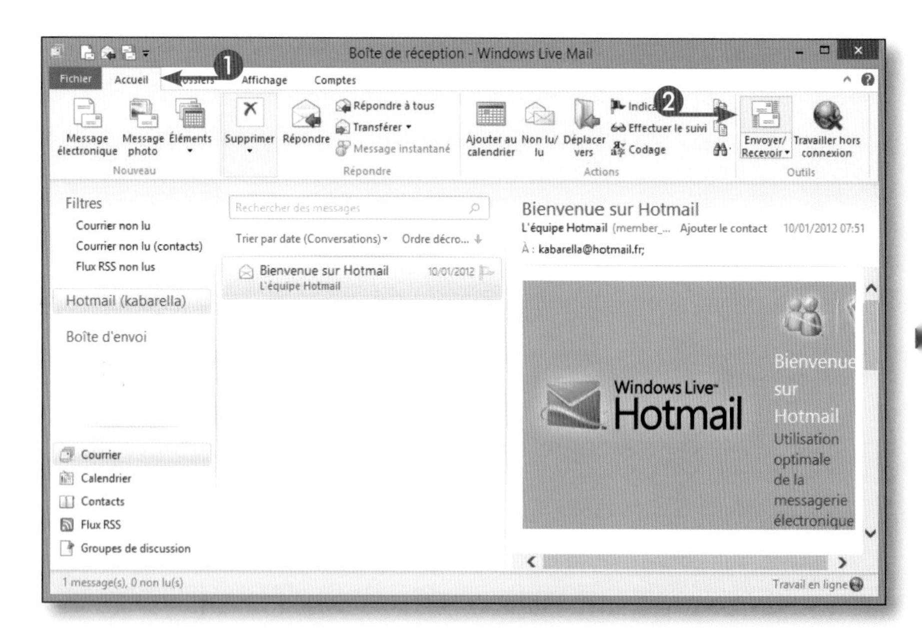

❶ Cliquez l'onglet **Accueil**.

❷ Cliquez **Envoyer/Recevoir**.

Le serveur ne transmet pas automatiquement les messages vers votre Boîte de réception, c'est pourquoi, vous devez aller les chercher en vous connectant au serveur par la commande **Envoyer/Recevoir**.

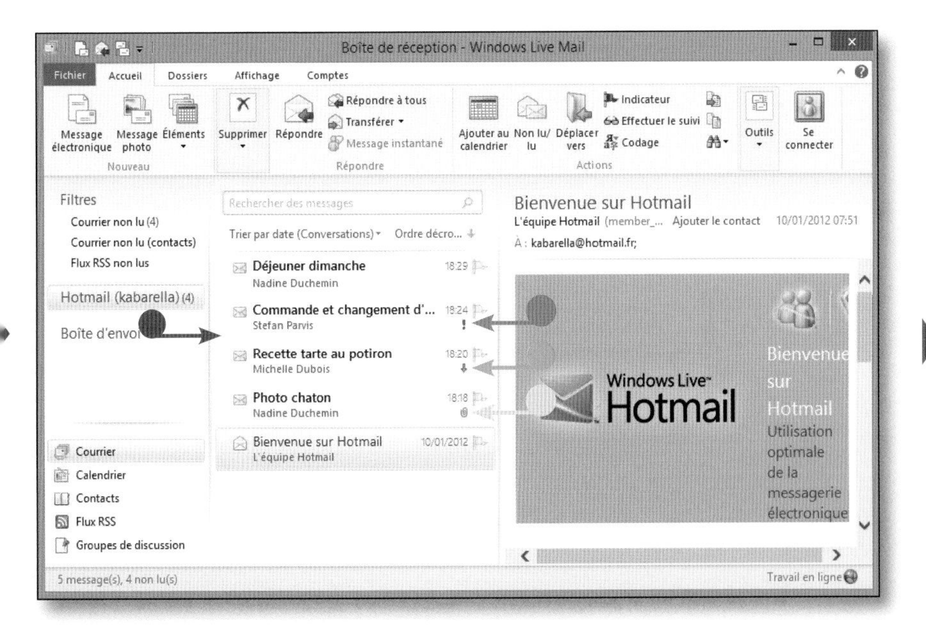

Les nouveaux messages apparaissent en gras dans la boîte de réception.

Le symbole ! indique que l'expéditeur considère le message urgent.

Le symbole ↓ indique que l'expéditeur considère le message non urgent.

Le symbole 📎 signale la présence d'une pièce jointe au message.

RECEVEZ ET LISEZ VOTRE COURRIER

Au démarrage, Windows Live Mail vérifie automatiquement si vous avez de nouveaux messages. Il le refait ensuite toutes les 10 minutes tant que vous êtes connecté à Internet, mais vous pouvez vérifier l'arrivée de nouveaux messages à tout moment.

LISEZ UN MESSAGE

❶ Cliquez le message.

❷ Lisez le texte du message dans le volet de visualisation.

● Si le message possède une pièce jointe, double-cliquez l'icône du trombone pour ouvrir le fichier joint.

***Note.** Double-cliquez le message pour l'ouvrir dans sa propre fenêtre.*

Pour changer la fréquence à laquelle Windows Live Mail vérifie la présence de nouveaux messages sur le serveur, suivez les instructions ci-dessous.

MODIFIEZ LA FRÉQUENCE DES RELEVÉS

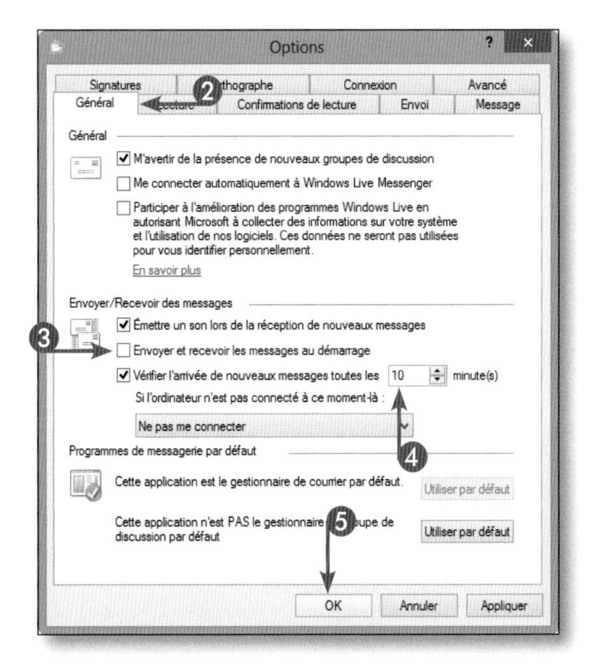

❶ Cliquez **Fichier → Options → Courrier**.

❷ Dans la boîte de dialogue Options, cliquez l'onglet **Général**.

❸ Pour que Windows Live Mail ne télécharge pas le nouveau courrier à l'ouverture, cliquez **Envoyer et recevoir les messages au démarrage** (☑ devient ☐).

❹ Tapez la fréquence (en minutes) à laquelle Windows Live Mail doit vérifier automatiquement le courrier.

❺ Cliquez **OK**.

RÉPONDEZ À UN MESSAGE

Que vous souhaitiez répondre à une question, donner une information ou réagir à des propos, vous pouvez répondre à un message que vous avez reçu.Le plus souvent, votre réponse sera adressée à l'expéditeur du message. Vous pouvez aussi envoyer une réponse collective adressée à tous les destinataires du premier message, dont le nom figure dans les champs À et Cc.

RÉPONDEZ À UN MESSAGE

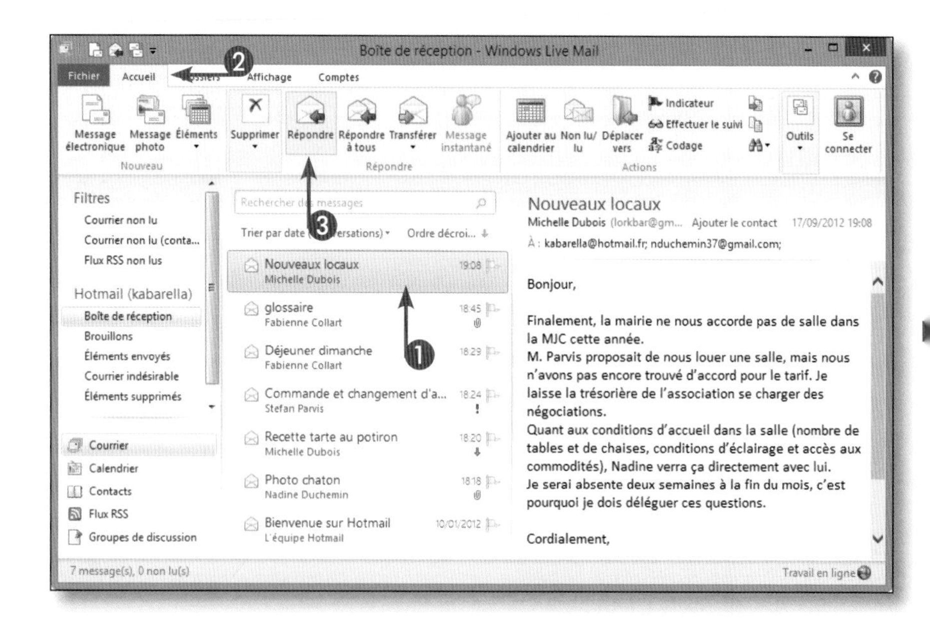

❶ Cliquez le message auquel vous souhaitez répondre.

❷ Cliquez l'onglet **Accueil**.

❸ Choissisez le type de réponse :

Cliquez **Répondre** pour répondre uniquement à l'expéditeur du message.

Cliquez **Répondre à tous** pour envoyer aussi la réponse à tous les autres destinataires du message d'origine.

Par défaut, le texte du message d'origine est repris dans la réponse, mais vous devriez en supprimer des passages pour ne conserver que le texte pertinent par rapport à votre réponse.

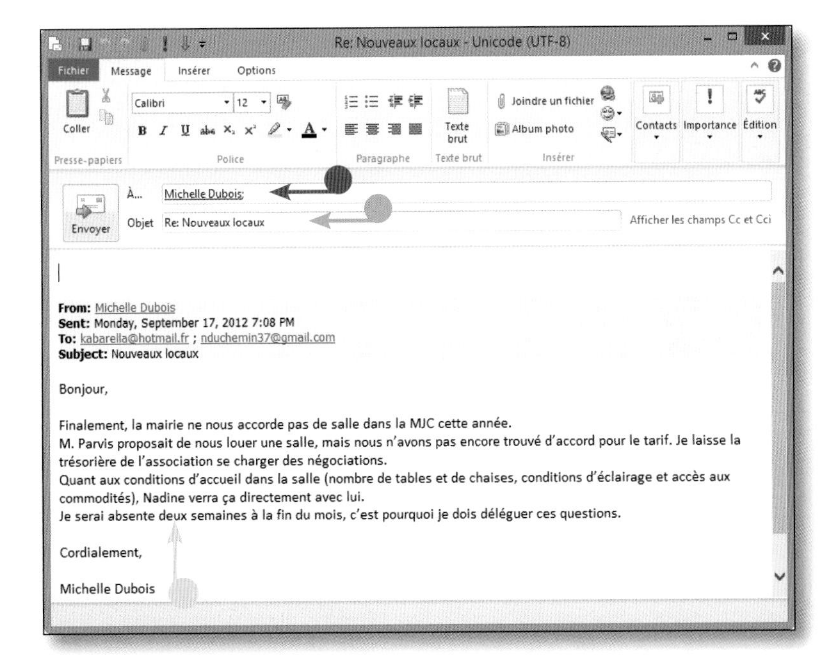

Une fenêtre de message s'affiche.

● Les adresses des destinataires sont automatiquement insérées.

● Windows Live Mail reprend l'objet du message original précédé de **Re:**.

● L'en-tête du message original, suivi du texte, apparaît dans la zone de saisie sous la réponse.

À partir de la troisième réponse à un même destinataire, Windows Live Mail l'ajoute à votre liste de contacts. Pour désactiver cette fonctionnalité, procédez ainsi :

RÉPONDEZ À UN MESSAGE (SUITE)

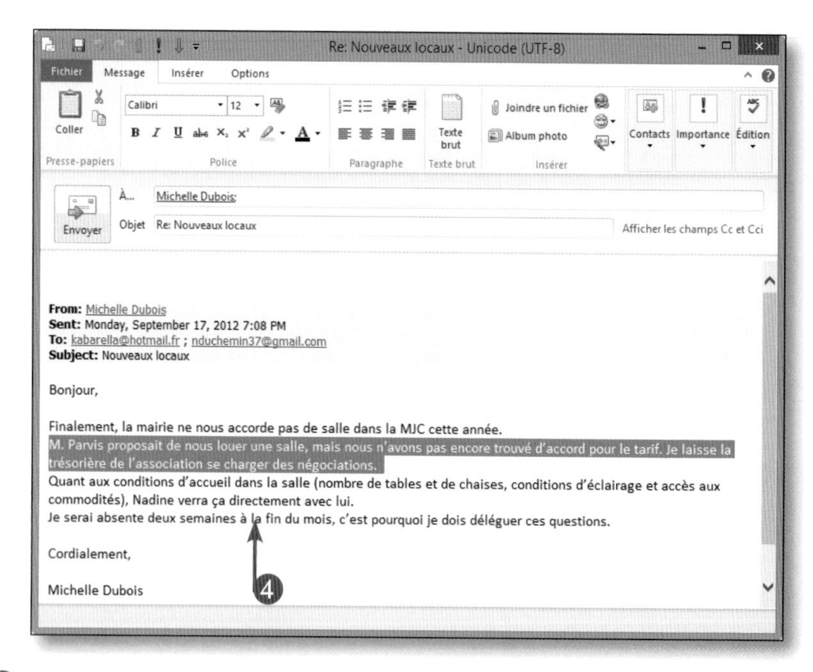

❹ Modifiez le message original pour ne laisser que les passages pertinents.

Note. *Il est inutile d'effacer des portions si le message d'origine est bref. En revanche, cela se révèle nécessaire si le message est long. Supprimer les parties sans rapport avec votre réponse facilitera la lecture pour votre destinataire.*

❶ Cliquez **Fichier → Options → Courrier**.

❷ Dans la boîte de dialogue Options, cliquez l'onglet **Envoi**.

❸ Cliquez **Placer les personnes auxquelles j'ai répondu trois fois dans mon carnet d'adresses** (☑ devient ☐).

❹ Cliquez **OK**.

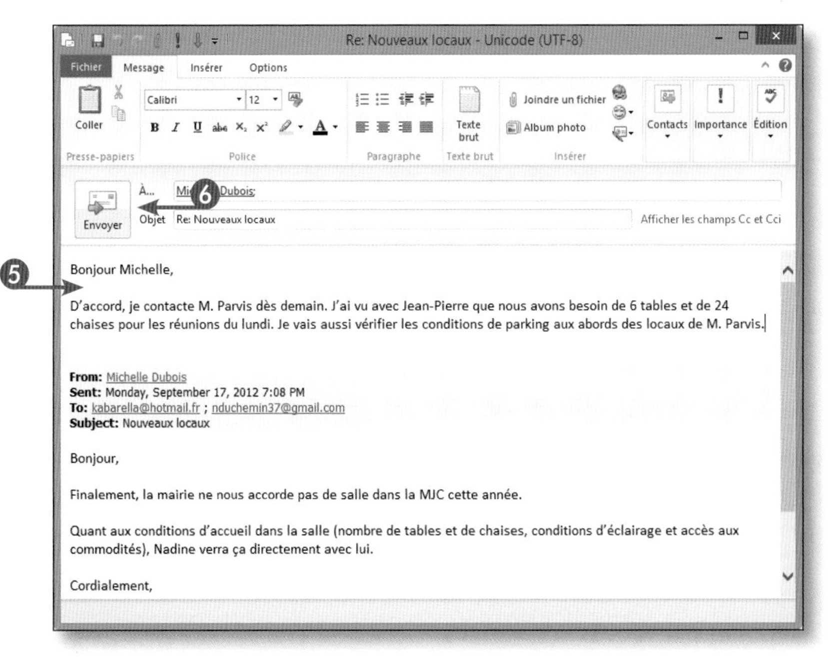

❺ Cliquez au-dessus du message original et tapez votre texte.

❻ Cliquez **Envoyer**.

Windows Live Mail envoie la réponse.

Note. *Une copie du message est conservée dans le dossier Éléments envoyés.*

OUVREZ UNE PIÈCE JOINTE

Lorsque vous recevez un message contenant un fichier joint, vous pouvez ouvrir ce dernier pour en consulter le contenu. Vous pouvez aussi l'enregistrer pour le conserver sur votre ordinateur.

OUVREZ UNE PIÈCE JOINTE

❶ Cliquez le message contenant la pièce jointe, signalée par l'icône 📎.

● La liste des fichiers joints au message apparaît.

❷ Double-cliquez le fichier joint à ouvrir.

Lorsque le message contient une pièce jointe, elle est signalée par une icône de trombone.

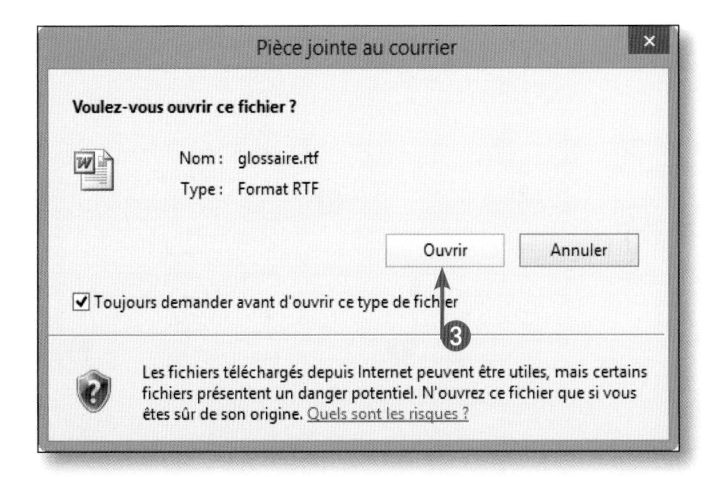

Windows Live Mail demande confirmation.

❸ Cliquez **Ouvrir**.

Le fichier s'ouvre dans le programme approprié.

Note. *Si un message s'affiche indiquant qu'aucun programme n'est associé à ce type de fichier, vous devez installer le logiciel requis. Renseignez-vous auprès de l'expéditeur du fichier en cas de doute.*

OUVREZ UNE PIÈCE JOINTE

Attention : les pièces jointes peuvent contenir des virus. N'ouvrez ni les messages ni les pièces jointes provenant d'un expéditeur inconnu.

ENREGISTREZ UNE PIÈCE JOINTE

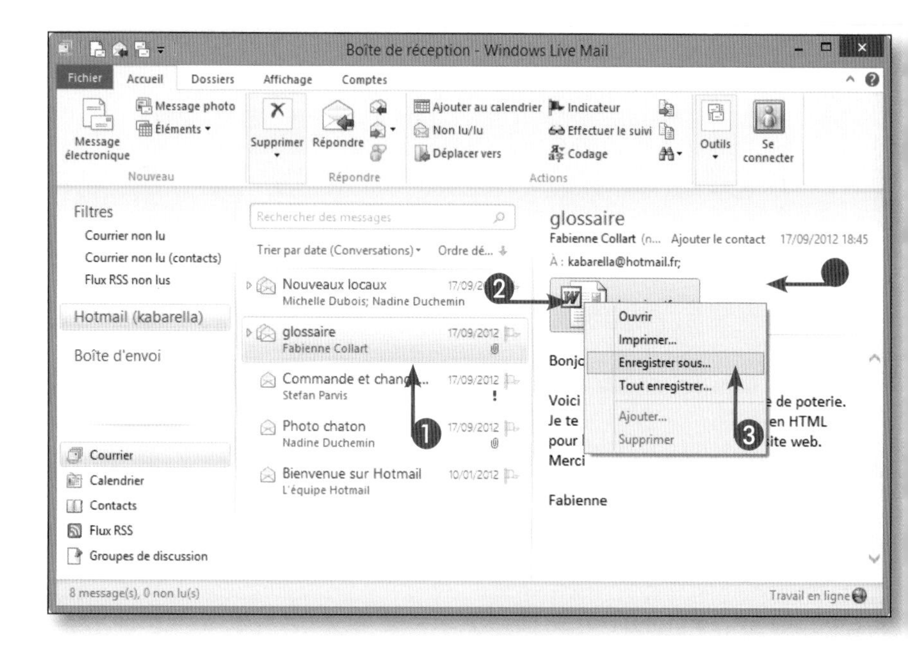

❶ Cliquez le message contenant la pièce jointe, signalée par l'icône 📎.

● La liste des fichiers joints au message apparaît.

❷ Cliquez du bouton droit le fichier joint à enregistrer.

❸ Cliquez **Enregistrer sous**.

Même si vous connaissez l'expéditeur, n'ouvrez une pièce jointe que si vous savez effectivement ce dont il s'agit. Pensez aussi à protéger votre ordinateur avec un logiciel antivirus.

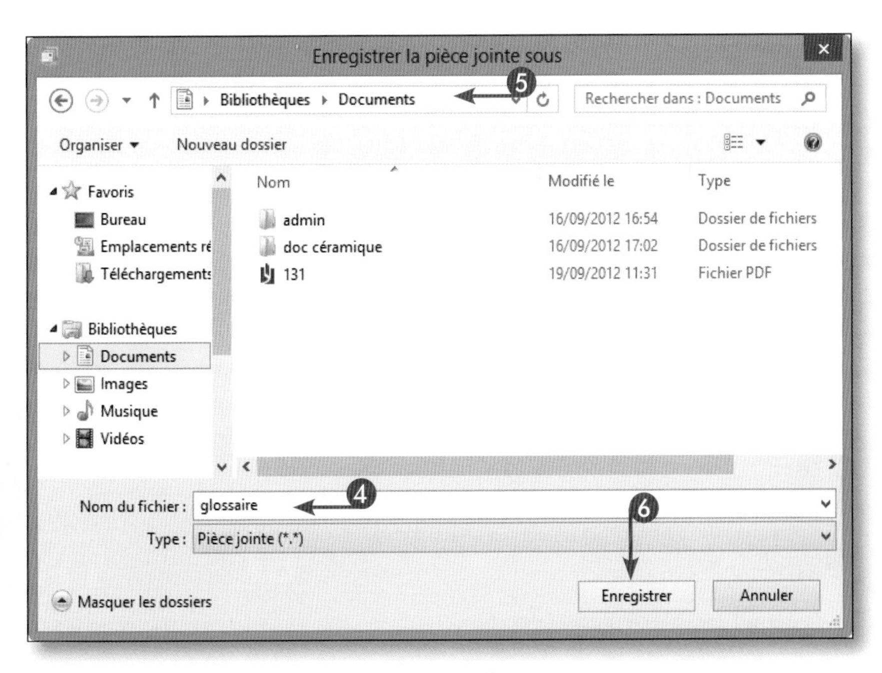

La boîte de dialogue Enregistrer la pièce jointe sous s'ouvre.

4 Modifiez éventuellement le nom du fichier dans cette zone.

5 Sélectionnez le dossier d'enregistrement du fichier.

6 Cliquez **Enregistrer**.

OUVREZ LA BIBLIOTHÈQUE D'IMAGES

Windows 8 stocke par défaut les images dans la bibliothèque d'images, spécialement conçue à cette fin. Vous devez l'ouvrir pour accéder à vos images, les afficher et les modifier.

OUVREZ LA BIBLIOTHÈQUE D'IMAGES

❶ Dans l'écran d'accueil, cliquez **Bureau**.

Si vous n'avez pas encore d'images sur votre ordinateur pour pouvoir suivre les instructions de cette section, reportez-vous à la section suivante pour découvrir comment en importer.

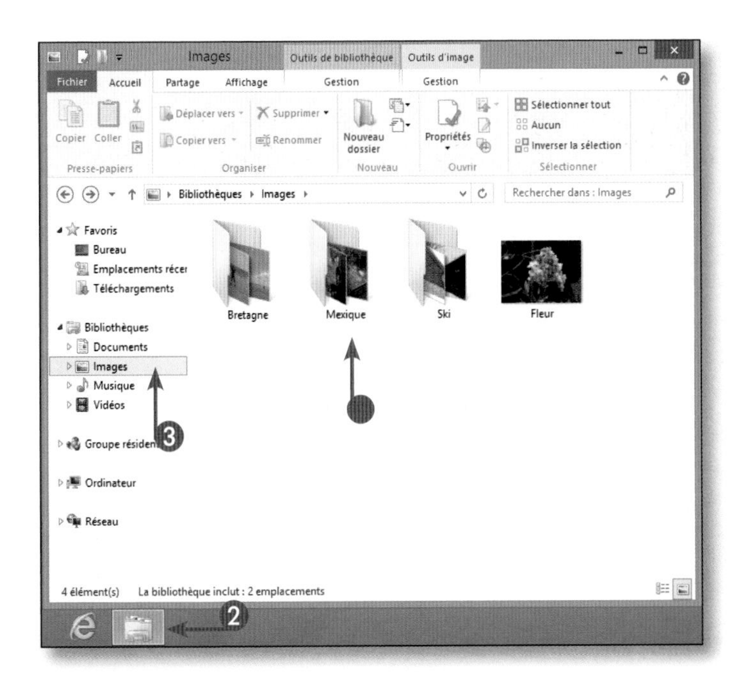

❷ Cliquez **Explorateur de fichiers**.

❸ Cliquez **Images**.

● La bibliothèque d'images s'affiche.

AFFICHEZ L'APERÇU D'UNE IMAGE

La bibliothèque d'images présente des vignettes de vos images. Pour visionner une version agrandie, affichez l'aperçu d'une image précise.

AFFICHEZ L'APERÇU D'UNE IMAGE

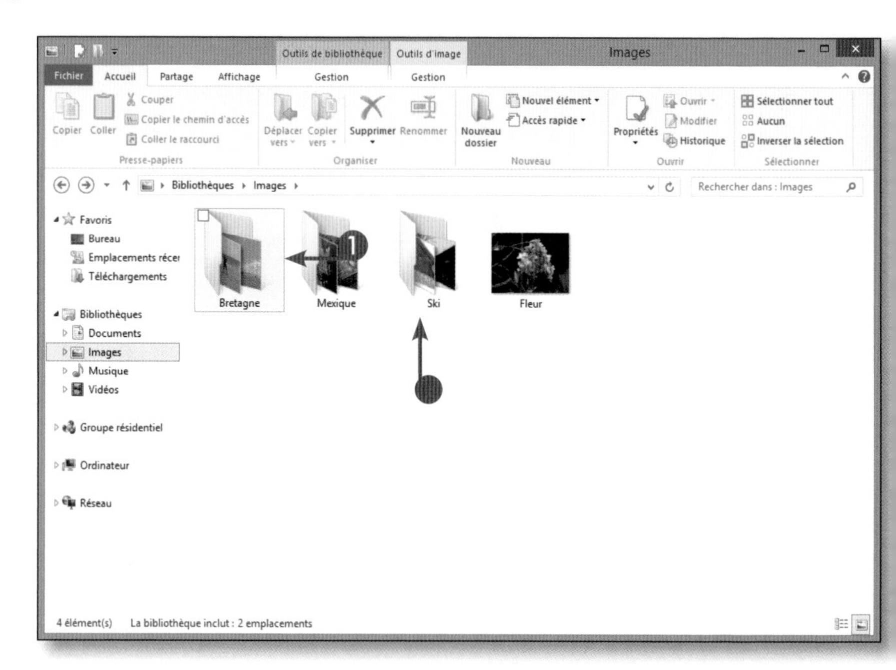

1 Si l'image à visualiser se trouve dans un sous-dossier, double-cliquez ce dernier.

Les sous-dossiers apparaissent sous la forme d'un dossier jaune contenant deux images.

Le volet de visualisation, à droite de la fenêtre, offre un aperçu plus étendu de vos images. Il peut également afficher les images stockées dans des sous-dossiers – des dossiers stockés dans la bibliothèque d'images.

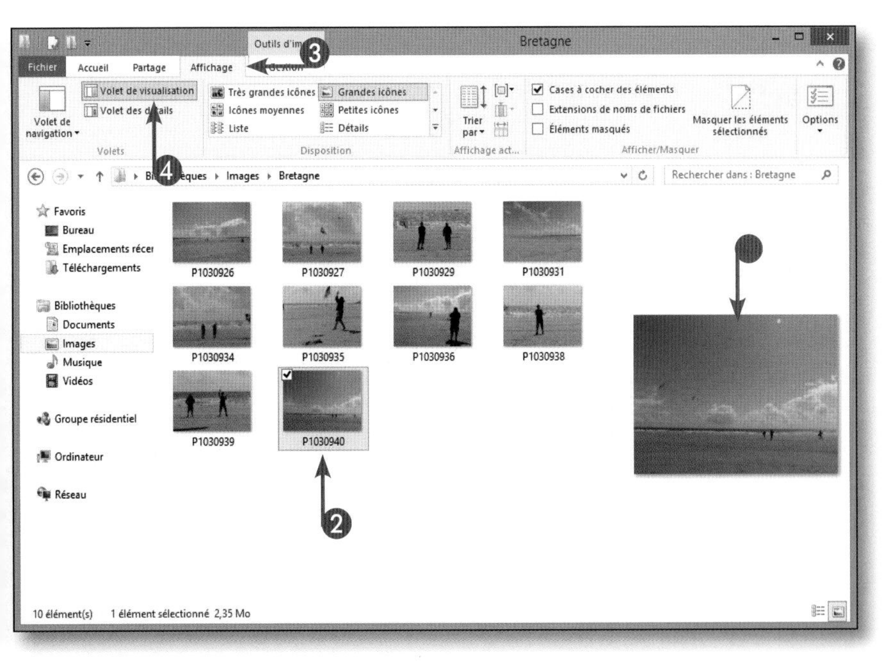

❷ Cliquez le fichier image à prévisualiser.

❸ Cliquez l'onglet **Affichage**.

❹ Cliquez **Volet de visualisation**.

● Le volet de visualisation s'ouvre et affiche un aperçu plus grand de l'image.

Windows 8 propose deux outils pour parcourir toutes les images de la bibliothèque. L'application Visionneuse de photos Windows est fournie par défaut avec Windows 8, mais vous pouvez également installer la Galerie de photos (voir chapitre 2).

AVEC LA VISIONNEUSE DE PHOTOS WINDOWS

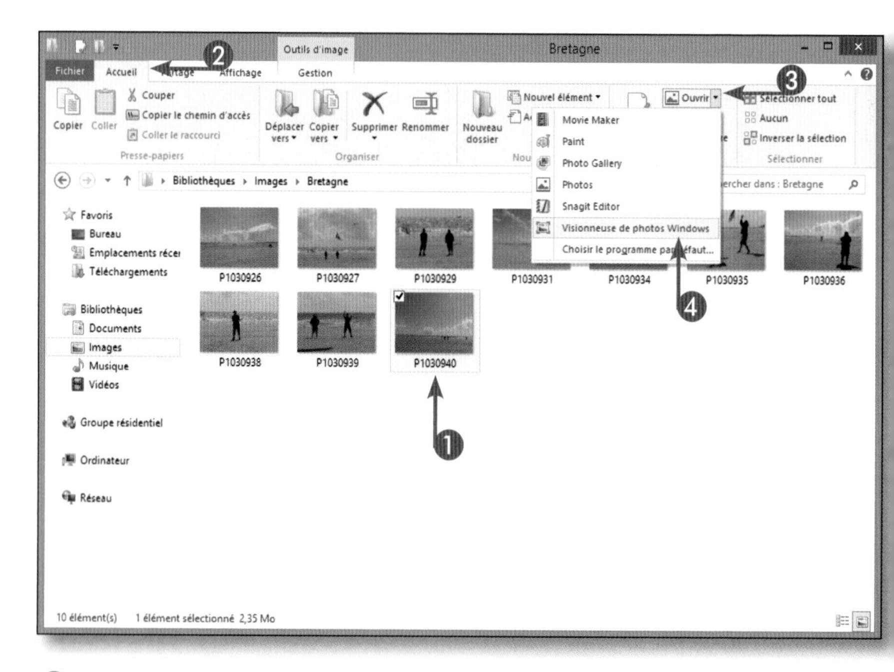

❶ Cliquez le fichier image.

❷ Cliquez l'onglet **Accueil**.

❸ Cliquez la flèche ▾ du bouton **Ouvrir**.

❹ Cliquez **Visionneuse de photos Windows**.

Note. *Si un message vous indique que vous disposez de nouvelles applications pour ouvrir ce type de fichiers, ignorez-le.*

Ces programmes permettent de visionner un diaporama de vos photos et de grossir une image afin de l'examiner en détail.

L'image s'affiche dans la Visionneuse de photos Windows.

5 Pour examiner l'image en détail, cliquez la loupe, puis faites glisser le curseur vers le haut.

6 Cliquez ▶| pour afficher l'image suivante.

7 Cliquez |◀ pour afficher l'image précédente.

8 Pour afficher un diaporama de toutes les images du dossier, cliquez le bouton **Lire le diaporama** (▭).

Note. *Pour arrêter le diaporama, appuyez sur* Echap.

Pour visionner vos images sans faire appel à la Visionneuse de photos Windows, changez l'affichage de la bibliothèque d'images de manière à afficher de grandes vignettes. Dans l'onglet Affichage, cliquez Très grandes icônes.

AVEC LA GALERIE DE PHOTOS

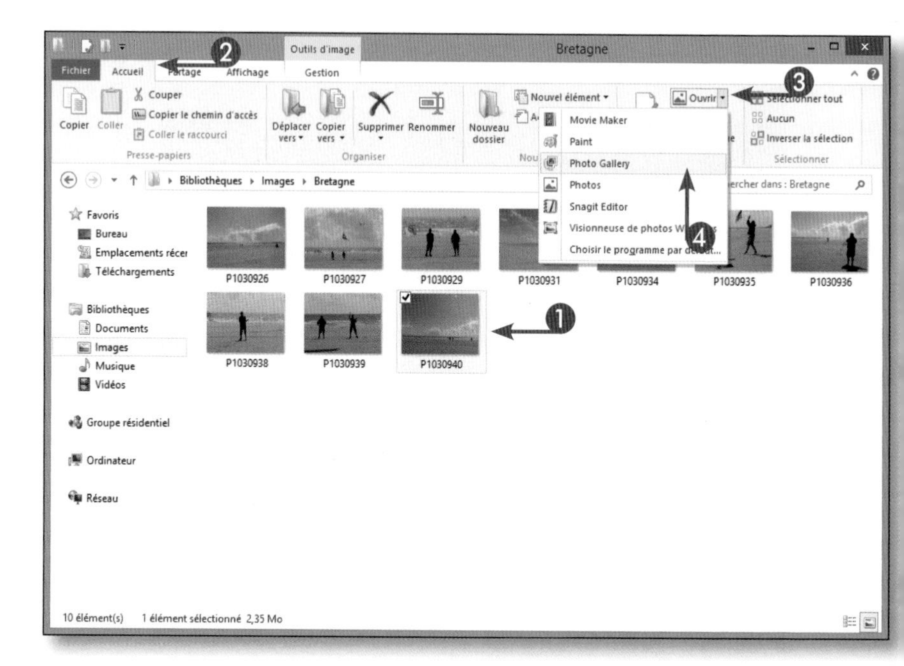

1. Cliquez le fichier image.
2. Cliquez l'onglet **Accueil**.
3. Cliquez la flèche ▾ du bouton **Ouvrir**.
4. Cliquez **Photo Gallery**.

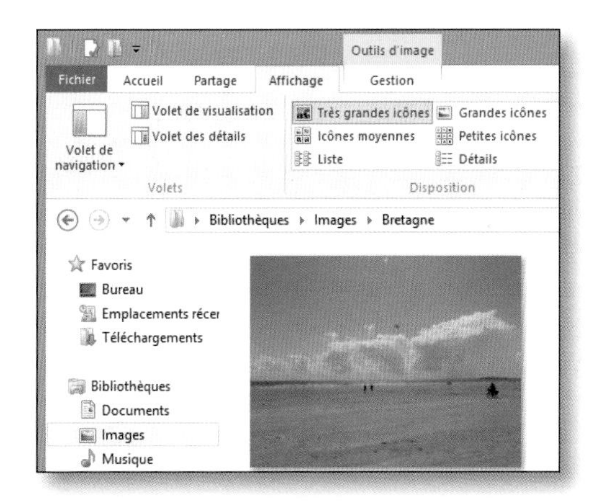

L'image s'affiche dans la Galerie de photos.

5 Pour l'examiner en détail, faites glisser le curseur vers la droite.

6 Cliquez ▶| pour afficher l'image suivante.

7 Cliquez |◀ pour afficher l'image précédente.

8 Pour afficher un diaporama de toutes les images du dossier, cliquez le bouton **Diaporama** (▭).

Note. *Pour arrêter le diaporama, appuyez sur* Echap.

IMPORTEZ LES PHOTOS D'UN APPAREIL NUMÉRIQUE

Raccordez votre appareil photo numérique à votre ordinateur pour y transférer les photos que vous avez prises. Si votre ordinateur est équipé d'un lecteur de cartes, vous pouvez aussi y insérer la carte mémoire de l'appareil pour transférer les photos numériques à partir du support amovible configuré par Windows 8.

IMPORTEZ LES PHOTOS D'UN APPAREIL NUMÉRIQUE

1 Raccordez votre appareil numérique ou votre lecteur de carte mémoire à votre ordinateur.

Une notification apparaît.

2 Cliquez la notification.

Pour importer directement les photos à partir de votre appareil photo, connectez-le à l'ordinateur à l'aide d'un câble, fourni avec la plupart des appareils photo.

Vous pouvez afficher, modifier et imprimer les images ainsi importées.

La liste des actions possibles s'affiche.

3 Cliquez **Importer des photos et des vidéos**.

Note. *Vous pouvez aussi cliquer* ***Ouvrir le dossier et afficher les fichiers****, double-cliquer votre appareil photo, puis parcourir les dossiers pour retrouver vos images. Copiez ensuite les images dans votre bibliothèque d'images.*

Pour importer uniquement quelques photos de votre appareil, dans l'écran d'importation, supprimez la coche des photos que vous ne souhaitez pas importer.

IMPORTEZ LES PHOTOS D'UN APPAREIL NUMÉRIQUE (SUITE)

L'écran d'importation s'affiche.

❹ Tapez une brève description des photos.

❺ Cliquez **Importer**.

En règle générale, Windows 8 stocke les images et les photos importées dans la bibliothèque d'images. Il y crée un nouveau sous-dossier, nommé selon ce que vous avez tapé dans la boîte de dialogue Importer des photos et des vidéos. Pour visionner les photos, cliquez l'application Photos, la bibliothèque d'images, puis le sous-dossier contenant vos photos importées.

L'importation des photos numériques débute.

Une fois l'importation terminée, cliquez **Ouvrir le dossier** pour afficher les photos dans la bibliothèque d'images.

Le ruban de la Galerie de photos contient différents outils qui permettent de retoucher les attributs de photos et d'images numériques.

CORRIGEZ UNE IMAGE

❶ Cliquez **Photo Gallery**.

La fenêtre de l'image permet de diminuer le bruit, petits défauts de l'image, mais également de régler automatiquement la luminosité, le contraste, la température des couleurs, la teinte et la saturation d'une image. Consultez le chapitre 2 pour installer la Galerie de photos.

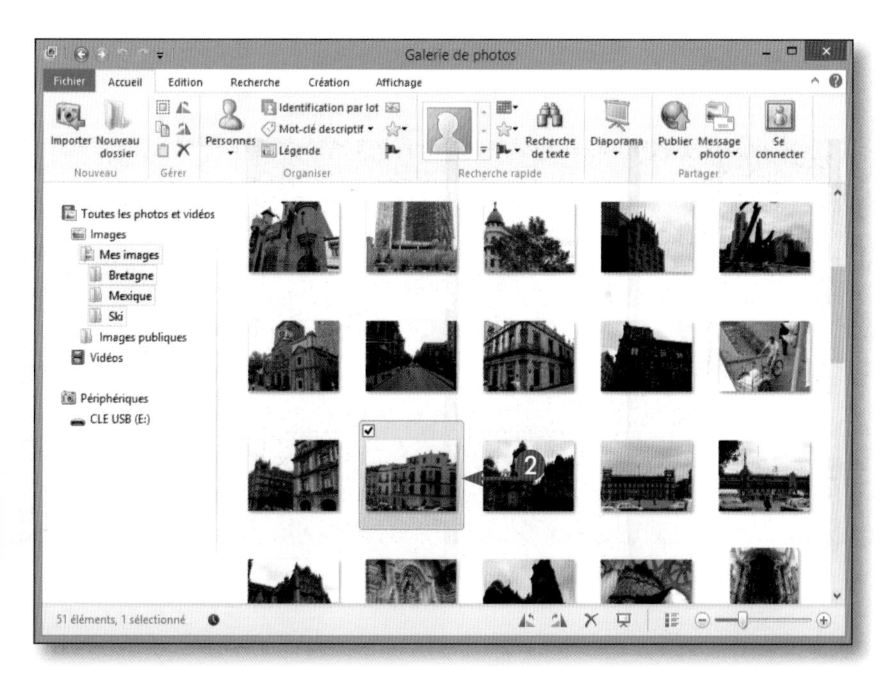

La Galerie de photos s'ouvre.

Note. *Au premier démarrage du programme, une boîte de dialogue vous demande si vous souhaitez utiliser ce programme pour ouvrir certains types de fichiers. Cliquez* ***Oui****.*

❷ Double-cliquez l'image à retoucher.

Il est possible d'annuler une retouche et de récupérer l'image d'origine, car la Galerie de photos conserve toujours une copie de sauvegarde de votre image.

CORRIGEZ UNE IMAGE (SUITE)

La Galerie de photos ouvre l'image et affiche l'onglet Edition.

❸ Pour corriger les petits défauts, cliquez **Réduction du bruit**.

❹ Pour améliorer les couleurs, cliquez **Couleur**, puis **Ajuster automatiquement**.

❺ Pour améliorer l'exposition, cliquez **Exposition**, puis **Ajuster automatiquement**.

● Pour régler simultanément toutes ces propriétés, cliquez **Ajustement automatique**.

Pour annuler toutes les modifications, double-cliquez l'image pour l'afficher. Dans l'onglet Edition, cliquez **Revenir à l'original** (ou appuyez sur Ctrl + R).

6 Pour supprimer l'effet yeux rouges d'une photo, cliquez **Yeux rouges**, puis tracez un rectangle de sélection autour de l'œil rouge.

7 Lorsque vous avez terminé, cliquez **Fermer le fichier**.

La Galerie de photo applique les modifications.

IMPRIMEZ UNE IMAGE

Vous pouvez imprimer les images depuis la bibliothèque d'images et ses sous-dossiers. La boîte de dialogue Imprimer les images permet de choisir l'imprimante à utiliser, la mise en page et de lancer l'impression.

IMPRIMEZ UNE IMAGE

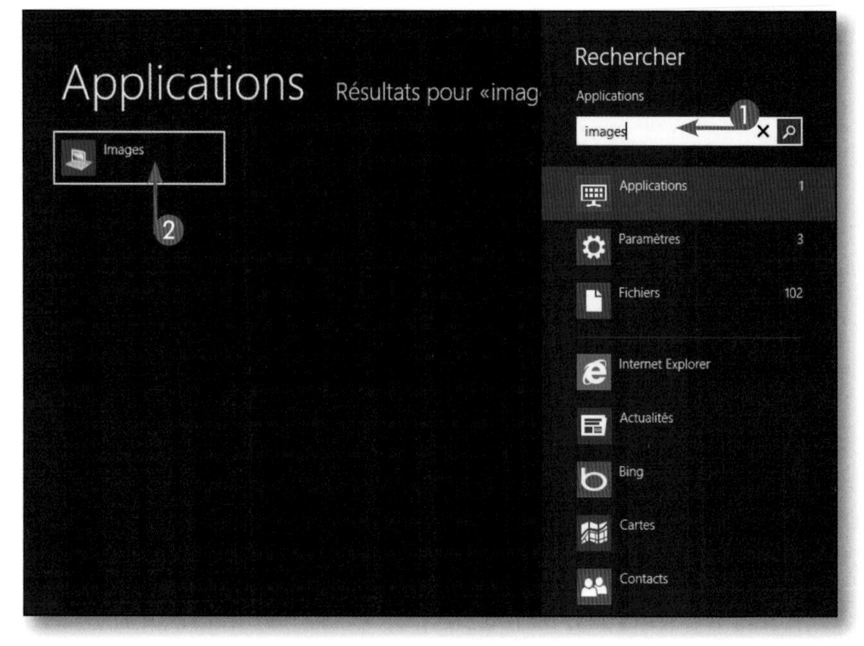

❶ Dans l'écran d'accueil, tapez **images**.

❷ Cliquez **Images**.

Vous pouvez imprimer une seule ou plusieurs images. Si vous imprimez plusieurs images, vous pouvez les disposer sur la même page ou séparément.

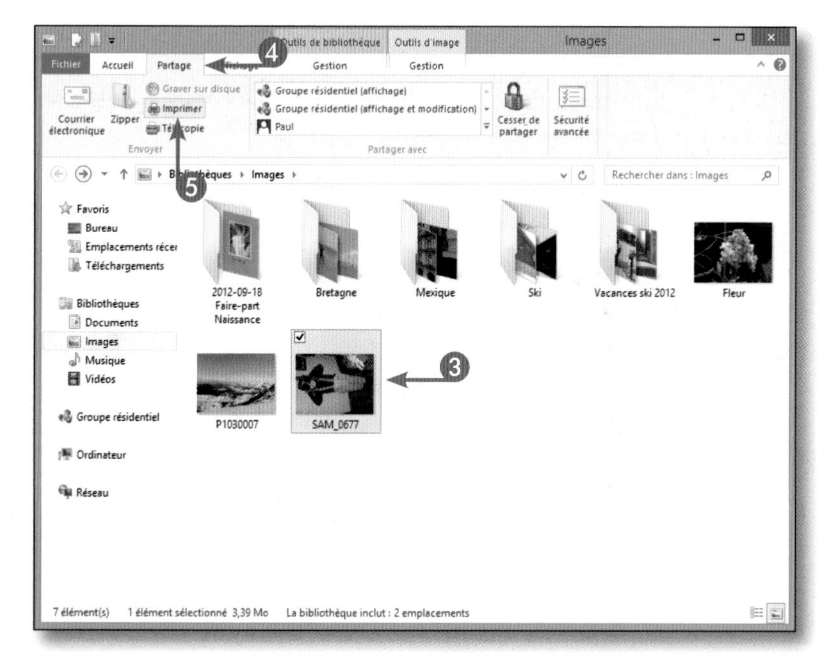

La bibliothèque d'images s'affiche.

3 Cliquez la ou les images à imprimer.

Note. *Pour sélectionner plusieurs images, appuyez et maintenez enfoncée la touche* Ctrl, *puis cliquez chaque image.*

4 Cliquez l'onglet **Partage**.

5 Cliquez **Imprimer**.

Selon l'imprimante que vous utilisez, vous pouvez imprimer sur une grande variété de types de papier, y compris du papier ordinaire. Toutefois, le papier photo améliore la netteté et les couleurs des tirages et augmente leur durée de vie.

IMPRIMEZ UNE IMAGE (SUITE)

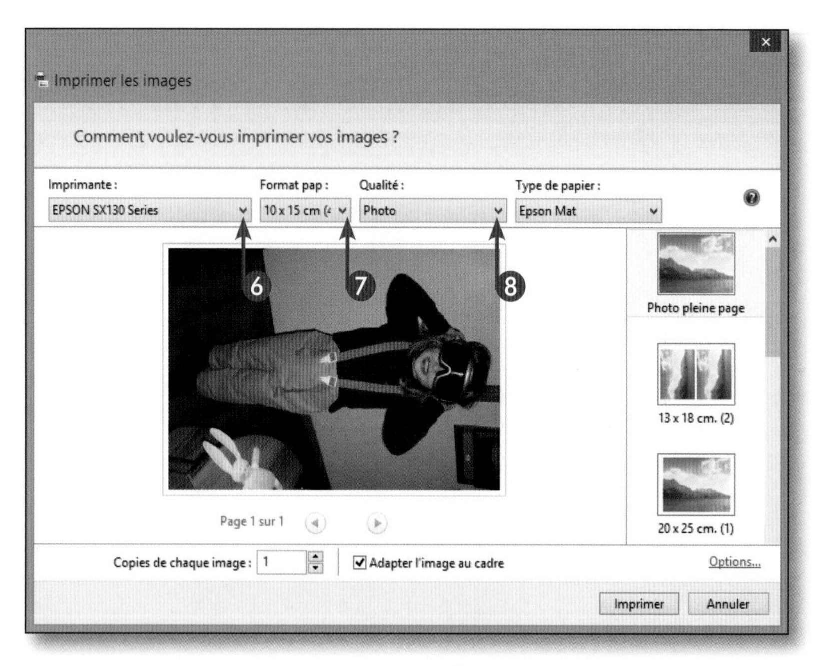

La boîte de dialogue Imprimer les images s'affiche.

6 Si l'ordinateur est relié à plusieurs imprimantes, cliquez ▾, puis l'imprimante à utiliser.

7 Cliquez ▾, puis choisissez le format du papier utilisé.

8 Cliquez ▾, puis choisissez la qualité d'impression à appliquer.

***Note.** Une valeur élevée donne une impression de meilleure qualité.*

Il existe divers finis de papier, allant du mat au brillant. Veillez, de toute façon, à choisir un papier recommandé par votre marque d'imprimante.

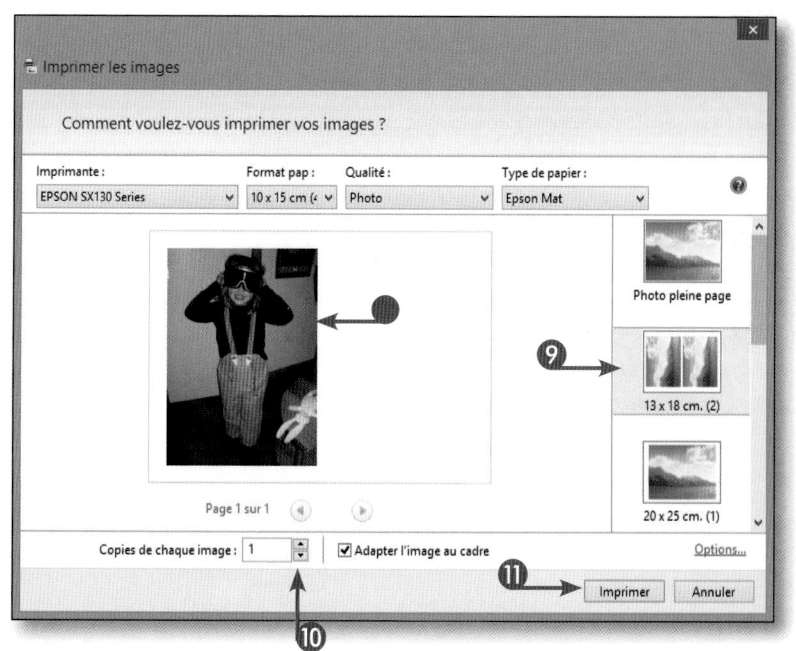

9 Cliquez la mise en page à appliquer.

10 Cliquez ⬍ pour définir le nombre d'exemplaires à imprimer.

● Un aperçu du tirage s'affiche.

11 Cliquez **Imprimer**.

L'impression débute.

Fourni avec Windows 8, le Lecteur Windows Media permet de lire du son et de la vidéo. S'il est également possible de regarder vos vidéos et d'afficher des photos, ce chapitre traite exclusivement des fonctionnalités audio du lecteur.

OUVREZ LE LECTEUR WINDOWS MEDIA

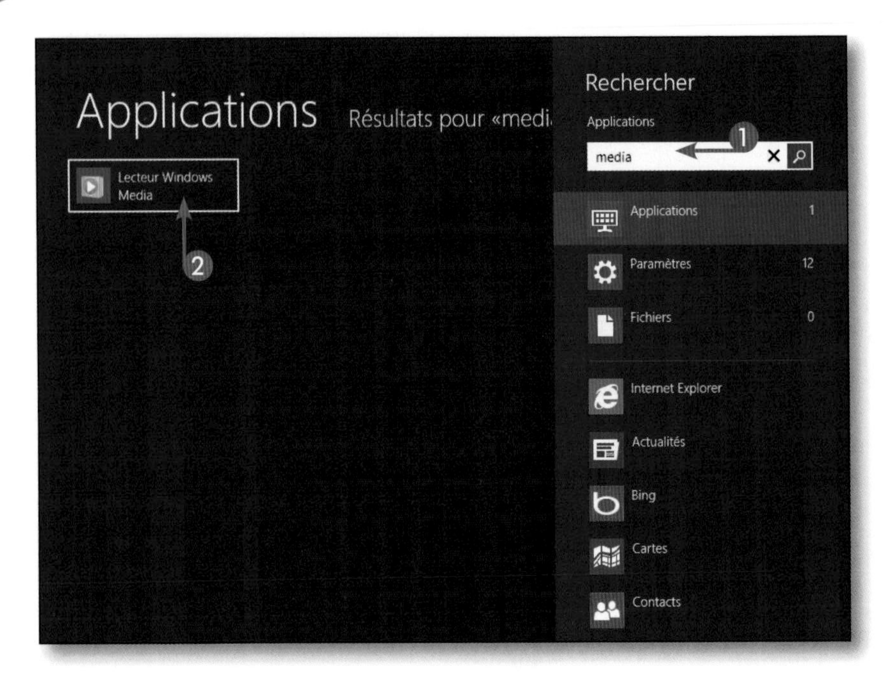

❶ Dans l'écran d'accueil, tapez **media**.

❷ Cliquez **Lecteur Windows Media**.

Pour utiliser ce programme, il faut bien sûr l'ouvrir. Dès que vous avez fini de vous en servir, fermez-le pour éviter de trop solliciter le processeur.

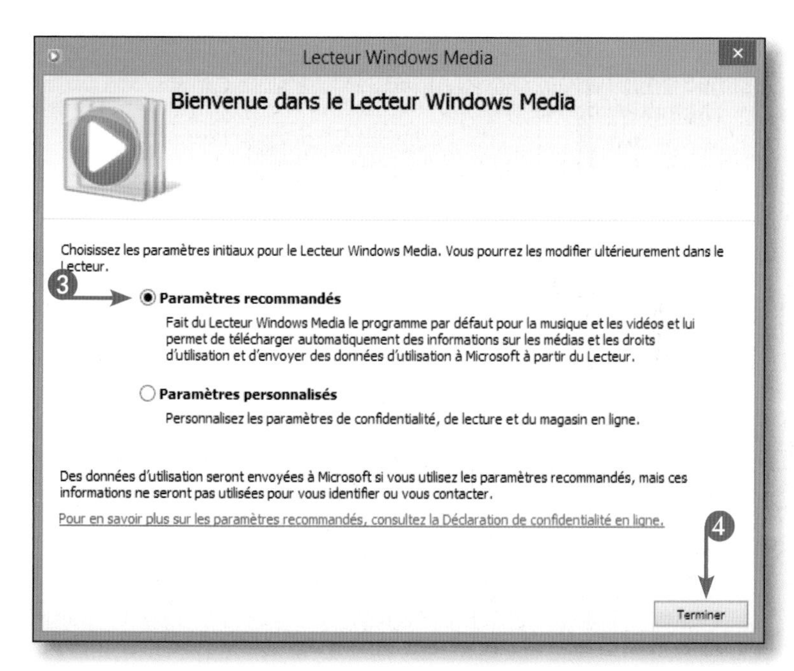

À la première utilisation du programme, la boîte de dialogue Bienvenue dans le Lecteur Windows Media apparaît.

❸ Cliquez **Paramètres recommandés** (○ devient ◉).

❹ Cliquez **Terminer**.

La fenêtre Lecteur Windows Media s'affiche.

Familiarisez-vous avec les différents éléments du Lecteur Windows Media afin de profiter pleinement de ses fonctionnalités.

Barre d'adresse

Indique l'emplacement actuel dans la bibliothèque du lecteur multimédia.

Onglets

Les onglets sont des liens vers les fonctionnalités clés du Lecteur Windows Media.

Barre d'outils

Permet d'accéder aux commandes, de changer l'affichage et de rechercher du contenu multimédia.

Volet de navigation

Permet de naviguer entre les différentes catégories de la bibliothèque du lecteur.

Commandes de lecture

Contrôlent la lecture d'un fichier audio ou vidéo et permettent de régler le volume sonore.

Volet Détails

Affiche des informations sur le contenu de la bibliothèque en cours, telles que le nom de l'album et son genre, ainsi que le titre et la durée du morceau ou de la vidéo.

Lecteur Windows Media
Bibliothèque ▸ Musique ▸ Toute la musique
Lecture
Graver
Synchron...
Organiser
Diffuser en continu
Créer une sélection
Rechercher
Bénédicte Volto
Sélections
Musique
Interprète
Album
Genre
Vidéos
Images
VMware Tools (D:)
Autres bibliothèques
Bénédicte (bÉnÉdict
Album
#
Titre
Durée
Classement
Interprète aya...
Anathema
Weather Systems
Anathema
new prog
2012
1 Untouchable 6:14 Anathema
2 Untouchable, Part 2 5:33 Anathema
3 The Gathering of the Cl... 3:28 Anathema
4 Lightning Song 5:24
5 Sunlight 4:51 Anathema
6 The Storm Before the C... 9:21 Anathema
7 The Beginning and the ... 4:49 Anathema
8 The Lost Child 6:59 Anathema
9 Internal Landscapes 8:46 Anathema
9 Internal Landscapes 8:46 Anathema
Jewel
Pieces Of You
Jewel
Alt. Rock
1997
1 Who Will Save Your Soul 4:01 Jewel
2 Pieces Of You 4:16 Jewel
3 Little Sister 2:31 Jewel
4 Foolish Games 5:40 Jewel
5 Near You Always 3:09 Jewel
6 Painters 6:44 Jewel
7 Morning Song 3:35 Jewel
8 Adrian 7:03 Jewel

LISEZ UN FICHIER AUDIO OU VIDÉO

Le Lecteur Windows Media utilise la bibliothèque pour lire les fichiers audio stockés dans votre ordinateur. Il existe plusieurs méthodes pour retrouver le titre à écouter, mais la plus simple consiste à afficher les albums de la bibliothèque du lecteur, puis à ouvrir celui qui contient le morceau.

LISEZ UN FICHIER AUDIO OU VIDÉO

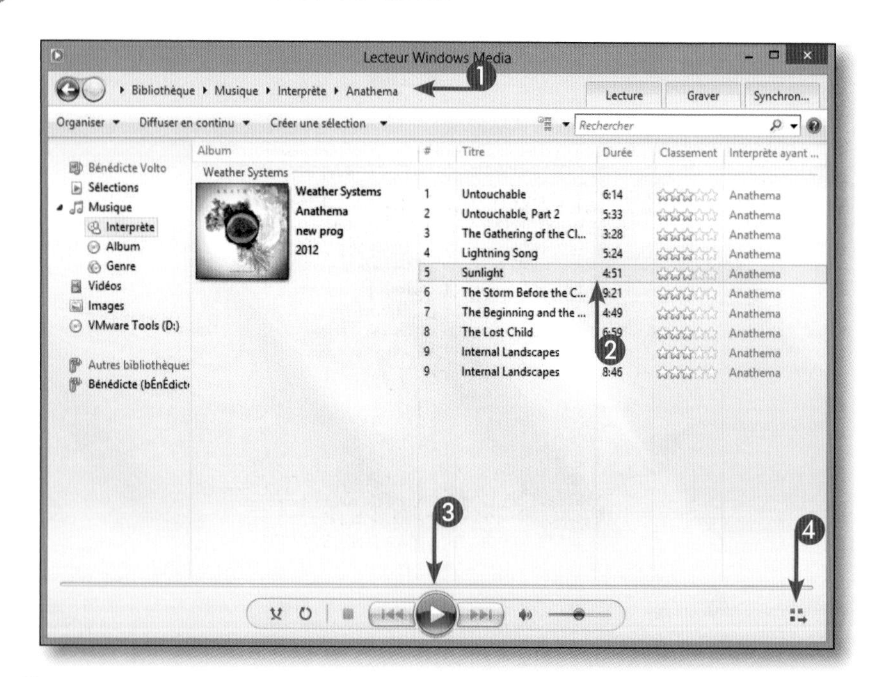

❶ Localisez dans la bibliothèque le dossier contenant le fichier audio ou vidéo à lire.

❷ Cliquez le fichier audio ou vidéo.

❸ Cliquez le bouton **Lire** (▶).

❹ Cliquez **Basculer en mode Lecture en cours** (⊞) pour afficher les visualisations pendant la lecture d'un fichier audio.

Pendant la lecture, vous pouvez cliquer l'onglet Lecture en cours pour voir les images vidéo ou afficher les visualisations qui accompagnent la musique.

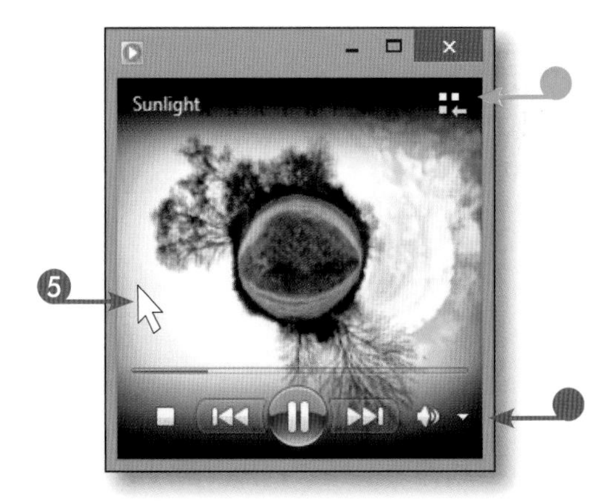

Le Lecteur Windows Media démarre la lecture du fichier.

5 Déplacez le pointeur dans la fenêtre Lecture en cours.

● Les commandes de lecture apparaissent.

Note. *Reportez-vous à la section « Écoutez un CD audio » pour en savoir plus sur les commandes de lecture.*

● Pour revenir à la bibliothèque du lecteur, cliquez **Basculer vers la bibliothèque** ( ).

RÉGLEZ LE VOLUME SONORE

Augmentez ou diminuez le volume sonore du Lecteur Windows Media pour votre confort d'écoute.

DANS LA BIBLIOTHÈQUE

❶ Faites glisser le curseur **Volume** vers la gauche (pour réduire le volume) ou vers la droite (pour l'augmenter).

● Pour couper le son de la lecture, cliquez **Muet** ( ).

Note. *Pour rétablir le volume, cliquez* ***Son*** *( ).*

Adaptez si possible le volume au type de musique et à vos envies. Cependant, si vous risquez de déranger d'autres personnes, baissez le volume du Lecteur Windows Media. Vous pouvez couper temporairement le son de la lecture – pour répondre à un appel téléphonique par exemple.

DANS LA FENÊTRE LECTURE EN COURS

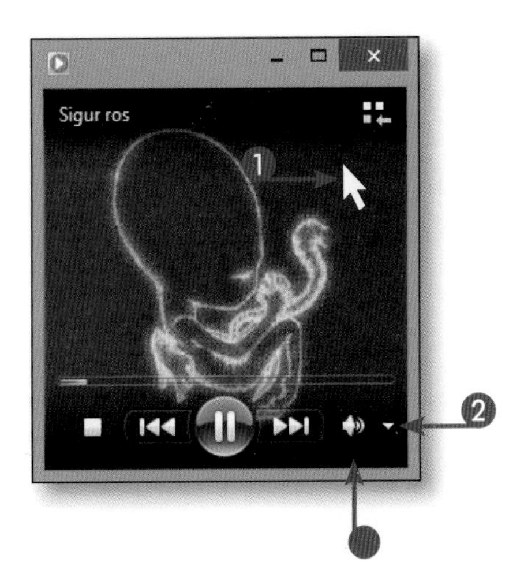

1 Déplacez le pointeur dans la fenêtre Lecture en cours.

Les commandes de lecture apparaissent.

2 Cliquez ici et faites glisser le curseur **Volume** vers la gauche (pour réduire le volume) ou vers la droite (pour l'augmenter).

3 Pour couper le son, cliquez **Muet** ( ).

Note. *Pour rétablir le volume, cliquez* ***Son*** *( ).*

ÉCOUTEZ UN CD AUDIO

Le Lecteur Windows Media permet d'écouter des CD audio. Lorsque vous insérez un disque audio dans le lecteur de votre ordinateur, Windows 8 vous demande quelle action exécuter. Vous pouvez lui indiquer de lire les CD audio avec le Lecteur Windows Media.

ÉCOUTEZ UN CD AUDIO

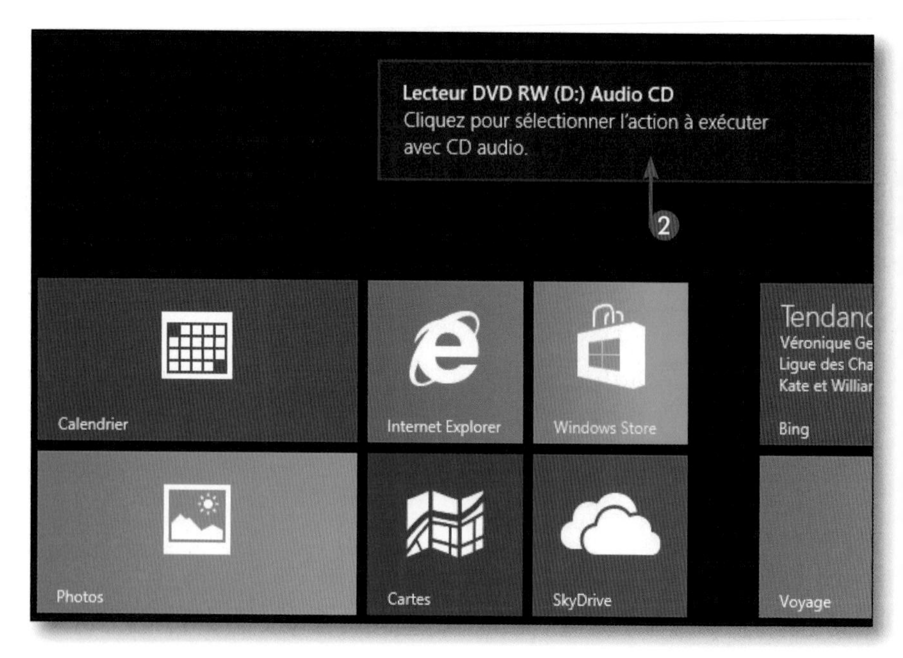

❶ Insérez un CD audio dans le lecteur de votre ordinateur.

Une notification s'affiche.

❷ Cliquez la notification.

Le CD apparaît dans la fenêtre Lecture en cours. Si vous êtes connecté à Internet, le nom de chaque piste et autres données relatives s'affichent.

Certaines options de lecture se contrôlent *via* la fenêtre Lecture en cours, mais vous accédez à davantage d'options en basculant vers la bibliothèque.

Windows 8 vous propose de choisir entre plusieurs actions.

③ Cliquez **Lire un CD audio**.

La fenêtre Lecture en cours du Lecteur Windows Media s'affiche et la lecture du CD débute.

Le Lecteur Windows Media possède un égaliseur graphique qui permet de régler le niveau des fréquences. Pour l'afficher, cliquez du bouton droit dans la fenêtre Lecture en cours, cliquez Améliorations, puis Égaliseur graphique. Pour appliquer un réglage prédéfini, cliquez Par défaut, puis sélectionnez une option prédéfinie, comme Rock ou Classique. Sinon, servez-vous des curseurs pour définir vos propres fréquences.

ÉCOUTEZ UN CD AUDIO (SUITE)

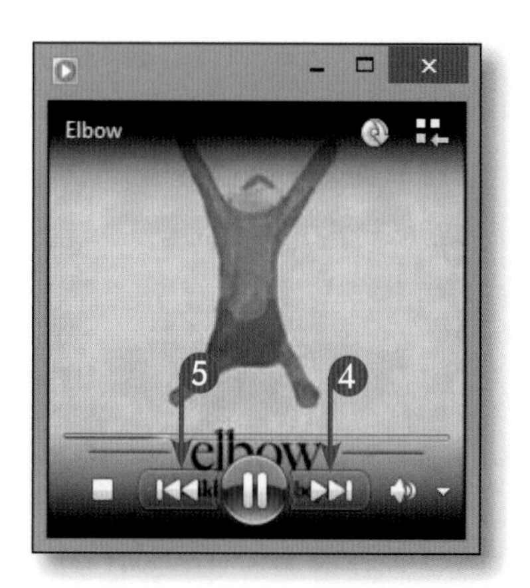

4 Cliquez **Suivant** (⏭) pour lire la piste suivante.

5 Cliquez **Précédent** (⏮) pour lire la piste précédente.

Pour changer la visualisation affichée au cours de la lecture, cliquez du bouton droit dans la fenêtre Lecture en cours et choisissez **Visualisations**. La liste des catégories de visualisation s'affiche. Cliquez une catégorie, puis sélectionnez la visualisation à afficher.

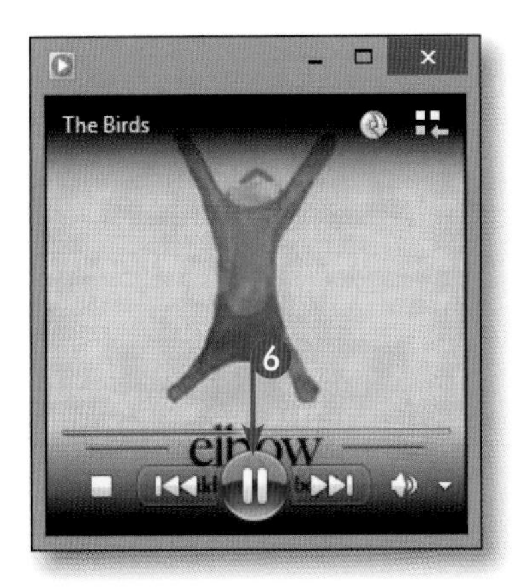

6 Cliquez **Suspendre** (⏸) pour interrompre la lecture.

La lecture s'interrompt.

7 Cliquez **Lire** (▶).

La lecture reprend là où vous l'avez suspendue.

Grâce aux boutons de lecture situés au bas de la bibliothèque du Lecteur Windows Media, vous pouvez passer d'une piste à une autre, répéter la totalité du CD ou encore écouter les pistes en mode aléatoire.

ÉCOUTEZ UN CD AUDIO (SUITE)

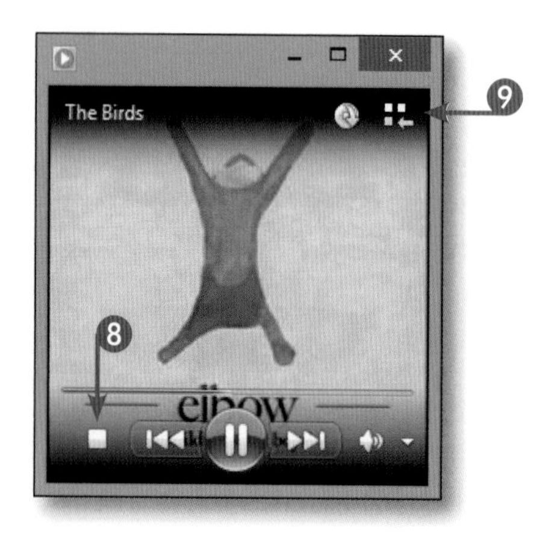

8 Cliquez **Arrêter** (■) pour stopper la lecture.

La lecture s'arrête.

Si vous cliquez **Lire** (▶) après avoir cliqué **Stop** (■), la lecture reprend au début du titre.

9 Cliquez **Basculer vers la bibliothèque** (■) pour ouvrir la fenêtre de la bibliothèque.

Pour importer de la musique à partir d'un CD, reportez-vous à la section « Copiez les pistes d'un CD audio ».

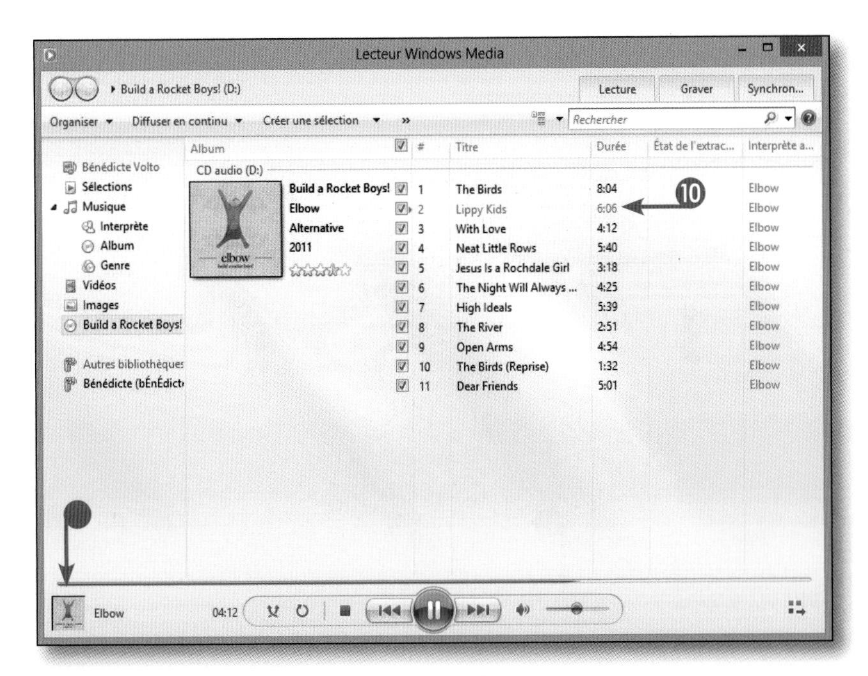

⑩ Dans le volet Détails, double-cliquez un autre morceau à écouter.

La lecture du morceau débute.

● Cette zone présente le titre de la chanson, le titre de l'album et l'auteur.

ÉCOUTEZ UN CD AUDIO

Le Lecteur Windows Media télécharge les informations concernant le CD audio *via* Internet. S'il n'en trouve aucune, il n'affiche pas les titres des chansons dans le volet Détails, mais les numéros des pistes. Pour ajouter manuellement les titres, cliquez une piste du bouton droit et choisissez Modifier. Tapez le titre du morceau, puis appuyez sur Entrée ou appuyez sur F2, puis sur Tab.

ÉCOUTEZ UN CD AUDIO (SUITE)

⓫ Cliquez **Activer la répétition** (🔁) pour répéter la lecture.

Le CD va redémarrer une fois la dernière piste écoutée.

Note. *Pour activer la répétition dans la fenêtre Lecture en cours, appuyez sur* Ctrl + T.

Pour configurer la fenêtre Lecture en cours de sorte qu'elle soit toujours visible au-dessus des autres fenêtres ouvertes, cliquez du bouton droit dans la fenêtre Lecture en cours, puis cliquez Lecture en cours toujours visible.

⓬ Cliquez **Activer la lecture aléatoire** ( ).

Le Lecteur Windows Media lit les pistes du CD sans suivre l'ordre affiché.

Note. *Pour activer la lecture aléatoire dans la fenêtre Lecture en cours, appuyez sur* Ctrl + H.

COPIEZ LES PISTES D'UN CD AUDIO

Grâce au Lecteur Windows Media, vous pouvez lire le contenu de vos CD audio sans les insérer dans le lecteur de l'ordinateur. Pour cela, vous devez extraire les pistes des CD, c'est-à-dire les copier sur votre disque dur.

COPIEZ UN CD AVEC LA FENÊTRE LECTURE EN COURS

1. Insérez un CD dans le lecteur de votre ordinateur.

La fenêtre Lecture en cours s'affiche.

2. Cliquez **Extraire le contenu du CD** ( ).

Le Lecteur Windows Media copie les pistes du CD sur votre disque dur.

Vous pouvez extraire la totalité d'un CD directement à partir de la fenêtre Lecture en cours ou extraire des pistes sélectionnées *via* la bibliothèque. Créez ensuite vos propres compilations à partir des titres extraits.

COPIEZ DES PISTES SÉLECTIONNÉES AVEC LA BIBLIOTHÈQUE

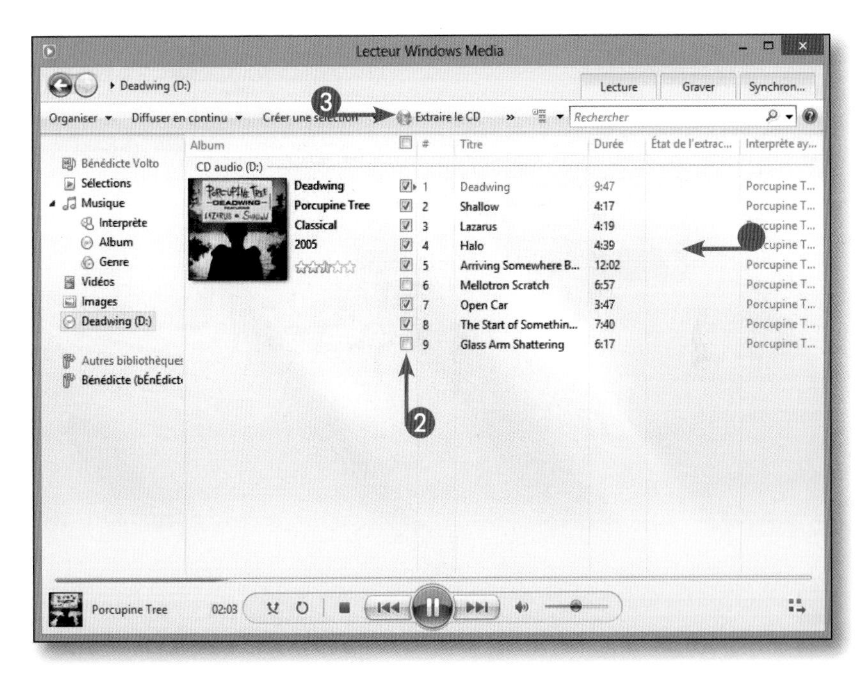

❶ Insérez un CD dans le lecteur de votre ordinateur.

Si la fenêtre Lecture en cours apparaît, cliquez **Basculer vers la bibliothèque** (▦).

● Le Lecteur Windows Media affiche la liste des pistes du CD.

❷ Cliquez les pistes à ne pas extraire (☑ devient ☐).

❸ Cliquez **Extraire le CD**.

Pour supprimer une piste extraite par erreur, cliquez Musique → Album, puis double-cliquez l'album extrait pour afficher la liste des titres. Cliquez du bouton droit la piste à supprimer, puis cliquez Supprimer.

COPIEZ DES PISTES SÉLECTIONNÉES AVEC LA BIBLIOTHÈQUE (SUITE)

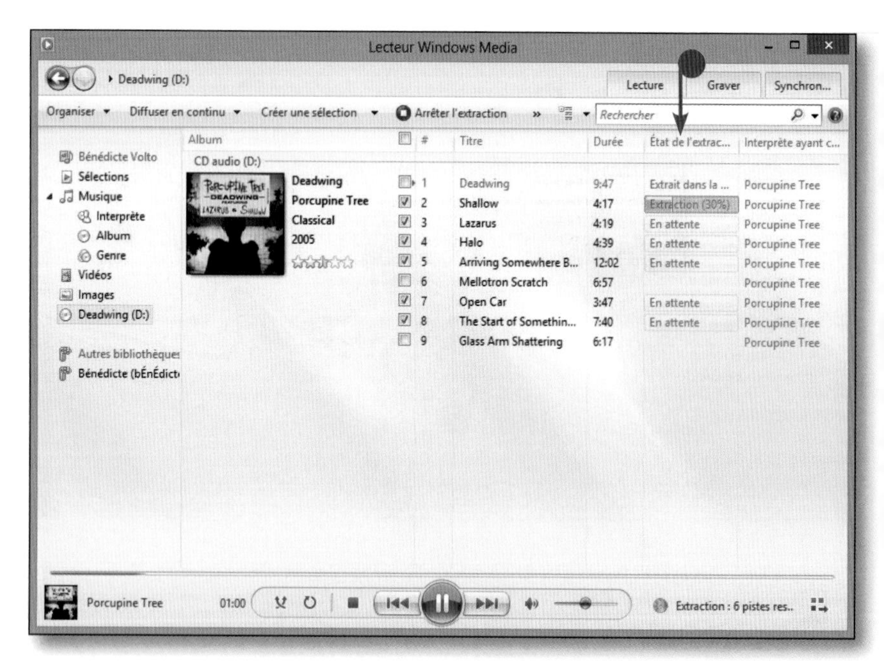

Le Lecteur Windows Media copie la ou les pistes sur votre disque dur.

La colonne État de l'extraction affiche la progression de l'extraction.

Pour choisir la qualité des pistes extraites, vous devez changer le taux d'échantillonnage, lequel définit la quantité de données du CD qui sont copiées sur l'ordinateur. Plus il est élevé, plus la qualité est bonne, mais plus les fichiers générés sont volumineux. Pointez **Paramètres d'extraction**, **Qualité audio**, puis cliquez la valeur à définir.

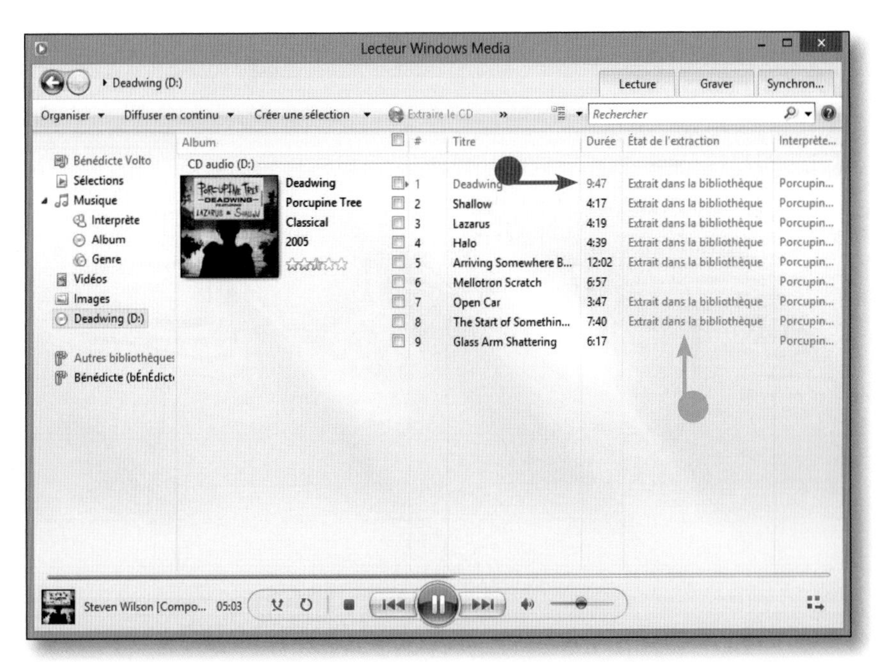

● Dès qu'un fichier est copié, la colonne État de l'extraction affiche le message « Extrait dans la bibliothèque ».

● La copie est terminée lorsque toutes les pistes sélectionnées apparaissent comme extraites dans la bibliothèque.

Le Lecteur Windows Media permet de copier, ou *graver*, des fichiers audio de votre ordinateur sur un CD. Vous pouvez ainsi créer vos propres compilations musicales et les écouter sur votre ordinateur comme sur tout autre lecteur de CD.

GRAVEZ DES FICHIERS AUDIO SUR UN CD

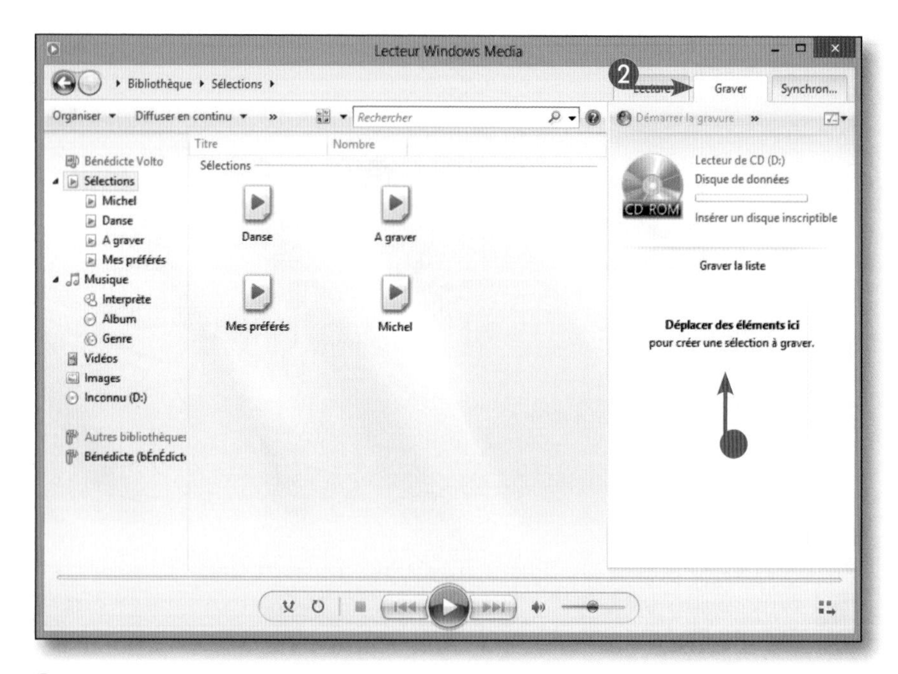

❶ Insérez un CD vierge dans le graveur de votre ordinateur.

❷ Cliquez l'onglet **Graver**.

● La sélection à graver apparaît.

La manière la plus simple de graver des fichiers audio à partir de la fenêtre du Lecteur Windows Media consiste à créer une sélection des titres à graver. Classez ensuite les titres de la sélection selon l'ordre où vous souhaitez les écouter.

Pour graver des fichiers audio sur un CD, votre ordinateur doit évidemment être équipé d'un graveur.

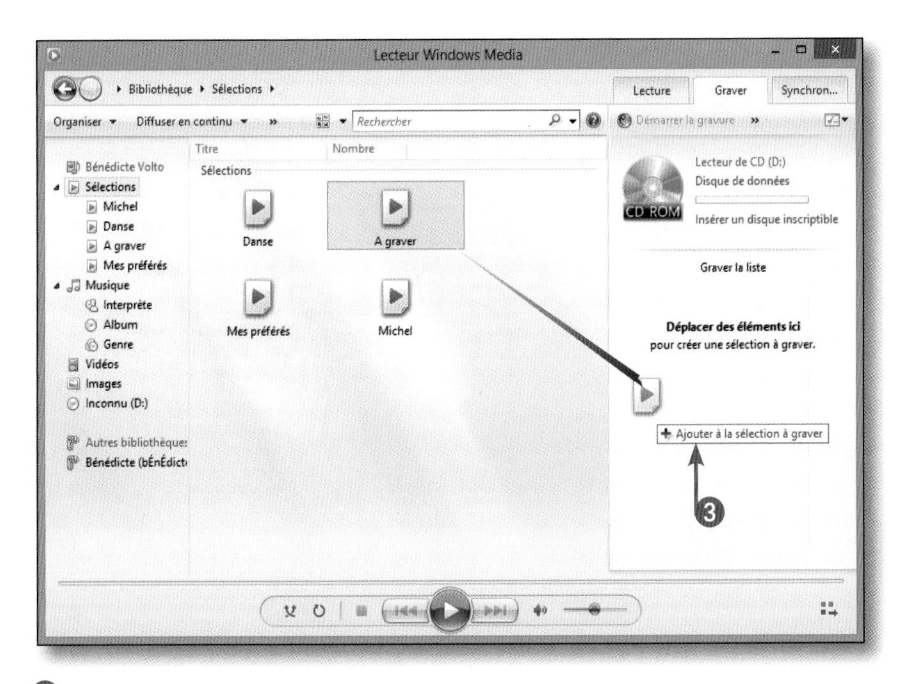

❸ Faites glisser les éléments de la bibliothèque vers la sélection à graver.

Vous n'êtes pas obligé de graver les titres dans l'ordre où ils apparaissent dans la liste. Il existe plusieurs manières de les réorganiser avant la gravure. La plus simple consiste à faire glisser une piste à un autre endroit dans la liste. Autrement, cliquez Options de gravure (), puis soit Lecture aléatoire de la liste, soit Trier la liste par, en sélectionnant un ordre de tri.

GRAVEZ DES FICHIERS AUDIO SUR UN CD (SUITE)

● Le Lecteur Windows Media ajoute les fichiers à la sélection à graver.

● Le temps restant sur le CD s'affiche ici.

4 Répétez l'étape **3** pour ajouter d'autres fichiers à la sélection.

5 Cliquez **Démarrer la gravure**.

Si vous ajoutez à la liste à graver plus de fichiers que ne peut en contenir un seul CD, le Lecteur Windows Media vous invite à insérer des CD supplémentaires au cours de la gravure.

Le Lecteur Windows Media convertit les fichiers en pistes de CD audio et les copie sur le CD.

● L'onglet Graver affiche la progression de la gravure.

Note. *La gravure terminée, le CD est automatiquement éjecté. N'essayez surtout pas d'éjecter le CD en cours de gravure.*

Un document est un fichier que vous créez ou modifiez vous-même. Les quatre exemples ci-après constituent les types de documents de base que vous pouvez créer grâce aux programmes intégrés à Windows 8.

Fichier texte

Un fichier texte ne contient que les caractères qu'affiche votre clavier, ainsi que des symboles et des caractères spéciaux. Mis à part la police de caractères, vous ne pouvez appliquer aucune mise en forme particulière au texte (gras, italique, couleur, *etc.*). Dans Windows 8, le Bloc-notes sert à créer les fichiers texte. Toutefois, vous pouvez aussi utiliser WordPad.

```
Fichier texte
--------------------
En informatique, un fichier texte ou fichier texte brut ou fichier texte simple est un
fichier dont le contenu représente uniquement une suite de caractères; il utilise
nécessairement une forme particulière de codage de caractère qui peut être une variante ou
une extension du standard local des États-Unis, l'ASCII. Il n'existe aucune définition
officielle, et les différentes interprétations de ce qu'est un fichier texte partagent des
propriétés essentielles. Les caractères considérés sont généralement les caractères
imprimables, d'espaces et de retours à la ligne. Certains codages de caractères normalisés
incluent également certains caractères de contrôle, séquence d'échapement ou marqueurs qui
peuvent faire l'objet de différences d'appréciations. La notion de fichier texte est donc
subjective et dépend notamment des systèmes de codage de caractère considérés.
```

Dessin

Dans le contexte de Windows 8, un dessin est une image numérique constituée de lignes, de formes géométriques, de formes libres et d'effets spéciaux. Le programme Paint sert à créer des dessins.

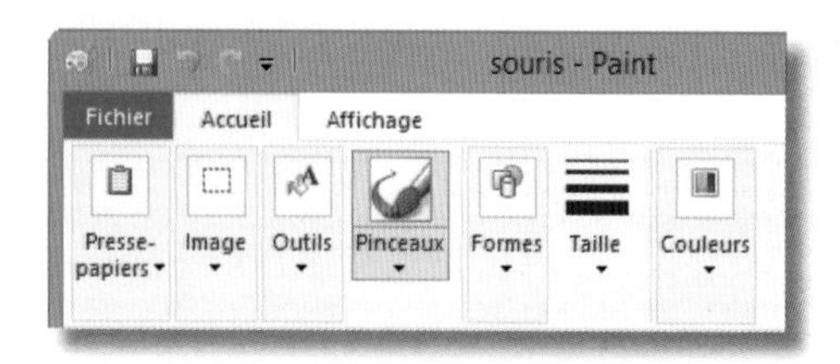

Document de traitement de texte

Le document de traitement de texte contient des caractères et des symboles et vous pouvez mettre en forme les caractères et les paragraphes pour améliorer l'apparence du document. Il est possible de modifier la couleur, la taille et la police des caractères, de les mettre en gras ou en italique. Dans Windows 8, vous créez des documents de traitement de texte au format RTF (*Rich Text Format*) avec WordPad.

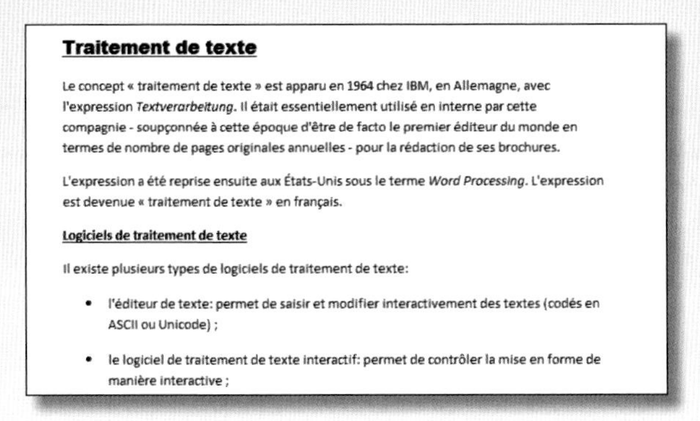

Traitement de texte

Le concept « traitement de texte » est apparu en 1964 chez IBM, en Allemagne, avec l'expression *Textverarbeitung*. Il était essentiellement utilisé en interne par cette compagnie - soupçonnée à cette époque d'être de facto le premier éditeur du monde en termes de nombre de pages originales annuelles - pour la rédaction de ses brochures.

L'expression a été reprise ensuite aux États-Unis sous le terme *Word Processing*. L'expression est devenue « traitement de texte » en français.

Logiciels de traitement de texte

Il existe plusieurs types de logiciels de traitement de texte:

- l'éditeur de texte: permet de saisir et modifier interactivement des textes (codés en ASCII ou Unicode) ;
- le logiciel de traitement de texte interactif: permet de contrôler la mise en forme de manière interactive ;

Message électronique

Un message électronique est un document que vous envoyez à un correspondant *via* Internet. La plupart de ces messages ne contiennent que du texte. Certains logiciels de messagerie électronique peuvent cependant mettre en forme le texte, insérer des images et appliquer d'autres effets. Dans Windows 8, vous disposez de l'application Courrier (chapitre 3) et du programme Windows Live Mail (chapitre 5).

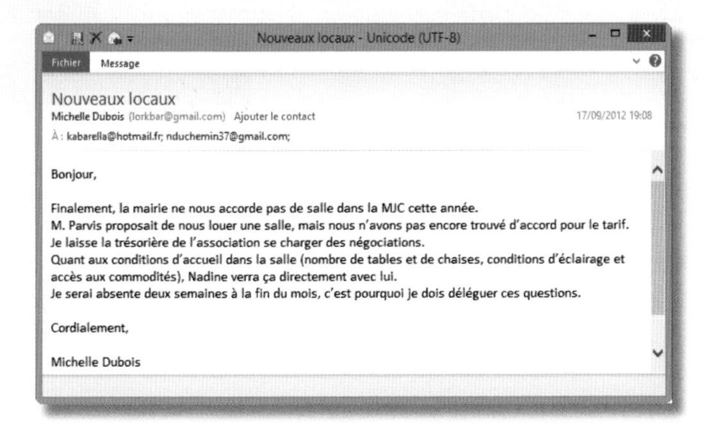

Nouveaux locaux - Unicode (UTF-8)

Fichier Message

Nouveaux locaux

Michelle Dubois (lorkbar@gmail.com) Ajouter le contact 17/09/2012 19:08

À : kabarella@hotmail.fr; nduchemin37@gmail.com;

Bonjour,

Finalement, la mairie ne nous accorde pas de salle dans la MJC cette année.
M. Parvis proposait de nous louer une salle, mais nous n'avons pas encore trouvé d'accord pour le tarif.
Je laisse la trésorière de l'association se charger des négociations.
Quant aux conditions d'accueil dans la salle (nombre de tables et de chaises, conditions d'éclairage et accès aux commodités), Nadine verra ça directement avec lui.
Je serai absente deux semaines à la fin du mois, c'est pourquoi je dois déléguer ces questions.

Cordialement,

Michelle Dubois

Lorsque vous avez un document à créer dans Windows 8, vous commencerez généralement par lancer le programme adéquat pour réaliser votre travail.

CRÉEZ UN DOCUMENT

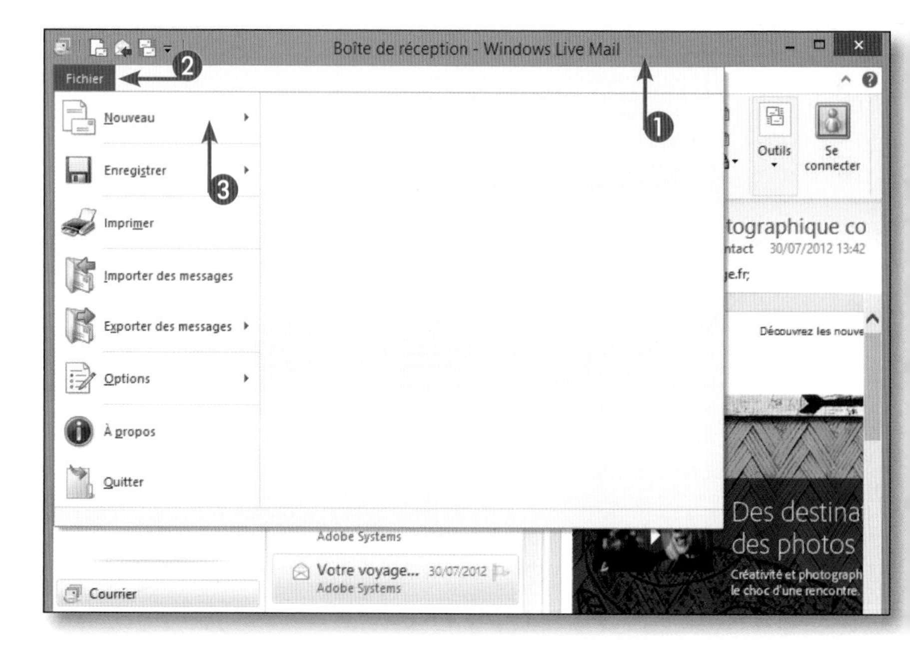

❶ Démarrez le programme à utiliser.

❷ Cliquez **Fichier**.

❸ Cliquez **Nouveau**.

La plupart des programmes intégrés à Windows 8, comme WordPad ou Paint, s'ouvrent sur un document vierge. Vous pouvez bien sûr créer de nouveaux documents une fois le programme ouvert.

● Si le programme prend en charge plusieurs types de documents, choisissez un format de fichier.

Note. *Certains programmes ouvrent une boîte de dialogue contenant une liste de formats de fichiers.*

④ Cliquez le format de fichier à créer.

Un nouveau document apparaît.

Note. *Dans la plupart des programmes, la combinaison de touches* Ctrl + N *crée un nouveau document.*

Une fois votre document créé et modifié, vous pouvez l'enregistrer pour conserver votre travail.

ENREGISTREZ UN DOCUMENT

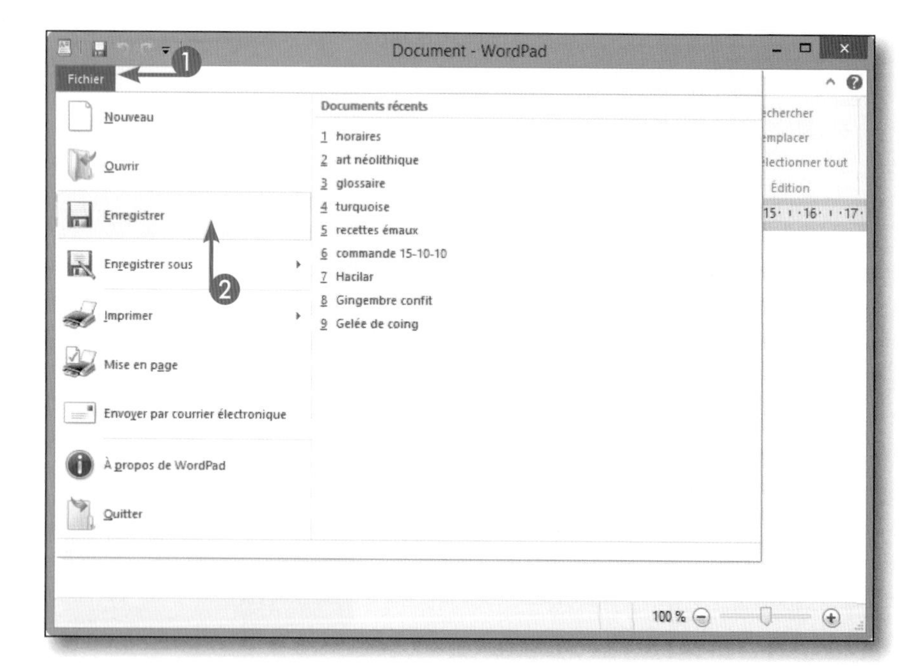

❶ Cliquez **Fichier**.

❷ Cliquez **Enregistrer**.

Note. *Dans la plupart des programmes, vous pouvez aussi appuyer sur* Ctrl + S *ou cliquer* 🖫.

Note. *Si vous avez déjà enregistré le document auparavant, vous n'avez pas besoin de suivre les étapes suivantes.*

Au cours du travail, Windows 8 enregistre les modifications dans la mémoire de l'ordinateur. Or, Windows efface la mémoire vive de l'ordinateur chaque fois que l'ordinateur est éteint ou redémarré. Aussi, si vous n'enregistrez pas vos documents, vous perdez toutes les modifications que vous leur avez apportées quand vous éteignez l'ordinateur. Lorsque vous enregistrez le document, il est stocké dans le disque dur de façon permanente.

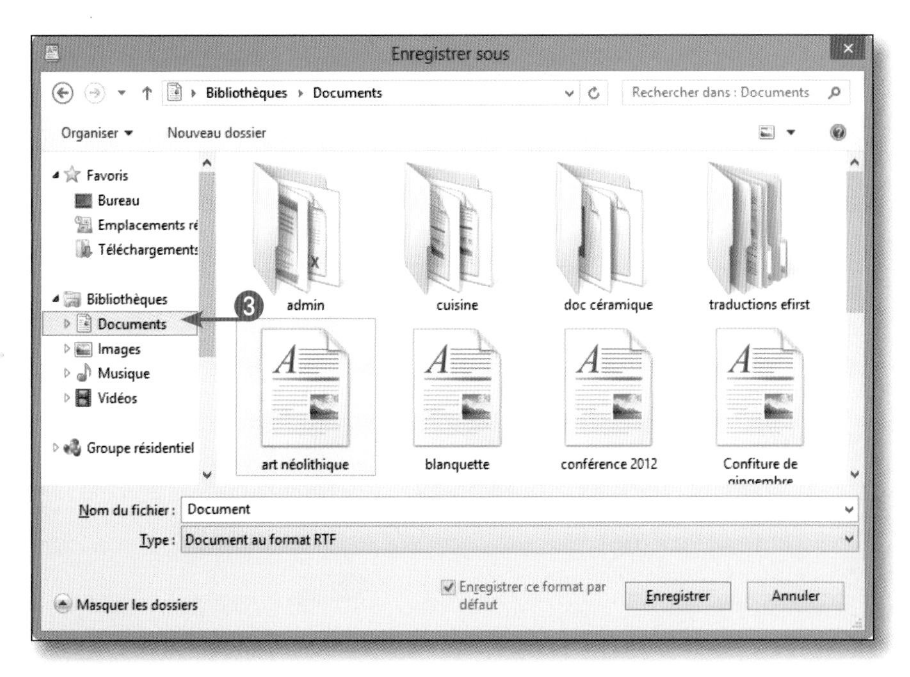

S'il s'agit du premier enregistrement d'un nouveau document, la boîte de dialogue Enregistrer sous apparaît.

3 Cliquez **Documents**.

Note. *La plupart des programmes enregistrent par défaut le document dans la bibliothèque Documents.*

La majorité des programmes prennent en charge différents types de documents. Avec WordPad, par exemple, vous pouvez créer un document de traitement de texte ou un fichier texte. Dans ce cas, la boîte de dialogue Enregistrer sous affiche une liste déroulante où vous sélectionnez le type de document à créer. Un programme comme le Bloc-notes, en revanche, ne peut créer qu'un seul format de fichier.

ENREGISTREZ UN DOCUMENT (SUITE)

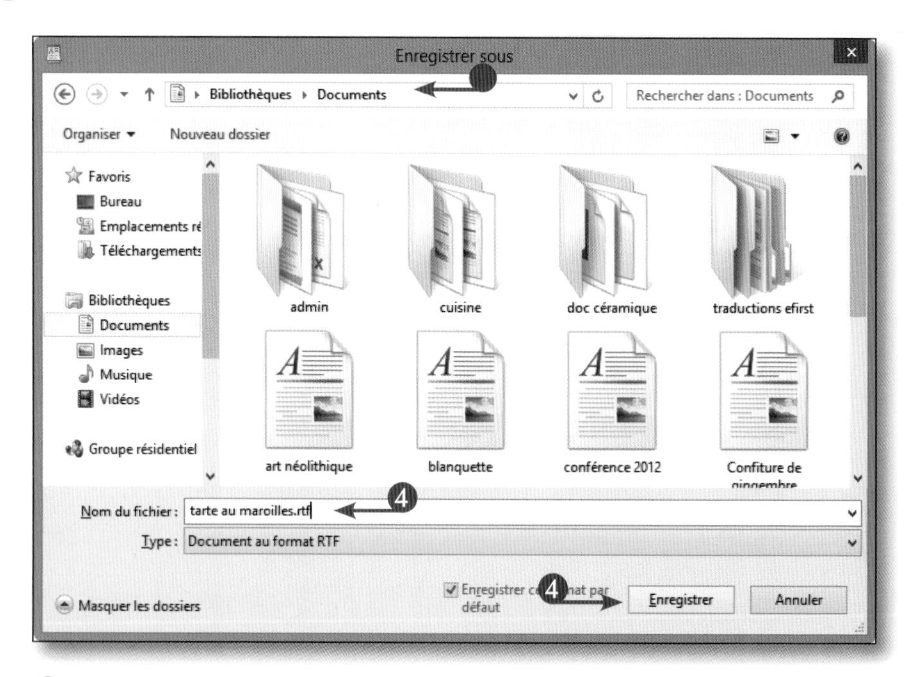

● La bibliothèque Documents s'affiche.

❹ Cliquez dans la zone de texte **Nom du fichier** et tapez le nom à attribuer au fichier.

Note. *Le nom du fichier peut contenir jusqu'à 255 caractères, à l'exception des caractères suivants :* **< > , ? : “ ** *et* *.

❺ Cliquez **Enregistrer**.

Vous n'êtes pas tenu d'enregistrer tous vos documents dans la bibliothèque Documents, mais il est conseillé de les centraliser à cet emplacement. Libre à vous de créer des sous-dossiers dans le dossier Mes documents ou Documents publics pour y regrouper les fichiers apparentés. Dans la boîte de dialogue Enregistrer sous, cliquez **Nouveau dossier**, appuyez sur Entrée, double-cliquez le nouveau dossier et suivez les étapes **4** et **5**.

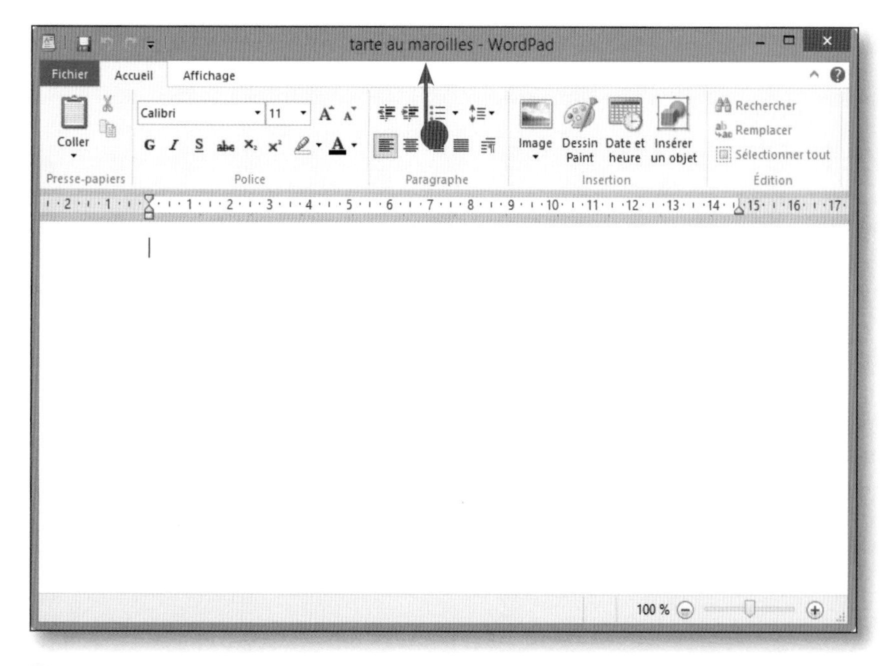

● Le nom que vous avez tapé apparaît dans la barre de titre.

OUVREZ UN DOCUMENT

Pour modifier un document déjà enregistré, vous devez l'ouvrir dans le programme qui a servi à le créer.

OUVREZ UN DOCUMENT

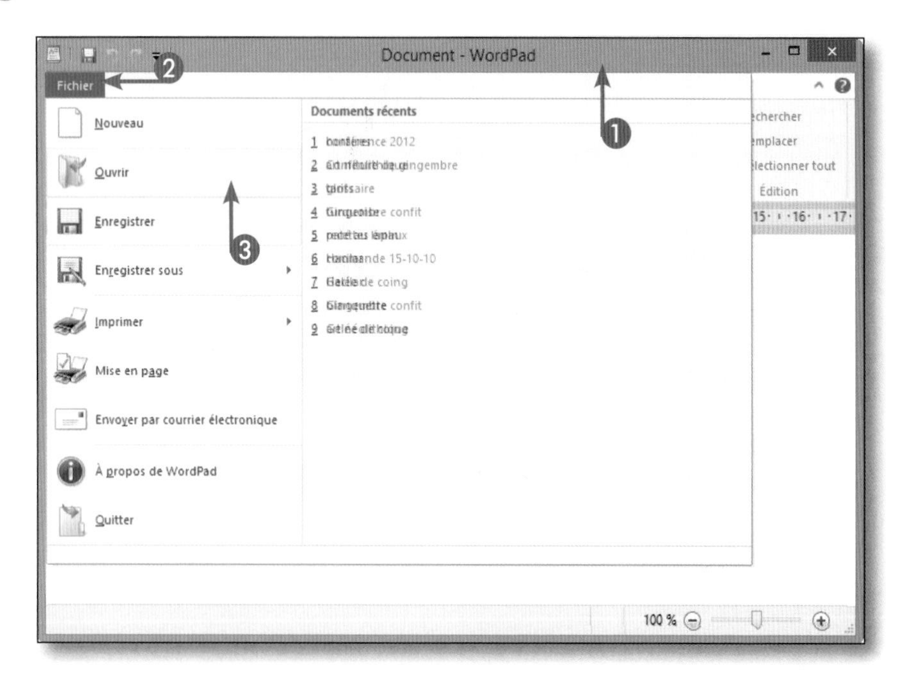

❶ Démarrez le programme à utiliser.

❷ Cliquez **Fichier**.

● Si le nom du document à ouvrir apparaît dans la liste des fichiers récemment ouverts du menu Fichier, cliquez-le. Inutile alors d'exécuter les étapes suivantes.

❸ Cliquez **Ouvrir**.

Note. *Dans la plupart des programmes, vous pouvez aussi appuyer sur* Ctrl + O *ou cliquer* .

Lorsque vous enregistrez un nouveau document, Windows crée un fichier sur le disque dur pour y conserver le contenu de ce document. Quand vous ouvrez le document avec le programme qui a servi à sa création, Windows charge en mémoire le contenu du fichier et affiche le document dans le programme. Vous pouvez alors voir le document et le modifier.

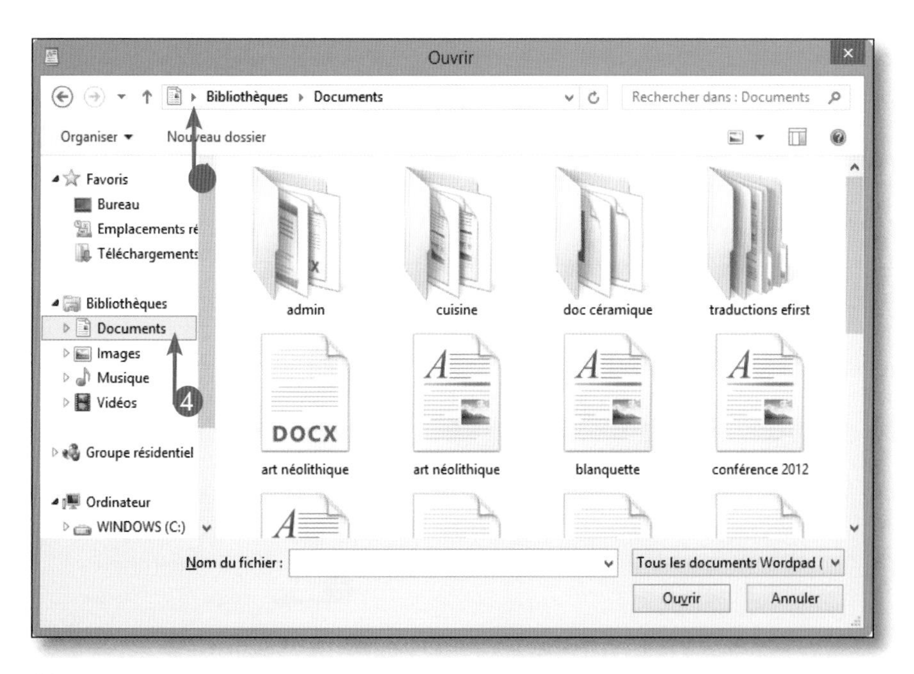

④ Cliquez **Documents**.

Note. *Par défaut, la plupart des programmes proposent de choisir un fichier dans la bibliothèque Documents.*

● Si le document se trouve dans une autre bibliothèque, cliquez ici, cliquez votre compte d'utilisateur, puis double-cliquez le dossier voulu.

OUVREZ UN DOCUMENT

Il n'est pas obligatoire de démarrer un programme pour ouvrir un document. Ouvrez le dossier contenant le document, double-cliquez le fichier à ouvrir. Windows 8 démarre le programme qui a servi à créer le document et l'affiche.

OUVREZ UN DOCUMENT (SUITE)

● La bibliothèque Documents s'affiche.

5 Cliquez le nom du document.

6 Cliquez **Ouvrir**.

Pour retrouver rapidement un document, passez par le volet de recherche de fichiers de Windows 8. Dans l'écran d'accueil, appuyez sur ⊞ + F pour ouvrir le volet **Rechercher** de l'écran Fichiers. (Sur un écran tactile, glissez le doigt depuis le bord droit, touchez **Rechercher** puis **Fichiers**.) Tapez le début du nom du fichier puis double-cliquez le fichier dans les résultats de la recherche.

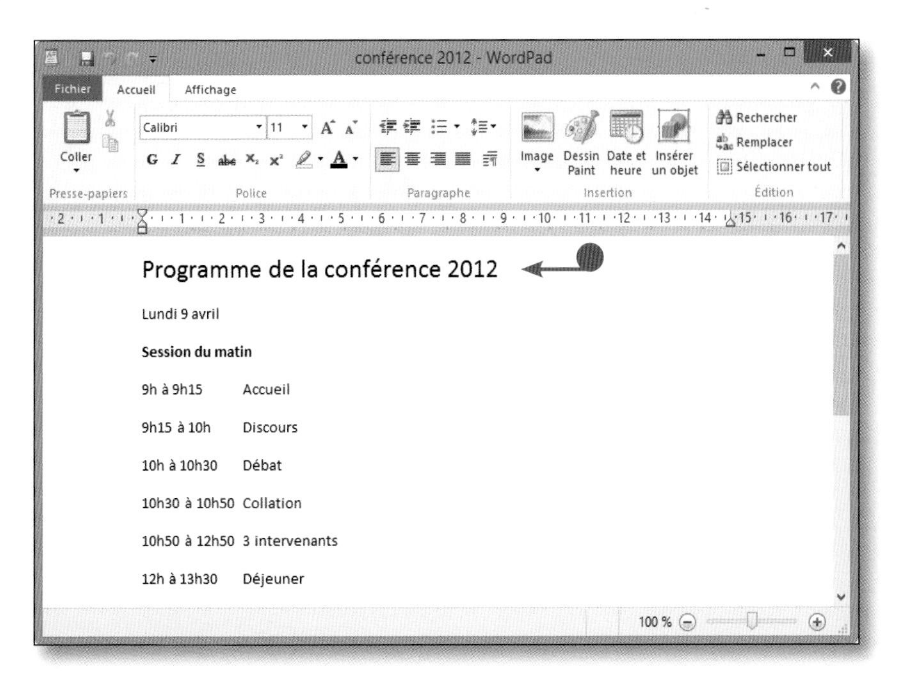

● Le document s'ouvre dans la fenêtre du programme.

MODIFIEZ UN TEXTE

Maîtriser les techniques de modification, de sélection, de copie et de déplacement de texte augmente votre efficacité lors du travail sur les documents composés essentiellement de texte (fichier texte, document de traitement de texte ou message électronique).

SUPPRIMEZ DU TEXTE

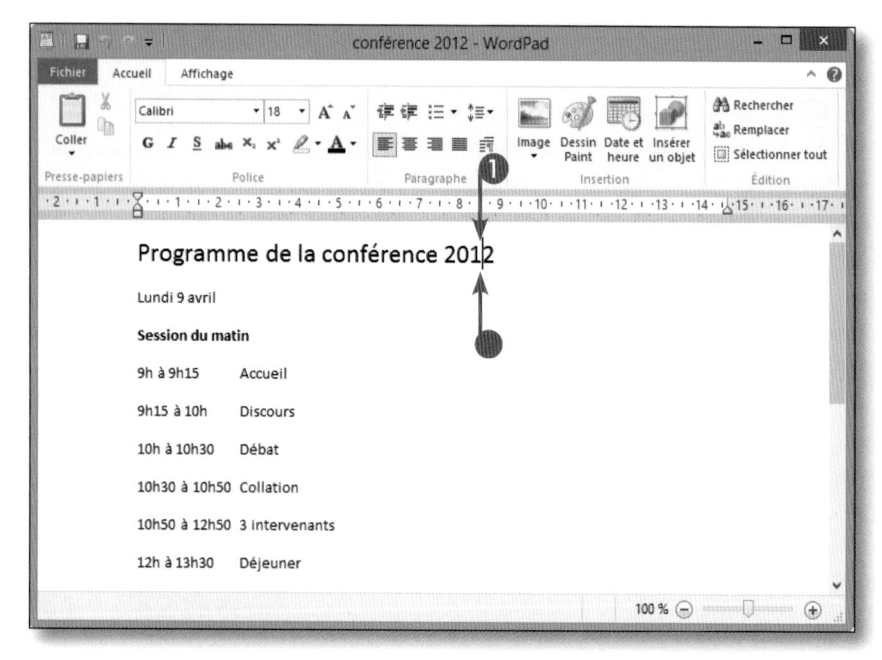

❶ Cliquez juste à gauche du premier caractère à supprimer.

● Le point d'insertion apparaît devant le caractère.

Lors de la rédaction d'un texte, il est rare que le texte soit parfait dès le premier jet. Vous pourriez avoir besoin de corriger des erreurs et de déplacer des portions de texte. Pour améliorer votre texte, vous devez connaître les techniques de modification : supprimer des caractères, sélectionner une portion de texte, la copier et la déplacer.

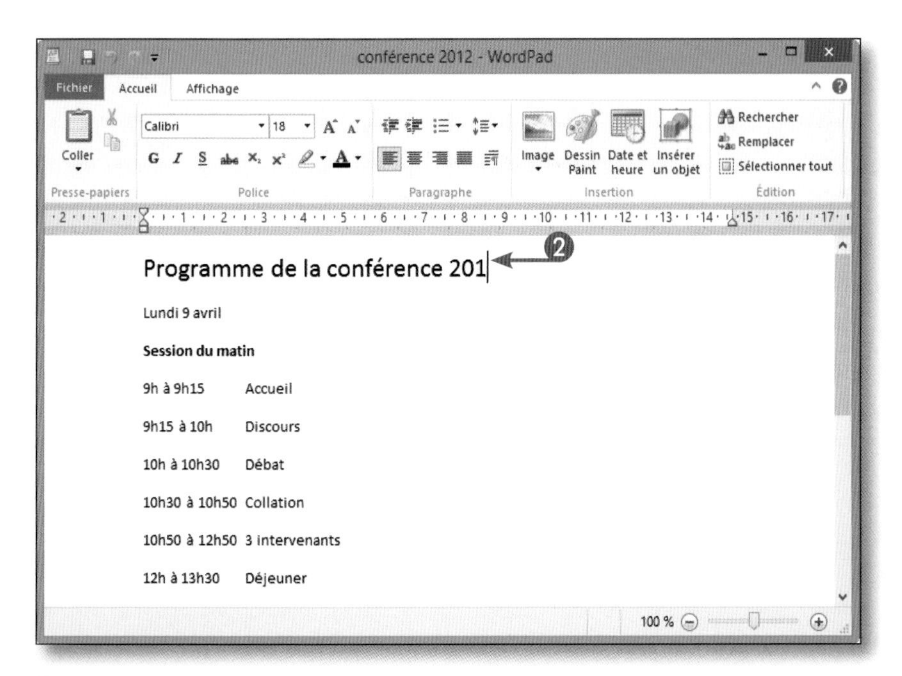

❷ Appuyez autant de fois que nécessaire sur **Suppr** jusqu'à l'effacement total du texte à supprimer.

Note. *Vous pouvez aussi cliquer juste à droite du dernier caractère à supprimer et appuyer sur* ***Retour arrière****.*

Note. *En cas d'erreur, appuyez immédiatement sur* Ctrl + Z*, cliquez le bouton* ***Annuler*** *( ) ou* ***Edition → Annuler****.*

Voici les raccourcis les plus utiles pour sélectionner du texte dans WordPad :

SÉLECTIONNEZ DU TEXTE À MODIFIER

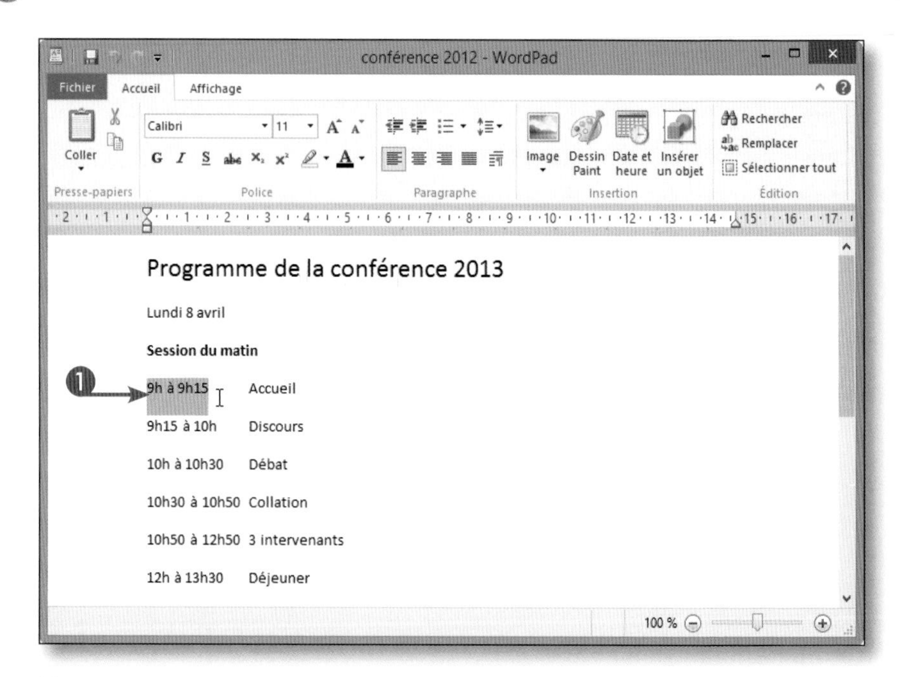

1 Cliquez et faites glisser le curseur sur le texte à sélectionner.

- Cliquez dans la marge devant une ligne pour la sélectionner.
- Double-cliquez un mot pour le sélectionner.
- Triple-cliquez dans un paragraphe pour le sélectionner.
- Appuyez sur Ctrl + A pour sélectionner la totalité du document.
- Si la sélection est longue, cliquez à gauche du premier caractère à sélectionner, faites défiler le document jusqu'à la fin de la sélection en maintenant enfoncée la touche Maj, puis cliquez à droite du dernier caractère à sélectionner.

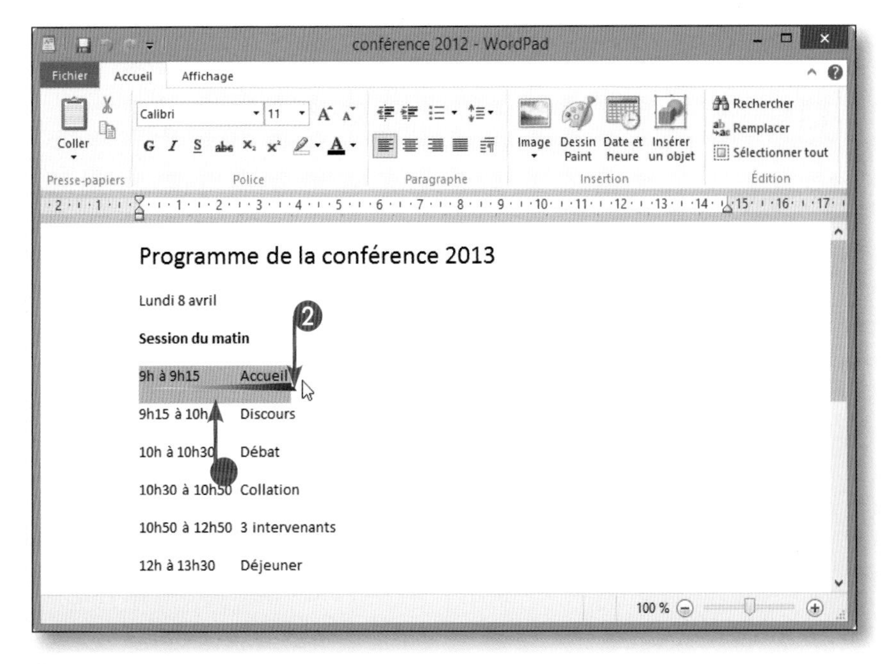

2 Relâchez le bouton de la souris.

- Le texte est sélectionné.

Une fois le texte sélectionné, vous pouvez le copier ou le déplacer ailleurs dans le document.

COPIEZ DU TEXTE

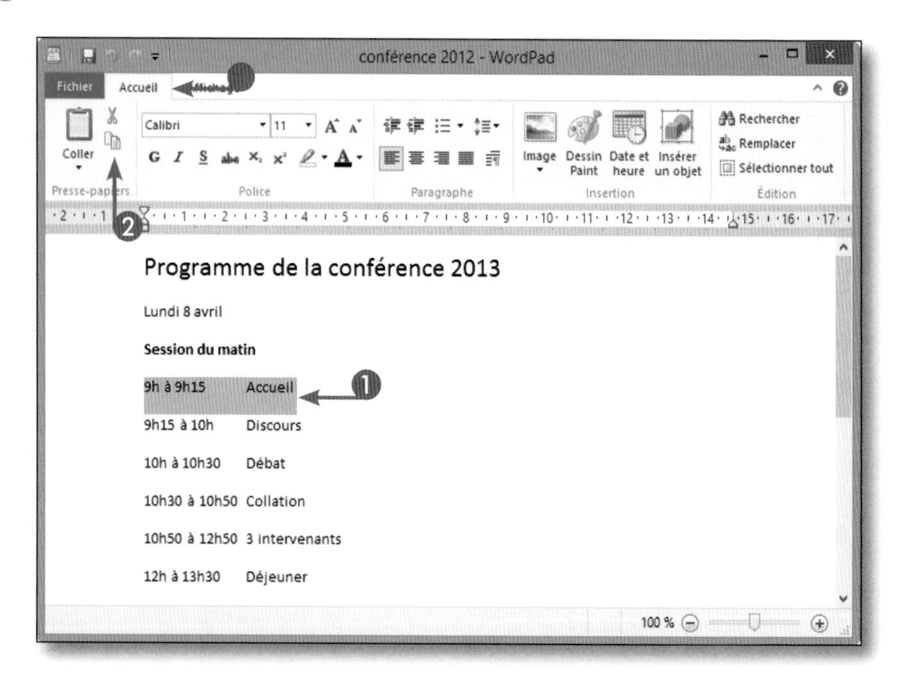

1 Sélectionnez le texte à copier.

2 Cliquez **Copier** (📋).

● Dans WordPad, les fonctions du Presse-papiers se trouvent dans l'onglet Accueil.

Note. *Dans la plupart des programmes, vous pouvez aussi appuyer sur Ctrl + C ou cliquer le menu* ***Edition → Copier****.*

Copier du texte vous aidera à gagner du temps. Si une même portion de texte doit être répétée dans le document, vous pouvez la copier au lieu de la retaper et éventuellement y apporter quelques modifications.

En révisant votre document, vous pourriez trouver qu'un passage de texte se trouve au mauvais endroit. Il est facile alors de le déplacer sans avoir à le retaper.

③ Cliquez dans le document à l'endroit où insérer le texte copié.

Le point d'insertion apparaît là où vous avez cliqué.

④ Cliquez **Coller** (📋).

***Note.** Dans la plupart des programmes, vous pouvez aussi appuyer sur Ctrl + V ou cliquer le menu **Edition → Coller**.*

● Le texte copié apparaît au niveau du point d'insertion.

Pour déplacer du texte avec la souris, commencez par le sélectionner, puis cliquez et faites glisser la sélection vers sa nouvelle position.

DÉPLACEZ DU TEXTE

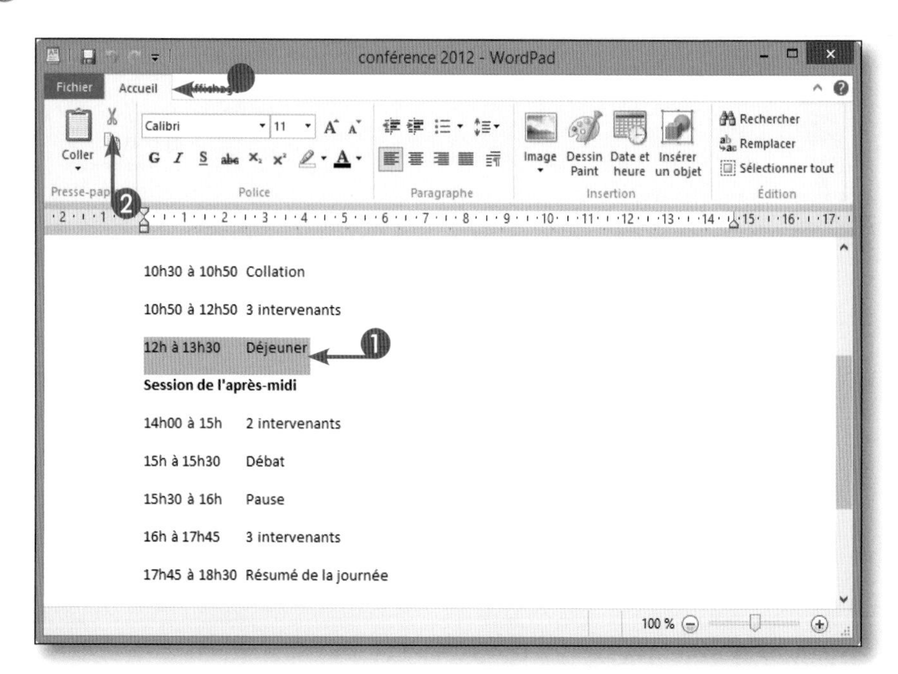

❶ Sélectionnez le texte à déplacer.

❷ Cliquez **Couper** (✂).

● Dans WordPad, les fonctions du Presse-papiers se trouvent dans l'onglet Accueil.

Note. *Dans la plupart des programmes, vous pouvez aussi appuyer sur* Ctrl + X *ou cliquer le menu* ***Edition → Couper****.*

Le programme supprime le texte sélectionné.

Pour copier le texte, procédez de la même manière tout en maintenant enfoncée la touche Ctrl.

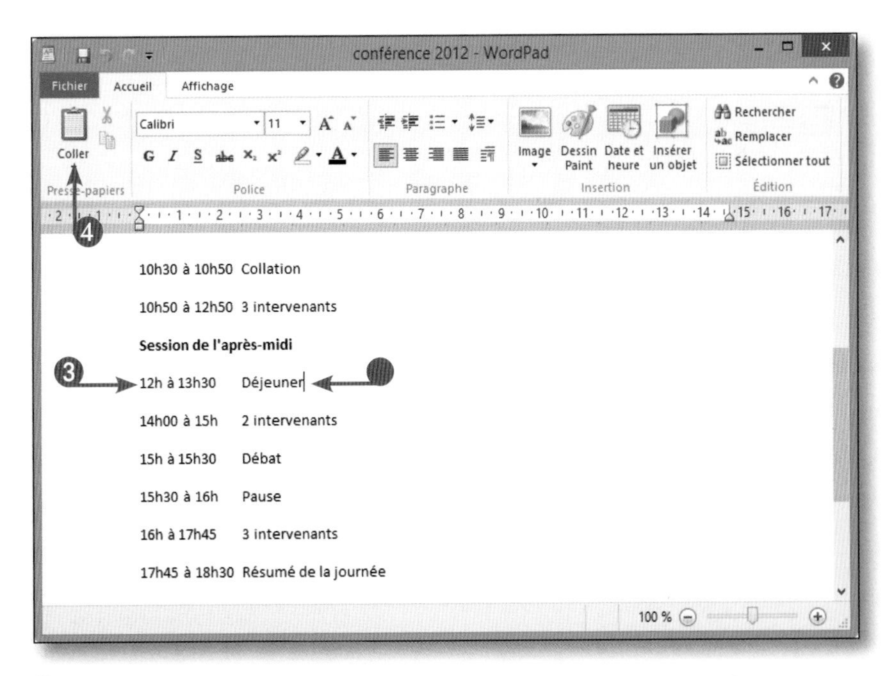

3 Cliquez dans le document à l'endroit où déplacer le texte.

Le point d'insertion apparaît là où vous avez cliqué.

4 Cliquez **Coller** (📋).

Note. *Dans la plupart des programmes, vous pouvez aussi appuyer sur* Ctrl + V *ou cliquer le menu* ***Edition → Coller.***

● Le texte apparaît au niveau du point d'insertion.

METTEZ EN FORME LES CARACTÈRES

Dans un programme de traitement de texte, donnez plus d'impact à votre document en appliquant une mise en forme aux caractères.

METTEZ EN FORME LES CARACTÈRES

❶ Sélectionnez le texte à mettre en forme.

Vous pouvez par exemple changer la police, le style et la taille des caractères et leur appliquer des effets. La police définit l'esthétique des caractères. Le style sert à mettre les caractères en gras et/ou en italique. La taille de police détermine la hauteur des caractères. Elle se mesure en points, 72 points équivalant à un pouce. Les effets spéciaux modifient la présentation du texte. Vous disposez, entre autres, des effets souligné et ~~barré~~.

❷ Affichez les options relatives à la police.

● Dans WordPad, les options de police se trouvent dans l'onglet Accueil.

Note. *Dans la plupart des programmes, les options de police s'affichent en cliquant* ***Format*** *dans la barre de menus, puis en sélectionnant* ***Police****.*

Voici quelques conseils pour optimiser vos mises en forme :

- Limitez le nombre de polices utilisées à un maximum de deux pour préserver l'homogénéité du document.
- Évitez les polices fantaisistes et trop décoratives, car elles nuisent souvent à la lisibilité du texte.

METTEZ EN FORME LES CARACTÈRES (SUITE)

❸ Cliquez la flèche de la liste **Police**, puis choisissez votre police.

❹ Dans la liste **Taille**, choisissez la taille des caractères.

- Réservez les caractères gras et de grande taille aux titres et sous-titres.
- N'utilisez l'attribut italique que pour mettre en évidence certaines portions ou pour les mots étrangers et les titres de livres et de magazines.
- Choisissez une couleur de caractère qui contraste suffisamment avec l'arrière-plan. Pour une meilleure lisibilité, préférez un texte sombre sur un fond clair.

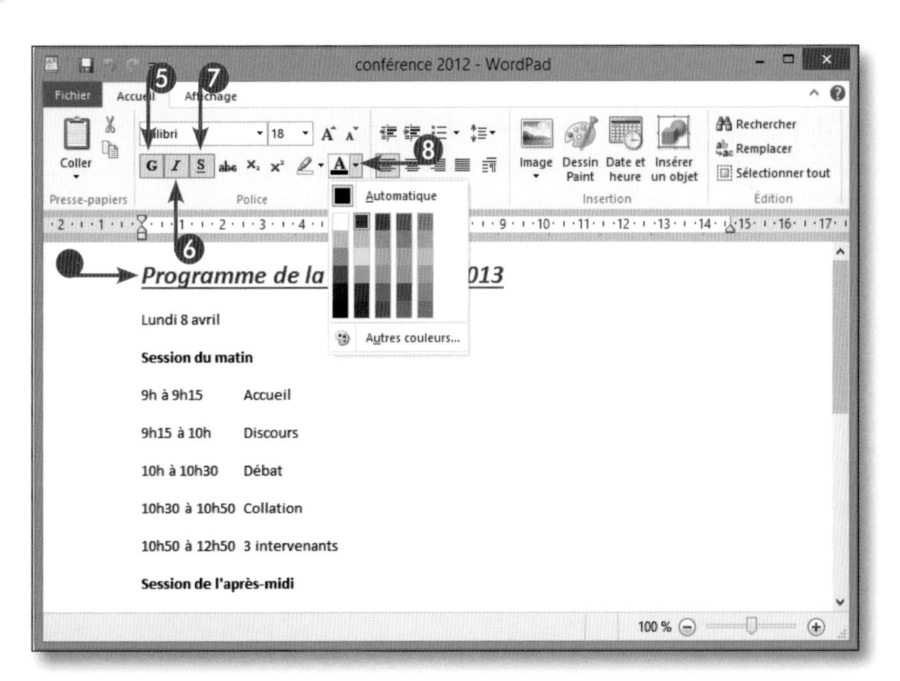

5 Pour mettre le texte en gras, cliquez le bouton **Gras** (**G**).

6 Pour mettre le texte en italique, cliquez le bouton **Italique** (*I*).

7 Pour souligner le texte, cliquez le bouton **Souligné** (S).

8 Pour changer la couleur, cliquez la flèche ▾ du bouton **Couleur du texte**, puis choisissez une couleur.

- La mise en forme est appliquée au texte sélectionné.

Note. *Les raccourcis suivants fonctionnent dans la plupart des programmes : appuyez sur* Ctrl + V *pour mettre en gras,* Ctrl + I *pour l'italique et* Ctrl + U *pour le soulignement.*

IMPRIMEZ UN DOCUMENT

Vous aurez parfois besoin de la version papier d'un document électronique, pour vos propres archives ou pour le remettre à quelqu'un. Il suffit dans ce cas d'imprimer le document.

IMPRIMEZ UN DOCUMENT

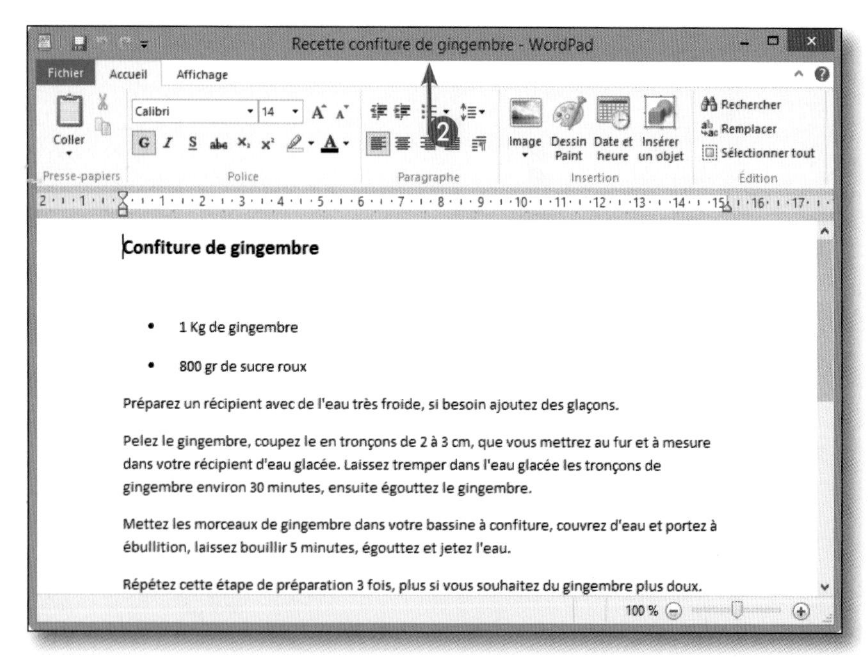

1 Allumez votre imprimante.

2 Ouvrez le document à imprimer.

La plupart des applications disposent d'une commande Imprimer. Cette commande ouvre la boîte de dialogue Imprimer. Vous utiliserez cette boîte de dialogue pour choisir l'imprimante à utiliser et pour définir le nombre d'exemplaires à imprimer. La boîte de dialogue Imprimer permet généralement d'obtenir un aperçu du document avant impression.

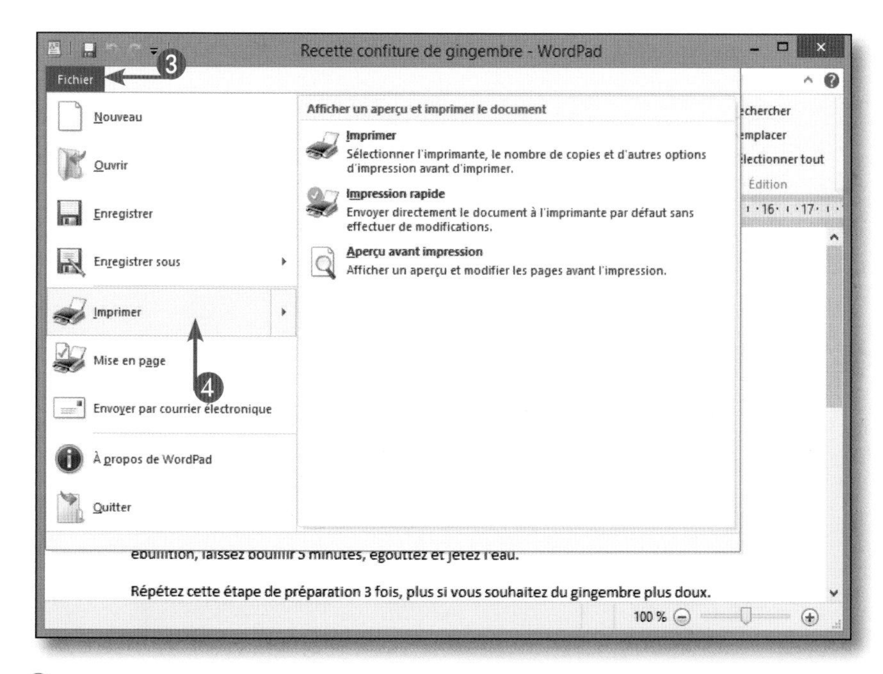

3 Cliquez **Fichier**.

4 Cliquez **Imprimer**.

Note. *Dans la plupart des programmes, vous pouvez aussi appuyer sur Ctrl + P ou cliquer le bouton **Imprimer** ( ).*

Voici différentes méthodes, applicables dans la majorité des programmes, pour limiter l'impression à une partie du document :

- Avant de lancer l'impression, sélectionnez le texte à imprimer. Dans la boîte de dialogue **Imprimer**, cliquez **Sélection** (○ devient ◉).

- Avant de lancer l'impression, cliquez dans la page à imprimer pour y placer le point d'insertion. Dans la boîte de dialogue Imprimer, cliquez **Page actuelle** (○ devient ◉).

IMPRIMEZ UN DOCUMENT (SUITE)

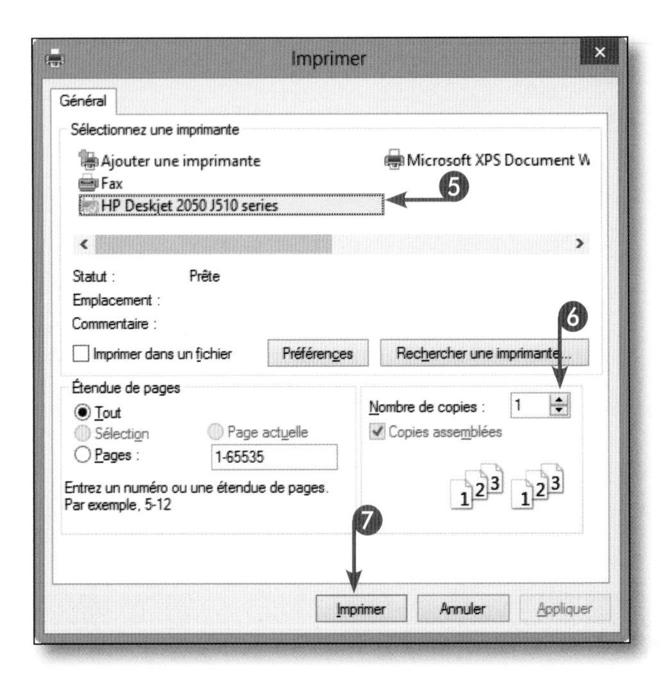

La boîte de dialogue Imprimer s'affiche.

Note. *L'apparence de cette boîte de dialogue varie selon le programme utilisé.*

5 Si l'ordinateur est relié à plusieurs imprimantes, sélectionnez celle à utiliser.

6 Cliquez les flèches ⬍ dans la zone **Nombre de copies** pour spécifier le nombre d'exemplaires à imprimer.

7 Cliquez **Imprimer**.

● Dans la boîte de dialogue Imprimer, cliquez **Pages** (○ devient ◉). Précisez ensuite les numéros des première et dernière pages à imprimer, en les séparant par un tiret (3-6, par exemple).

● Il est conseillé de vérifier l'aperçu du document avant de lancer son impression. Pour afficher l'aperçu dans WordPad, cliquez **Fichier**, pointez **Imprimer** puis cliquez **Aperçu avant impression**.

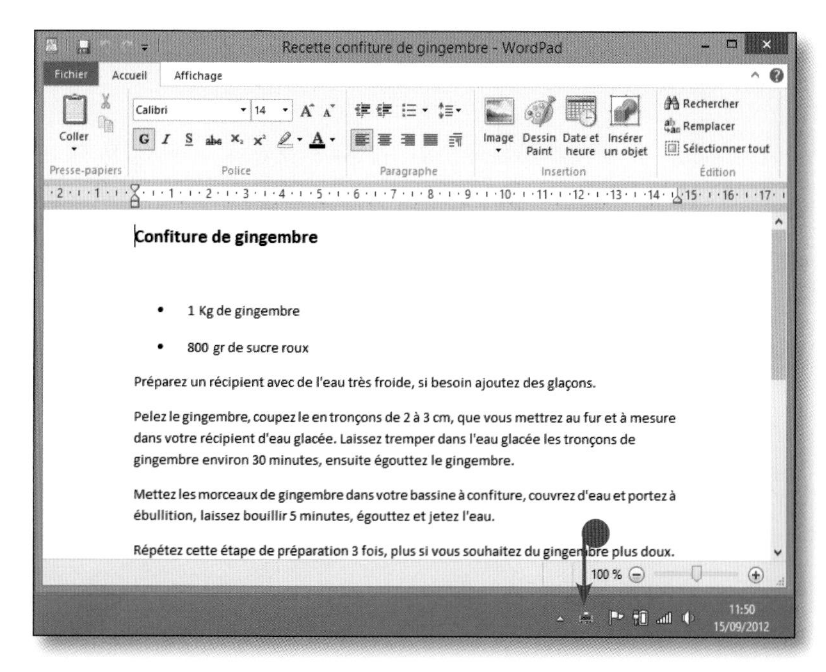

● Windows 8 imprime le document. Pendant cette opération, l'icône d'impression (🖶) apparaît dans la zone de notification de la barre des tâches.

AFFICHEZ VOS FICHIERS

Le disque dur de votre ordinateur renferme des fichiers que vous avez créés, téléchargés ou copiés. Pour les ouvrir et les manipuler, vous devez d'abord les afficher.

AFFICHEZ VOS FICHIERS

1 Cliquez **Bureau**.

Windows 8 range vos fichiers sur le disque dur dans des emplacements de stockage appellés dossiers. Un dossier peut contenir plusieurs fichiers apparentés et des sous-dossiers. Pour voir vos fichiers, vous avez parfois besoin d'ouvrir une série de dossiers et sous-dossiers.

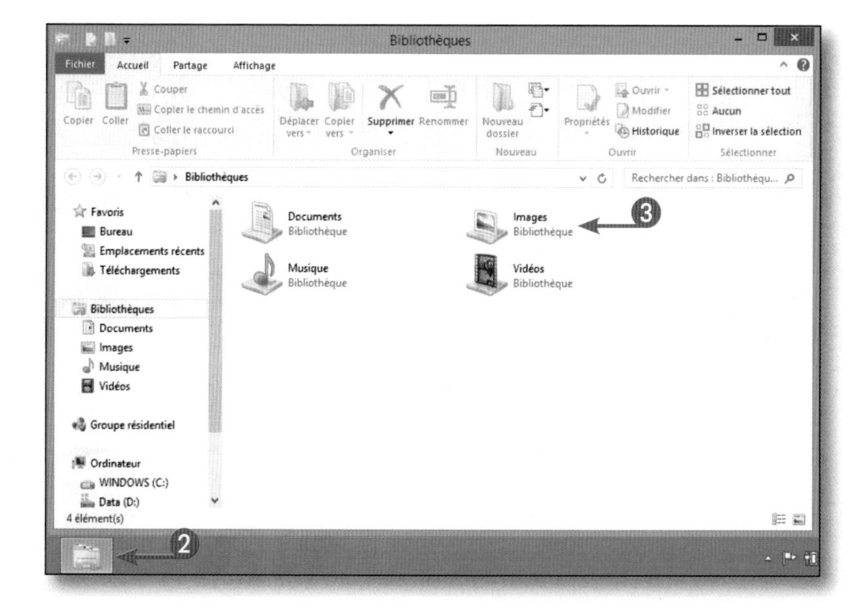

❷ Cliquez **Explorateur de fichiers**.

Windows affiche la fenêtre Bibliothèques.

❸ Double-cliquez la bibliothèque à explorer.

Pour afficher les fichiers stockés sur un CD, une carte mémoire ou une clé USB, insérez, si nécessaire, le lecteur externe sur le port approprié et/ ou le support amovible dans le lecteur. Si la fenêtre Exécution automatique apparaît, cliquez Ouvrir le dossier et afficher les fichiers. Sinon, cliquez Explorateur de fichiers → Ordinateur pour afficher la fenêtre Ordinateur, puis double-cliquez le lecteur ou le support contenant les fichiers.

AFFICHEZ VOS FICHIERS (SUITE)

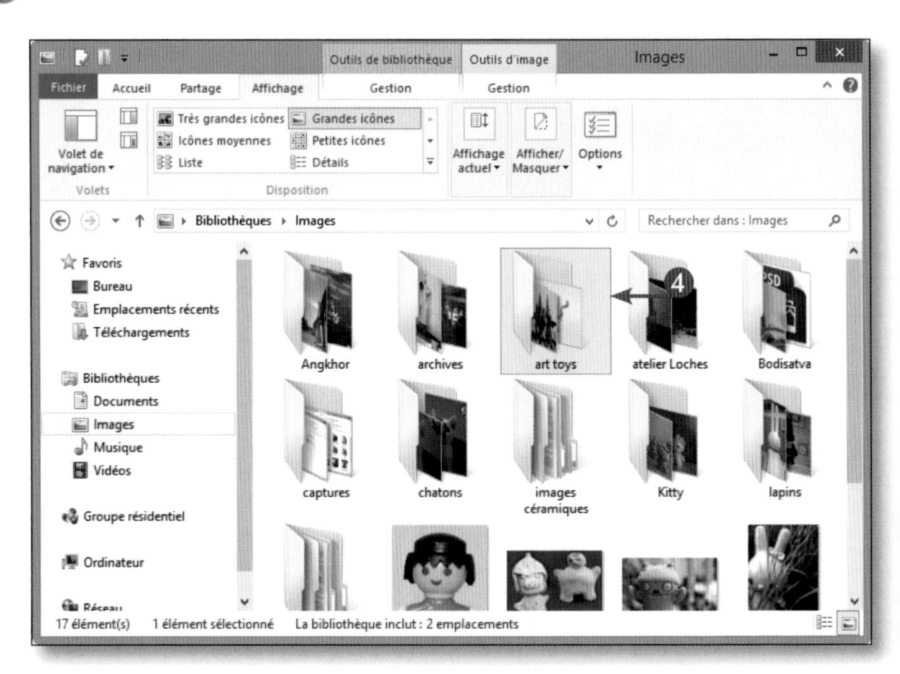

Windows 8 affiche le contenu de la bibliothèque.

❹ Si les fichiers à afficher se trouvent dans un dossier ou sous-dossier, double-cliquez ce dernier.

Dans Windows 8, les quatre zones principales de stockage de documents – Documents, Musique, Images et Vidéos – sont des bibliothèques qui comprennent chacune deux ou davantage de dossiers. Par exemple, la bibliothèque Documents accueille les dossiers Mes documents et Documents publics. Pour ajouter un dossier existant à une bibliothèque, cliquez l'onglet **Accueil**, le bouton **Accès rapide**, puis la bibiliothèque.

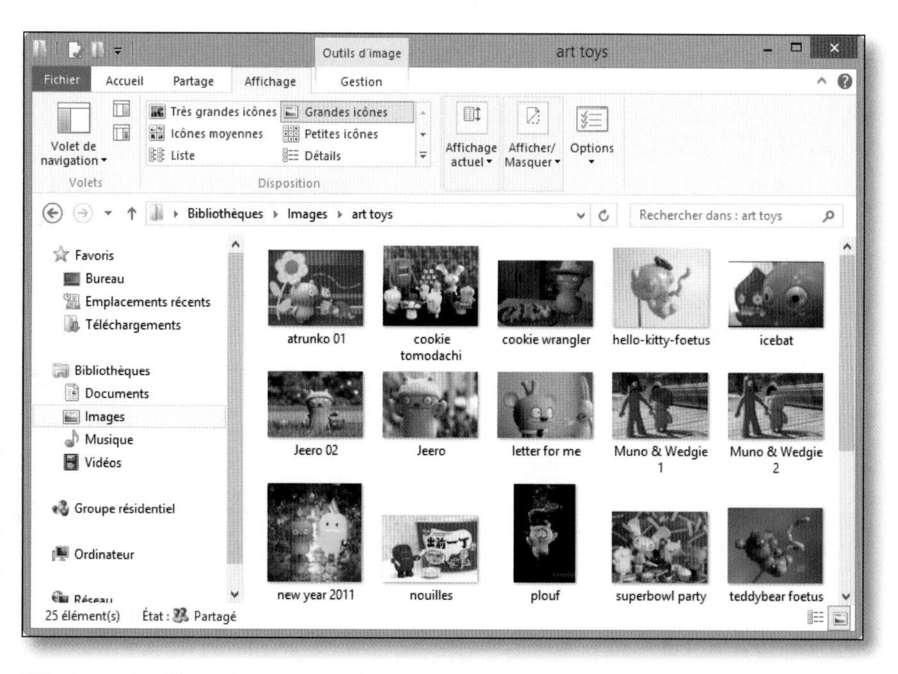

Windows 8 affiche le contenu du sous-dossier.

SÉLECTIONNEZ UN FICHIER

Avant de manipuler des fichiers, vous devez d'abord les sélectionner. Windows 8 sait ainsi précisément sur quels fichiers agir.

SÉLECTIONNEZ UN SEUL FICHIER

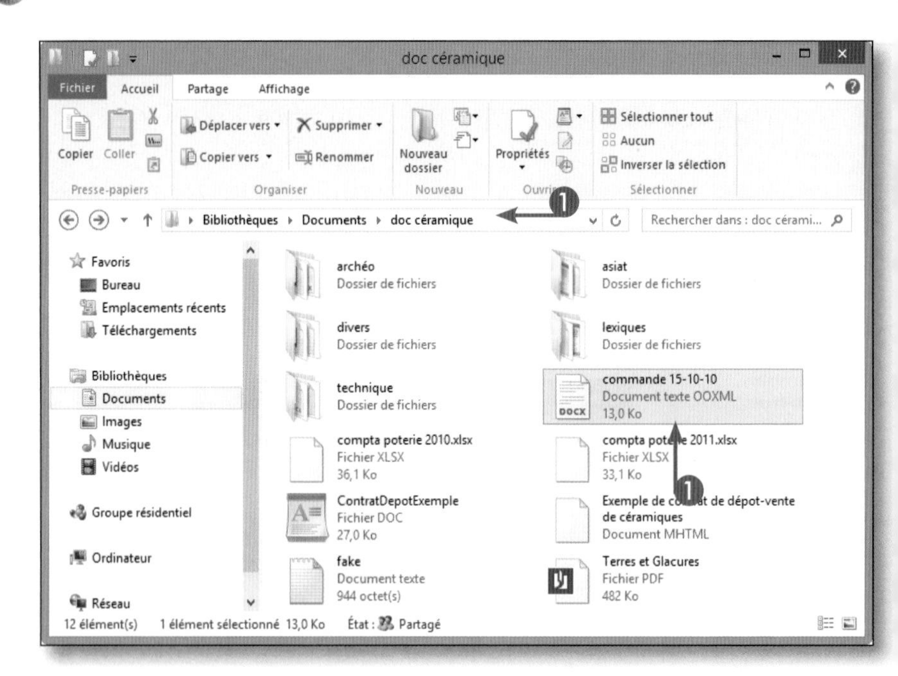

❶ Ouvrez le dossier contenant le fichier à sélectionner.

❷ Cliquez le fichier.

Les sections suivantes de ce chapitre décrivent les techniques de suppression, copie et déplacement de fichiers. Pour effectuer ces opérations, vous devez au préalable sélectionner les fichiers concernés. Les techniques décrites ci-après s'appliquent aussi à la sélection de dossiers.

SÉLECTIONNEZ PLUSIEURS FICHIERS

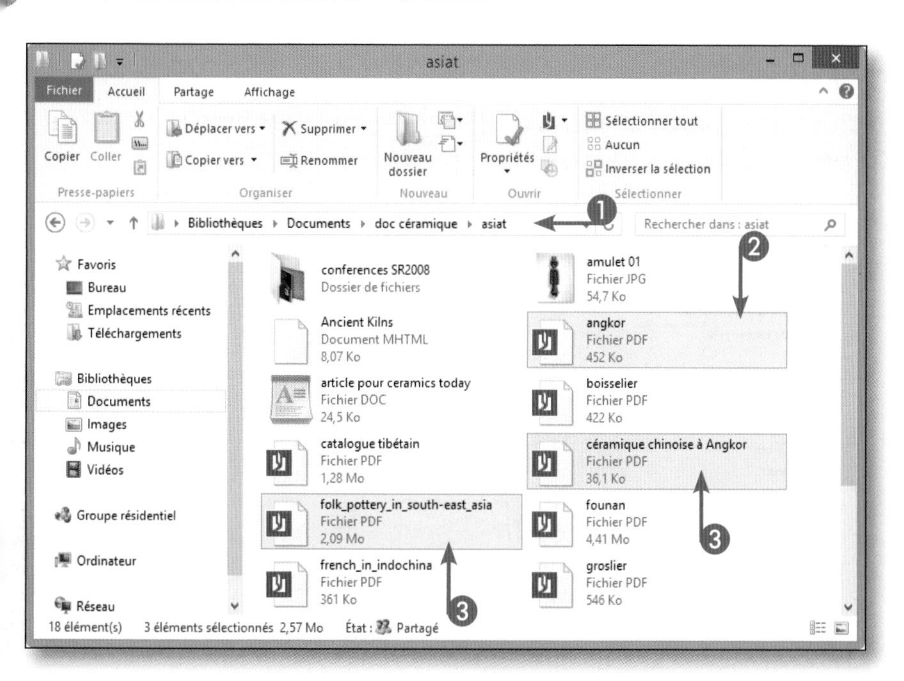

❶ Ouvrez le dossier contenant les fichiers à sélectionner.

❷ Cliquez le premier fichier à sélectionner.

❸ Maintenez enfoncée la touche Ctrl et cliquez chacun des autres fichiers à sélectionner.

Retenez les astuces suivantes pour faciliter la sélection ou l'annuler :

SÉLECTIONNEZ UN GROUPE DE FICHIERS VOISINS

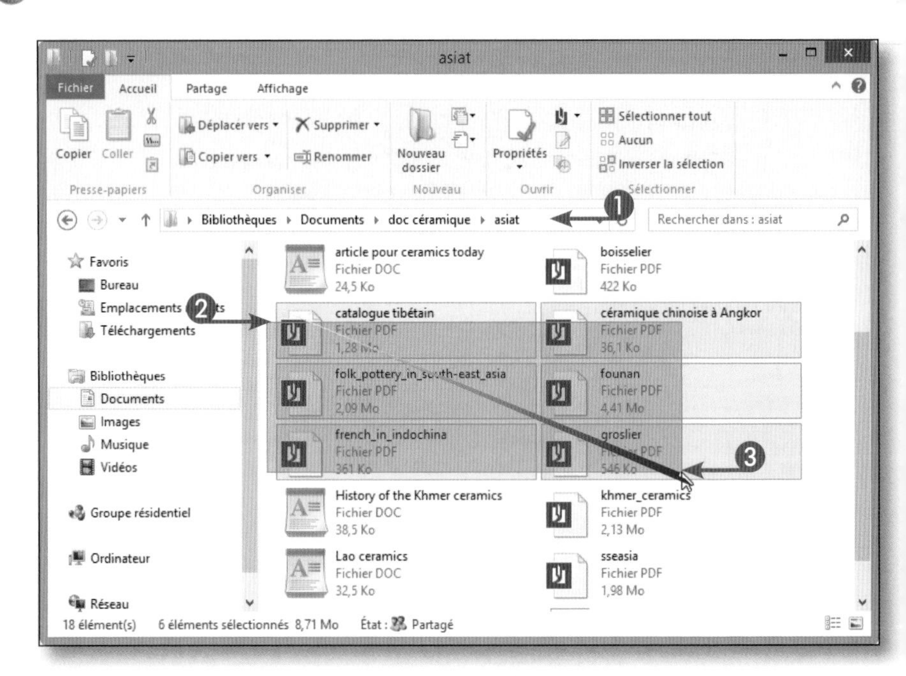

❶ Ouvrez le dossier contenant les fichiers à sélectionner.

❷ Placez le pointeur ↖ en haut à gauche du premier fichier du groupe.

❸ Cliquez et faites glisser le pointeur ↖ jusqu'à inclure tout le groupe de fichiers dans le rectangle de sélection.

● Pour retirer un fichier d'une sélection, enfoncez Ctrl et cliquez le fichier à désélectionner.

● Pour désélectionner tous les fichiers, cliquez une zone vide du dossier.

● Pour inverser une sélection, c'est-à-dire sélectionner tous les fichiers qui ne l'étaient pas auparavant et désélectionner les autres, cliquez l'onglet **Accueil**, puis **Inverser la sélection**.

SÉLECTIONNEZ TOUS LES FICHIERS

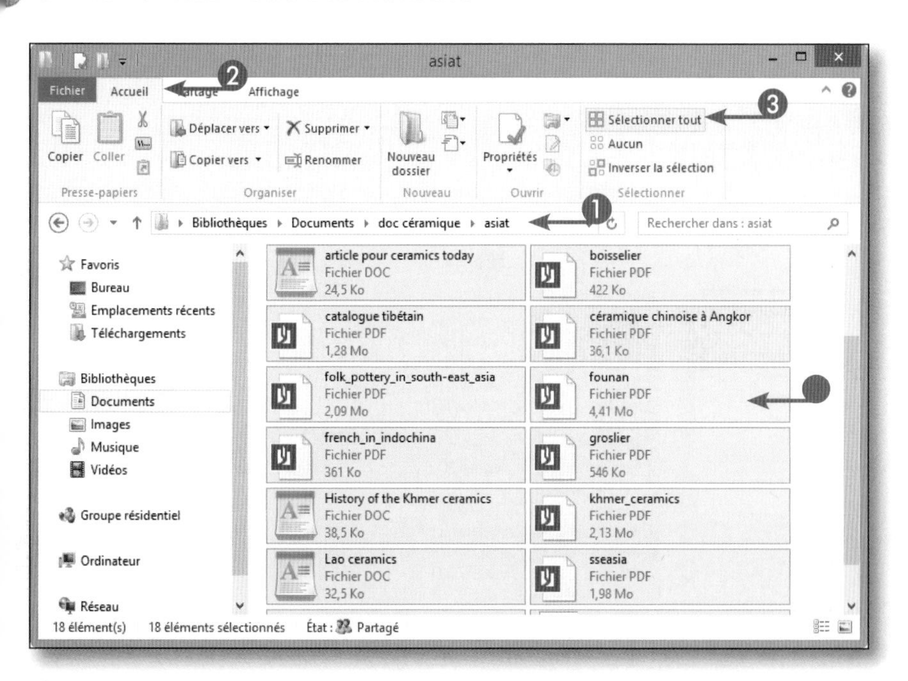

❶ Ouvrez le dossier contenant les fichiers à sélectionner.

❷ Cliquez l'onglet **Accueil**.

❸ Cliquez **Sélectionner tout**.

● L'Explorateur Windows sélectionne tous les fichiers du dossier.

Note. *Vous pouvez aussi appuyer sur* Ctrl + A.

CHANGEZ LE MODE D'AFFICHAGE DES FICHIERS

En modifiant le mode d'affichage des fichiers dans un dossier, vous pouvez changer la taille des icônes ou consulter des informations sur les fichiers.

CHANGEZ LE MODE D'AFFICHAGE DES FICHIERS

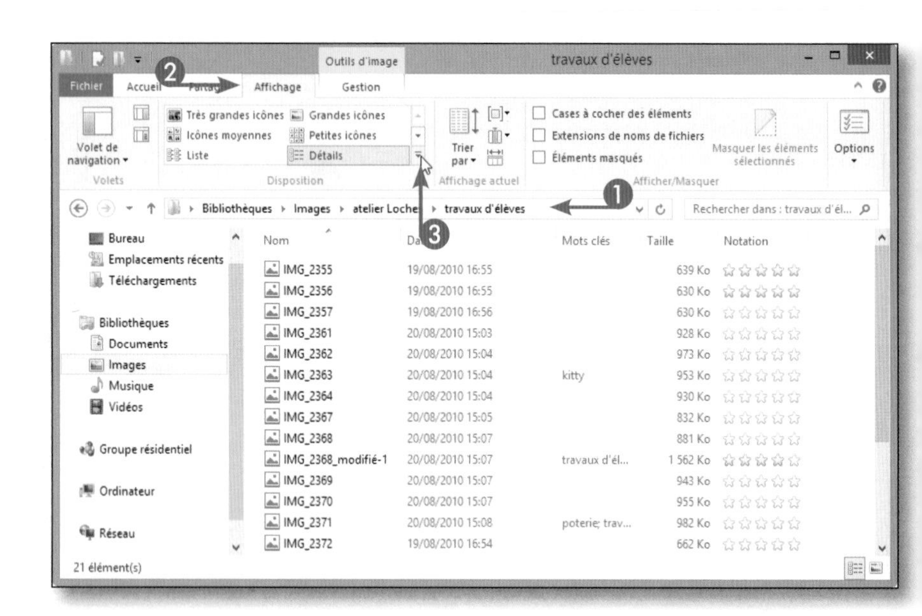

❶ Ouvrez le dossier contenant les fichiers à afficher.

❷ Cliquez l'onglet **Affichage**.

❸ Dans la zone Disposition, cliquez **Autres** (▾).

Le mode d'affichage Petites icônes permet d'afficher plus de fichiers dans la fenêtre. Choisissez le mode **Grandes icônes** ou **Très grandes icônes** pour voir des miniatures de vos images. Si vous souhaitez obtenir des informations détaillées concernant chaque fichier, choisissez le mode **Mosaïques, Contenu** ou **Détails**.

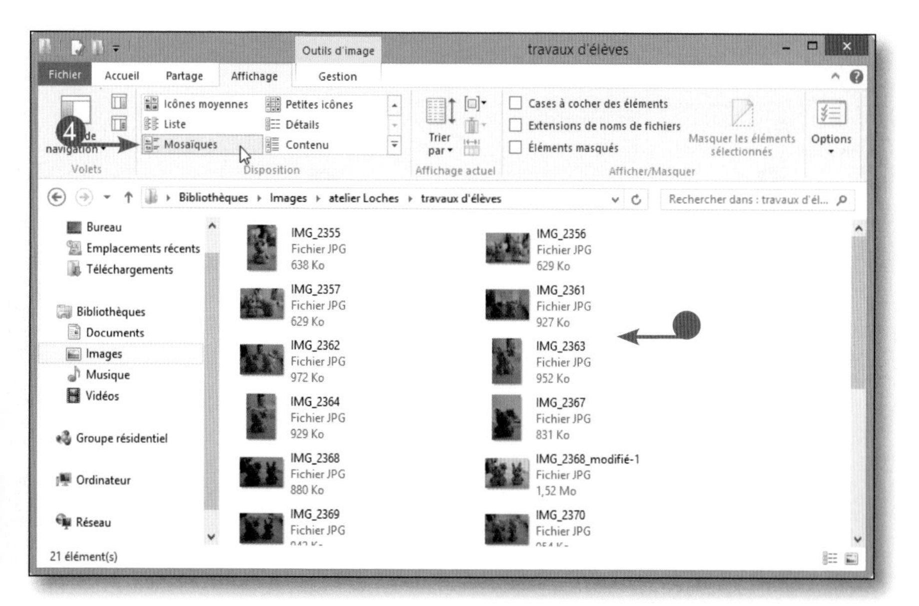

Vous obtenez la liste complète des modes d'affichage.

❹ Cliquez le mode d'affichage à définir.

● L'Explorateur Windows change le mode d'affichage (en Mosaïques dans cet exemple).

PRÉVISUALISEZ UN FICHIER

Windows 8 vous permet de voir le contenu de certains fichiers sans les ouvrir. Cette fonction vous aide à trouver le fichier sur lequel vous désirez travailler sans que vous n'ayez besoin de lancer un programme pour vérifier le contenu du fichier. Vérifier un fichier grâce à son aperçu est plus rapide et moins gourmand en mémoire que d'ouvrir un programme.

PRÉVISUALISEZ UN FICHIER

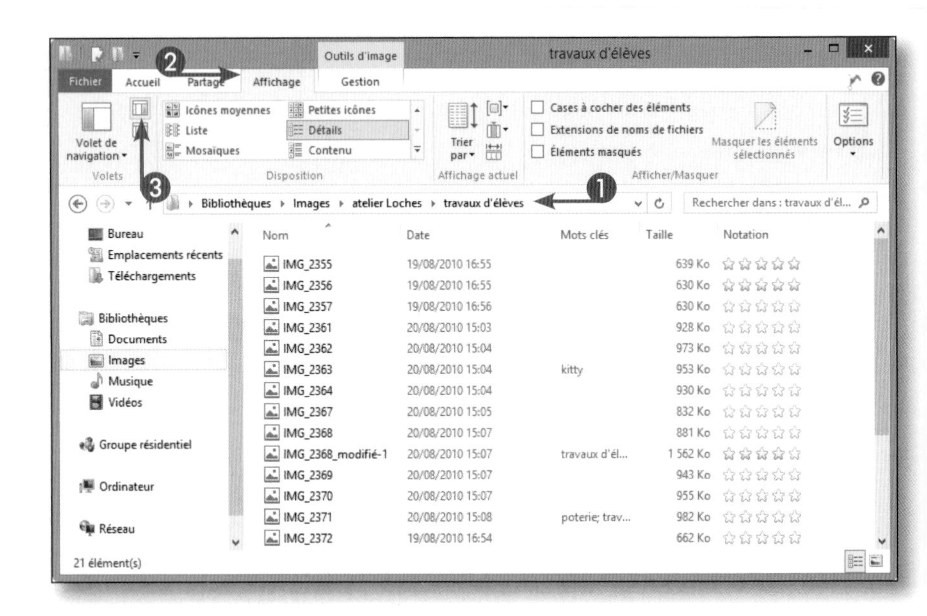

❶ Ouvrez le dossier contenant les fichiers à afficher.

❷ Cliquez l'onglet **Affichage**.

❸ Cliquez **Volet de visualisation**.

Windows 8 n'est pas capable de fournir l'aperçu de tous les types de fichiers. Il permet de prévisualiser les documents texte, RTF, PDF et Word, les pages Web, les images et les vidéos.

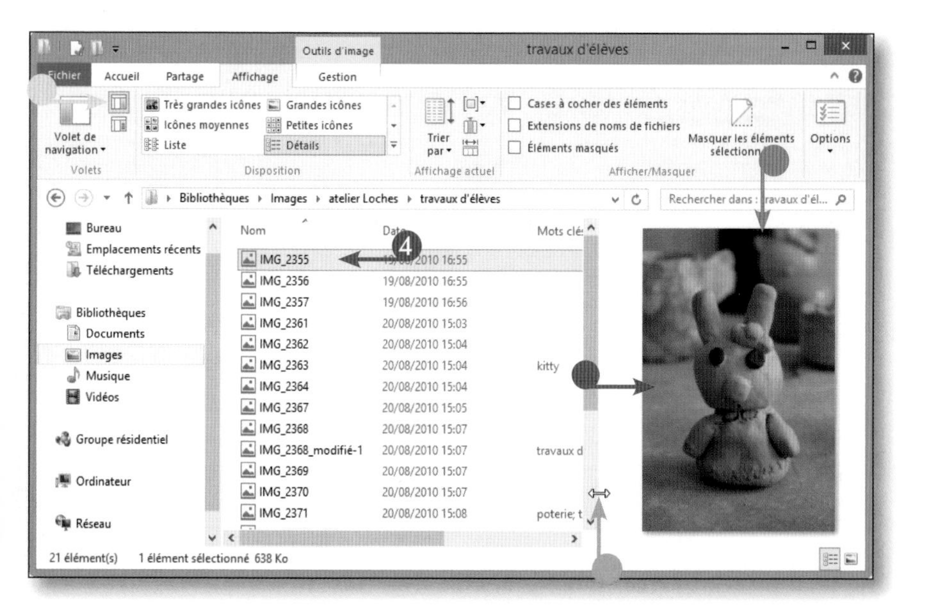

Le volet de visualisation apparaît.

4 Cliquez un fichier.

Le contenu du fichier s'affiche dans le volet de visualisation.

Vous pouvez faire glisser le bord gauche du volet pour modifier sa taille.

Pour fermer le volet, cliquez **Volet de visualisation**.

COPIEZ UN FICHIER

Vous pouvez copier un fichier de votre disque dur sur un support amovible (une clé USB, par exemple), à des fins de sauvegarde ou pour le transmettre à quelqu'un.

COPIEZ UN FICHIER

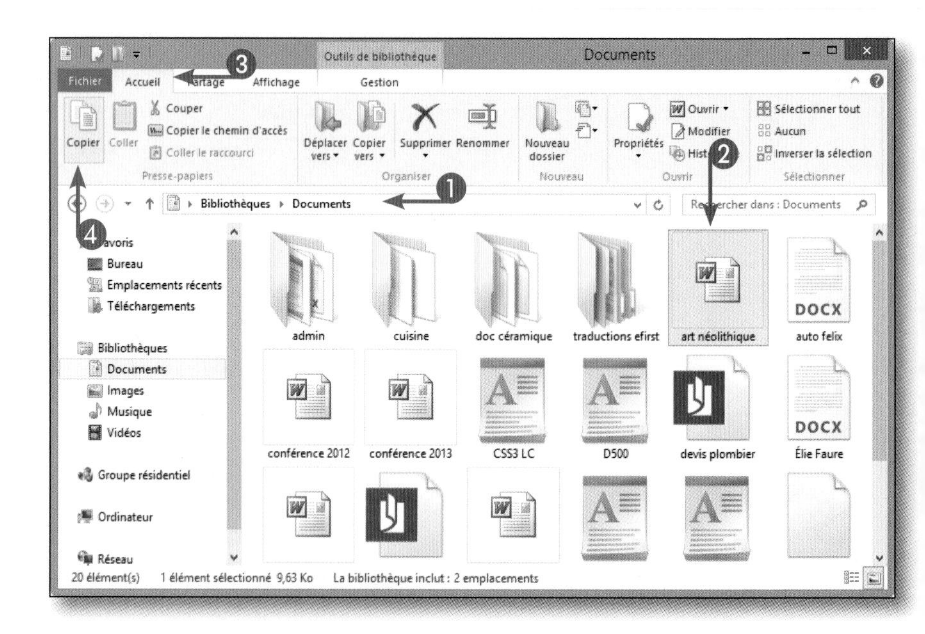

❶ Ouvrez le dossier contenant le fichier à copier.

❷ Sélectionnez le fichier.

❸ Cliquez l'onglet **Accueil**.

❹ Cliquez **Copier**.

Une copie du fichier est placée dans un emplacement spécial appelé *Presse-papiers*.

Pour appliquer la technique ci-après à plusieurs fichiers, sélectionnez-les auparavant. Vous pouvez également copier un dossier de la même façon.

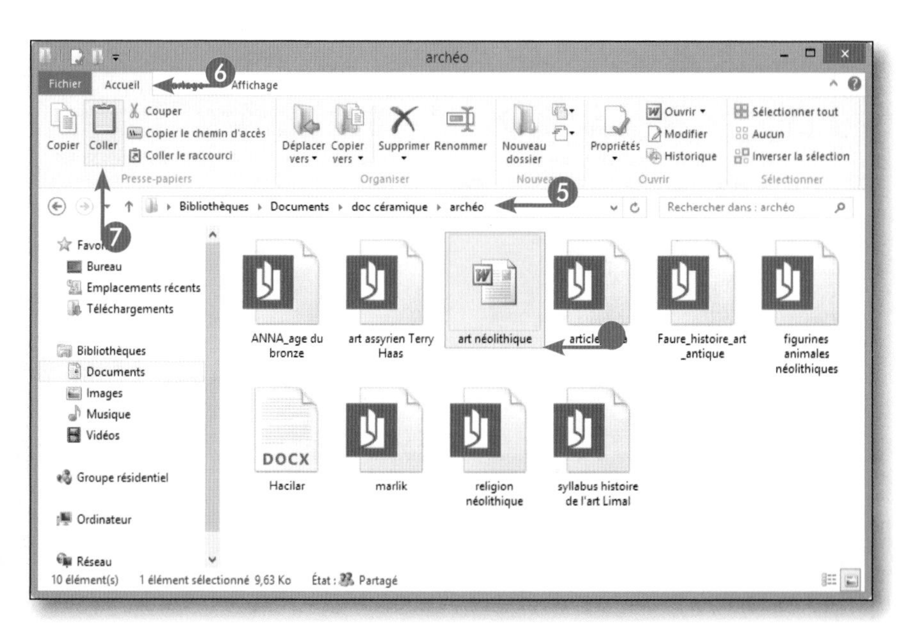

5 Ouvrez l'emplacement où stocker la copie.

6 Cliquez l'onglet **Accueil**.

7 Cliquez **Coller**.

● Windows 8 insère la copie du fichier dans le dossier ouvert.

DÉPLACEZ UN FICHIER

Déplacer un fichier consiste à le supprimer de son emplacement d'origine et à en créer une copie à un nouvel emplacement. Lors du premier enregistrement d'un fichier, vous choisissez le dossier dans lequel ranger le fichier sur votre disque dur. Cet emplacement initial n'est pas définitif, vous pouvez ensuite déplacer le fichier ailleurs sur le disque dur.

DÉPLACEZ UN FICHIER

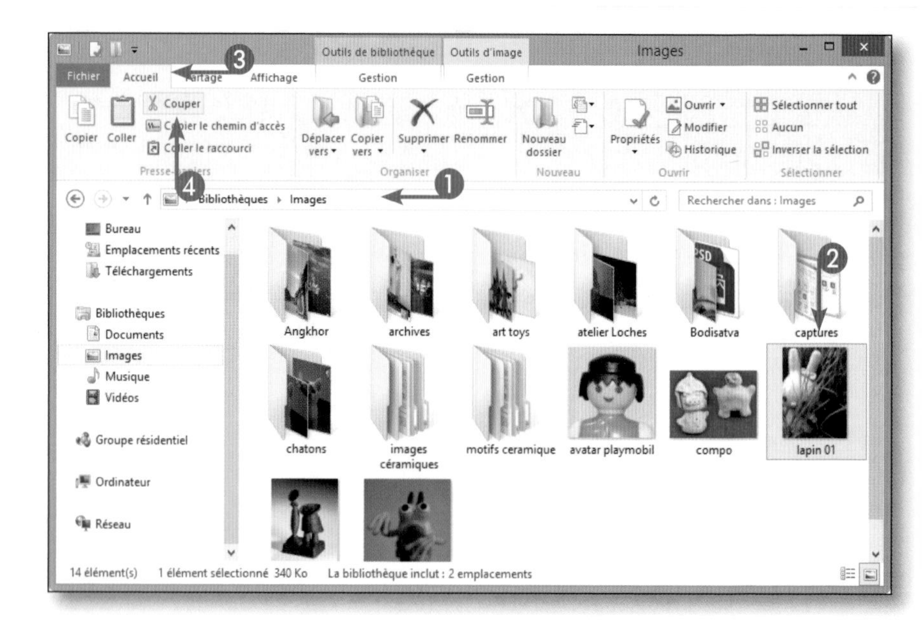

❶ Ouvrez le dossier contenant le fichier à déplacer.

❷ Sélectionnez le fichier.

❸ Cliquez l'onglet **Accueil**.

❹ Cliquez **Couper**.

Windows 8 supprime le fichier du dossier et le place dans un emplacement spécial appelé *Presse-papiers*.

Pour appliquer la technique ci-après à plusieurs fichiers, sélectionnez-les auparavant. Vous pouvez également déplacer un dossier de la même façon.

❺ Cliquez le nouvel emplacement.

❻ Cliquez l'onglet **Accueil**.

❼ Cliquez **Coller**.

● Windows 8 déplace le fichier à son nouvel emplacement.

RENOMMEZ UN FICHIER

Si le nom d'un fichier n'est pas assez explicite, vous pouvez le changer et faciliter ainsi son identification ultérieure.

RENOMMEZ UN FICHIER

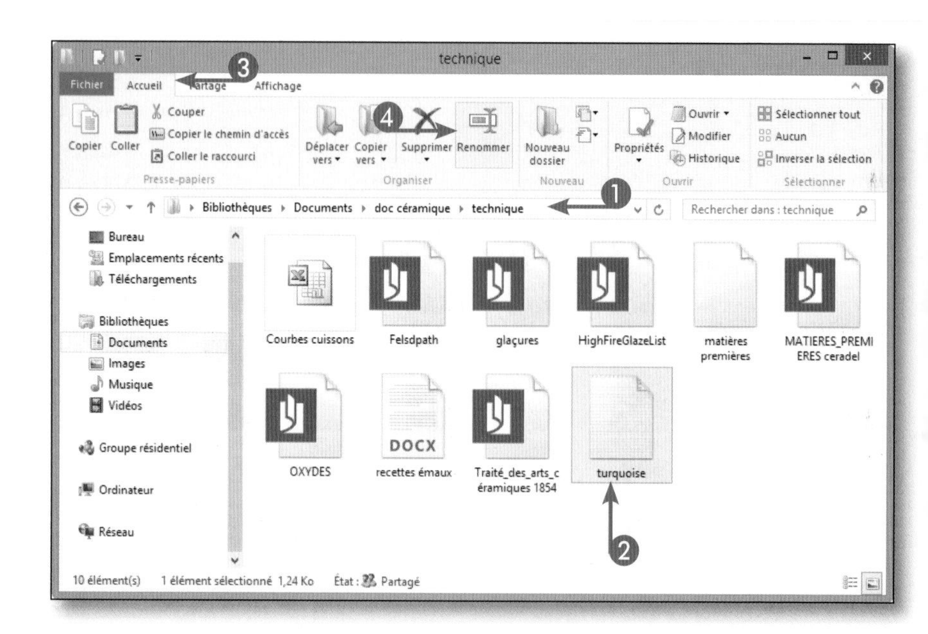

❶ Ouvrez le dossier contenant le fichier à renommer.

❷ Cliquez le fichier.

❸ Cliquez l'onglet **Accueil**.

Note. *La même méthode s'applique pour renommer un dossier.*

❹ Cliquez **Renommer**.

Note. *Vous pouvez aussi appuyer sur* F2.

Évitez de renommer les fichiers système de Windows 8, ou ceux associés à vos programmes. Cela pourrait altérer le comportement de ces derniers et endommager votre système. Renommez uniquement les fichiers que vous créez vous-même ou ceux transmis par un tiers.

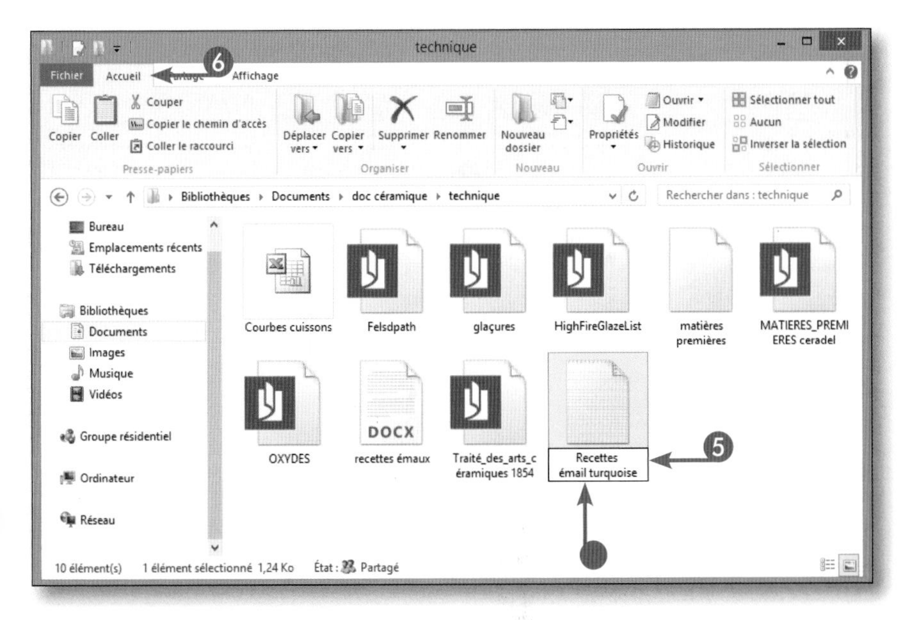

● Un cadre apparaît autour du nom du fichier.

5 Tapez le nouveau nom du fichier.

Note. *Si vous changez d'avis, vous pouvez annuler l'opération en appuyant sur* Echap*, et retrouver le nom d'origine.*

Note. *Le nom peut contenir jusqu'à 255 caractères, à l'exception de* **< > , ? : " ** *et* *.

6 Appuyez sur Entrée ou cliquez une zone vide du dossier.

Le nouveau nom apparaît sous l'icône du fichier.

Plutôt que d'encombrer inutilement votre disque dur avec des fichiers qui ne servent plus, supprimez-les. De la même manière, vous pouvez supprimer un dossier et tout son contenu.

SUPPRIMEZ UN FICHIER

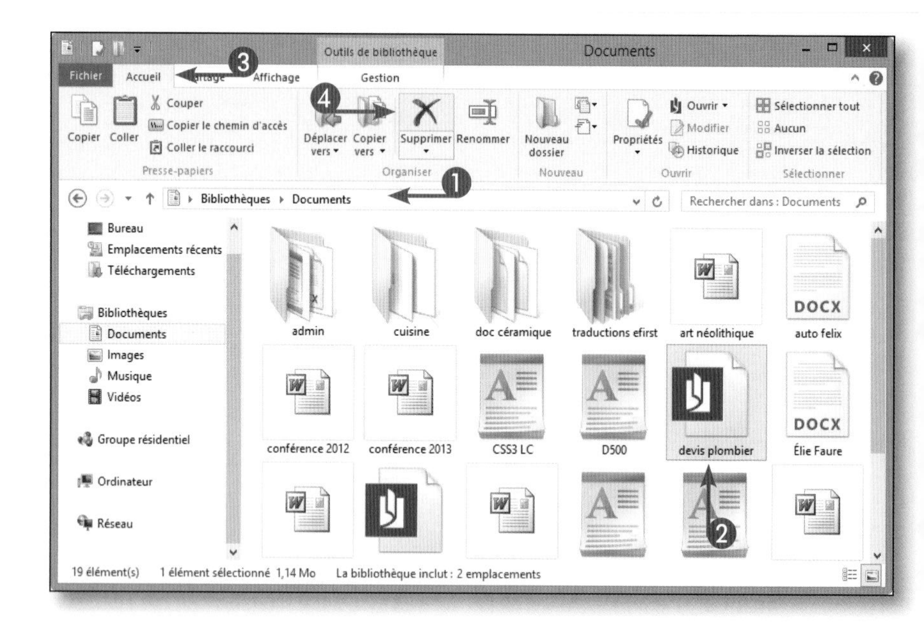

❶ Ouvrez le dossier contenant le fichier à supprimer.

❷ Cliquez le fichier à supprimer.

Note. *Pour supprimer plusieurs fichiers, sélectionnez-les.*

❸ Cliquez l'onglet **Accueil**.

❹ Cliquez l'icône du bouton **Supprimer**.

Note. *Vous pouvez aussi appuyer sur* Suppr *pour supprimer le fichier sélectionné.*

Évitez de supprimer les fichiers système de Windows 8, ou ceux associés à vos programmes. Cela pourrait altérer le comportement des programmes et endommager votre système. Supprimez uniquement les fichiers que vous créez vous-même ou ceux transmis par un tiers.

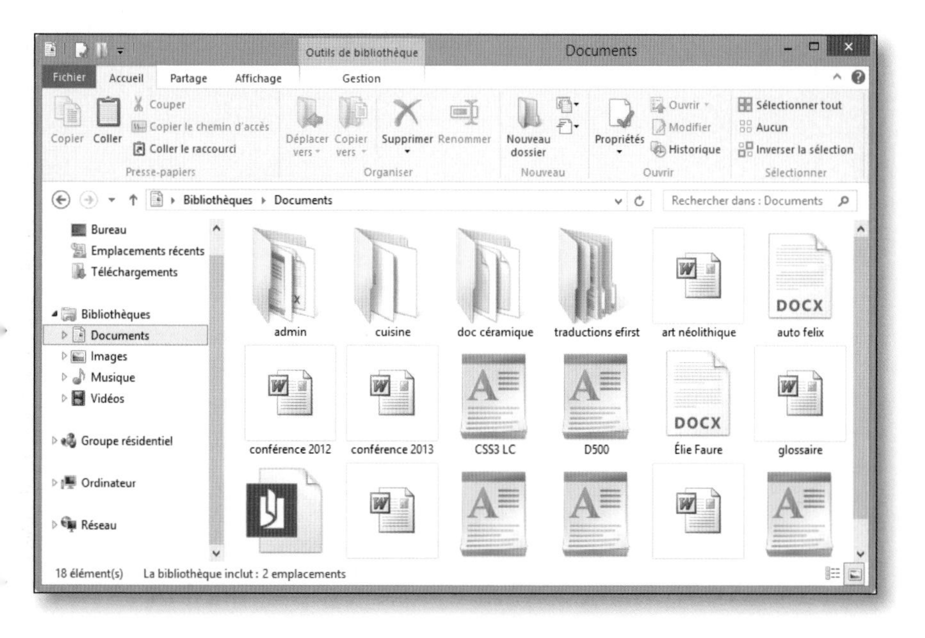

Le fichier disparaît du dossier.

Note. *Pour supprimer un fichier, vous pouvez aussi le faire glisser de la fenêtre du dossier vers l'icône de la Corbeille, sur le Bureau.*

GRAVEZ DES FICHIERS SUR UN CD OU UN DVD

Si vous disposez d'un graveur de CD et/ou de DVD, vous pouvez copier les fichiers et les dossiers de votre disque dur sur un CD ou un DVD enregistrables. Cela permet de transporter ou d'archiver une quantité importante de données sur un support unique et peu encombrant.

GRAVEZ DES FICHIERS SUR UN CD OU UN DVD

❶ Insérez le CD ou le DVD inscriptible dans le graveur.

Un message de notification apparaît.

❷ Cliquez le message.

Pour copier des fichiers musicaux sur un CD, reportez-vous au chapitre 7.

❸ Cliquez **Graver les fichiers sur un disque**.

GRAVEZ DES FICHIERS SUR UN CD OU UN DVD

Avec Windows 8, le type de CD ou de DVD n'a pas d'importance. Les CD-R et DVD-R ne peuvent généralement être gravés qu'une seule fois. Une fois finalisé, le disque se verrouille et il devient impossible de copier d'autres fichiers ou d'en supprimer. Toutefois, Windows 8 utilise un nouveau système qui permet de copier, recopier et supprimer des fichiers avec tous les types de disques enregistrables.

GRAVEZ DES FICHIERS SUR UN CD OU UN DVD (SUITE)

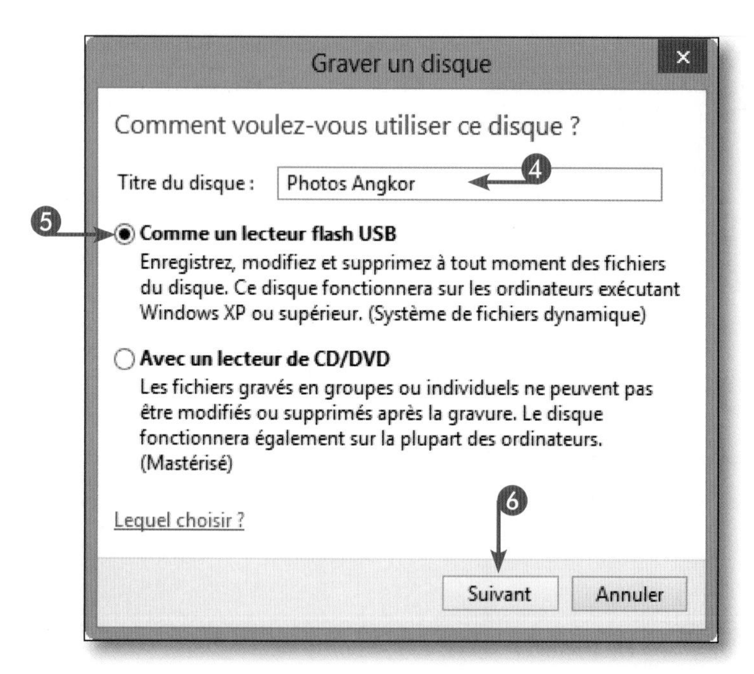

Si vous n'avez jamais gravé de fichiers sur ce disque, la boîte de dialogue Graver un disque s'affiche.

4 Attribuez un titre à ce disque.

5 Cliquez **Comme un lecteur flash USB** (○ devient ◉).

6 Cliquez **Suivant**.

Windows 8 formate le disque et affiche une boîte de dialogue avec la progression.

Les CD ont généralement une capacité de 700 Mo, les DVD de 4,7 Go. Un document de traitement de texte d'une page occupe en moyenne 50 Ko et une photo 1 Mo. Vous pouvez donc copier sur un CD environ 28 000 pages de traitement texte ou 700 photos et, sur un DVD, 4 700 photos et presque 200 000 pages de traitement de texte.

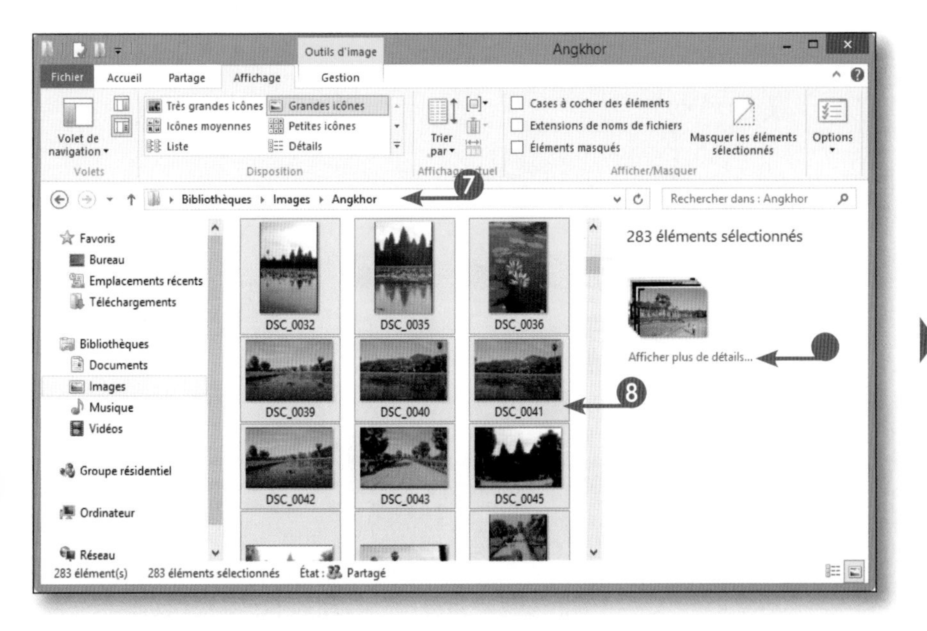

Une fois le formatage terminé, une notification d'Exécution automatique apparaît. Contentez-vous de l'ignorer.

7 Ouvrez le dossier contenant les fichiers à copier.

8 Sélectionnez les fichiers.

● Si vous avez sélectionné plus de 15 fichiers et que vous voulez connaître la taille totale de la sélection, cliquez l'onglet **Affichage**, le bouton **Volet d'informations**, puis le lien **Afficher plus de détails**.

GRAVEZ DES FICHIERS SUR UN CD OU UN DVD

Auparavant, vous ne pouviez graver un CD ou DVD qu'en une seule session, tout le contenu du disque devant être gravé en une seule fois. Windows 8 exploite une nouvelle méthode de gravure qui vous permet désormais de graver des fichiers en plusieurs fois, de la même manière que vous copiez des fichiers sur une clé USB.

GRAVEZ DES FICHIERS SUR UN CD OU UN DVD (SUITE)

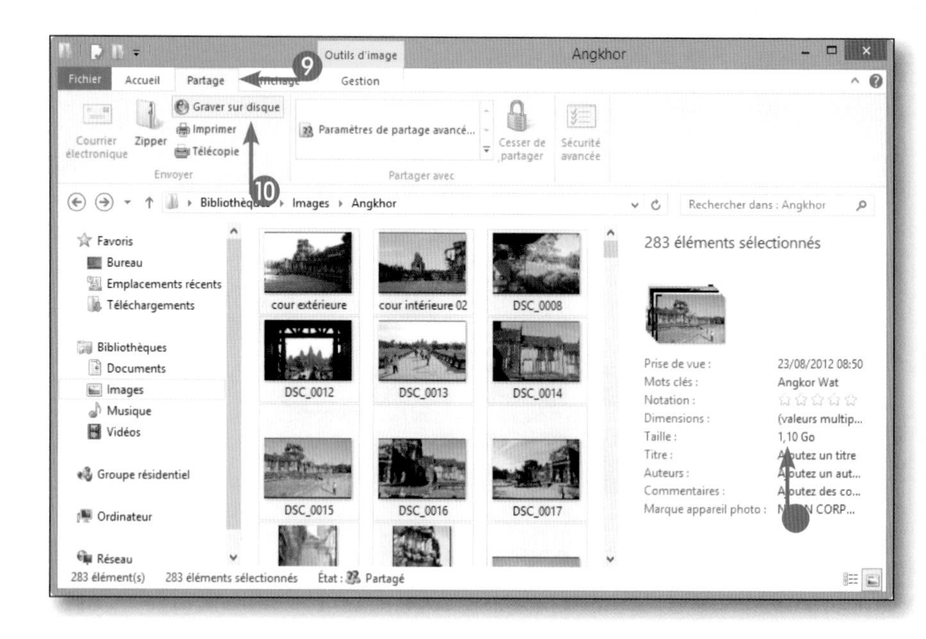

● Si vous avez cliqué **Afficher plus de détails**, vous obenez la taille totale des fichiers sélectionnés.

9 Cliquez l'onglet **Partage**.

10 Cliquez **Graver sur disque**.

Note. *Pour graver tout le contenu d'un dossier, ne sélectionnez aucun fichier ni sous-dossier et cliquez* ***Graver sur disque****.*

La méthode employée par Windows 8 pour graver des fichiers ne nécessite qu'un seul formatage préalable du CD ou du DVD. Cela fait, vous pouvez ajouter des fichiers au support autant de fois que nécessaire.

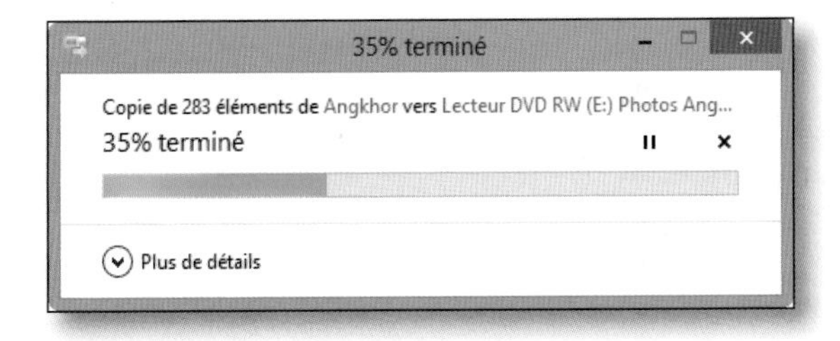

Windows 8 grave les fichiers sur le disque.

GRAVEZ DES FICHIERS SUR UN CD OU UN DVD

Pour effacer un CD-RW ou un DVD-RW, il faut le reformater. Ouvrez l'Explorateur de fichiers, puis cliquez Ordinateur → l'icône du disque → l'onglet Gestion → Formater.

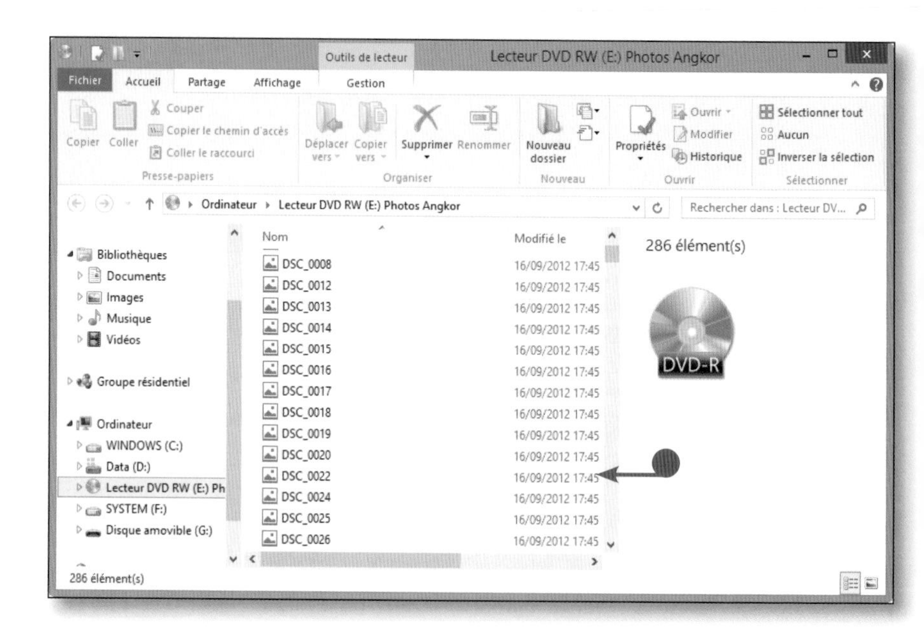

Windows 8 ouvre le disque et affiche les fichiers copiés.

⑪ Répétez les étapes **8** à **10** pour graver d'autres fichiers.

Si vous le souhaitez, changez le nom du disque dans le champ Nom de volume de la boîte de dialogue Formater qui s'affiche. Cliquez **Démarrer**. Windows 8 vous informe que toutes les données du disque seront effacées.

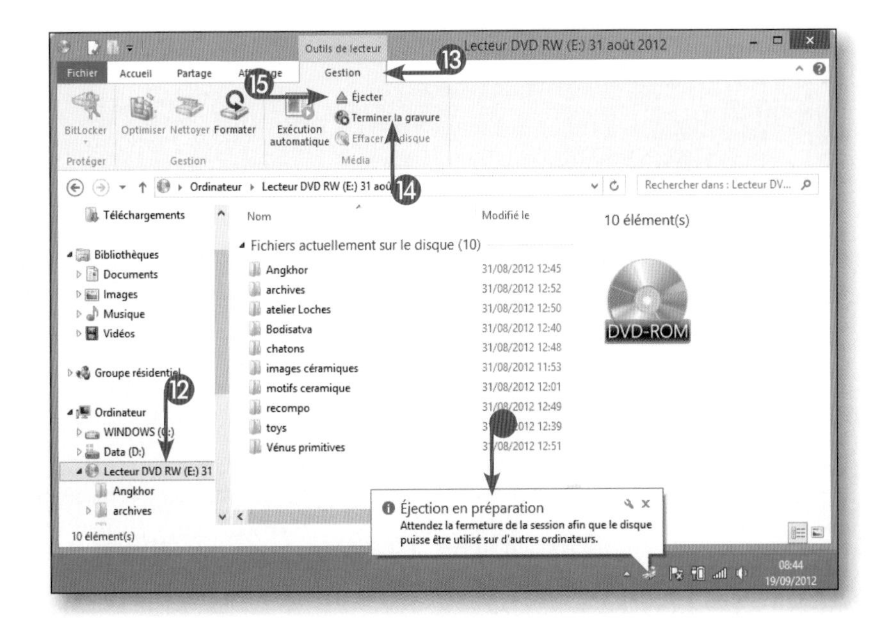

12 Ouvrez le dossier du disque.

13 Cliquez l'onglet **Gestion**.

14 Cliquez **Terminer la gravure**.

Windows 8 ferme la session de gravure du disque pour le rendre utilisable sur d'autres ordinateurs.

● Un message apparaît lors de la fermeture du CD.

15 Une fois le message disparu, cliquez **Éjecter**.

Le disque est éjecté.

Pour manipuler les comptes d'utilisateurs, il faut passer par l'écran Paramètres Utilisateurs de Windows 8.

AFFICHEZ LES COMPTES D'UTILISATEURS

❶ Déplacez la souris vers le coin supérieur droit de l'écran.

La barre d'icônes apparaît.

Note. *Vous pouvez aussi afficher la barre d'icônes en appuyant sur* ⊞ + C.

❷ Cliquez **Paramètres**.

Un compte d'utilisateur est une série de dossiers et de paramètres associés à une personne dans Windows 8. Ce chapitre vous apprend à créer des comptes d'utilisateurs, à changer l'image et le mot de passe d'un compte et à supprimer un compte d'utilisateur.

Le volet Paramètres apparaît.

3 Cliquez **Modifier les paramètres du PC**.

Grâce aux comptes d'utilisateurs, chacun dispose de ses propres bibliothèques (Documents, Images, Musique, *etc.*), de ses réglages personnalisés, de ses comptes de messagerie électronique et de ses favoris.

AFFICHEZ LES COMPTES D'UTILISATEURS (SUITE)

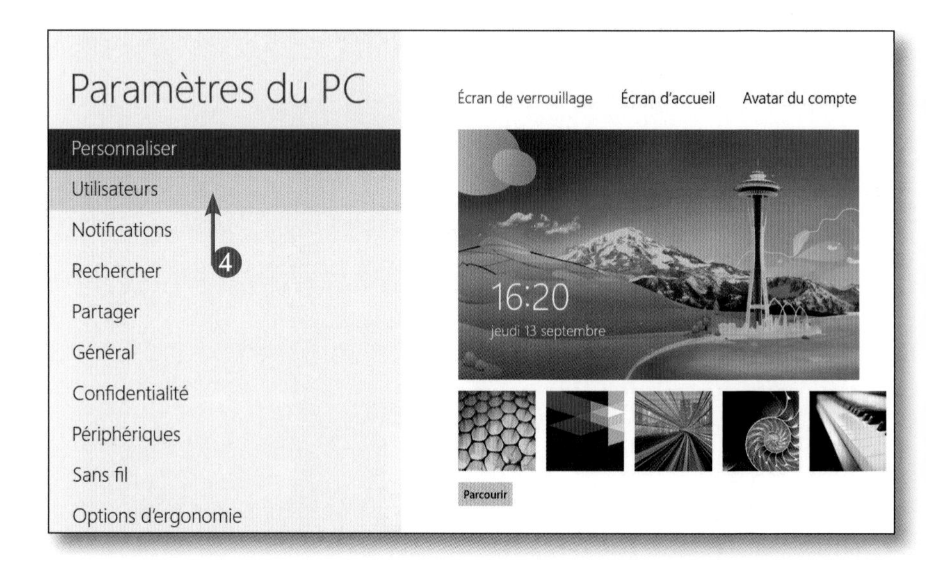

L'application Paramètres du PC apparaît.

4 Cliquez **Utilisateurs**.

Pour simplifier, chaque utilisateur possède sa propre version de Windows 8, sans interférence avec celle d'un autre. En outre, les comptes d'utilisateurs vous permettent de partager des documents et des dossiers entre utilisateurs et membres de votre réseau, en toute sécurité.

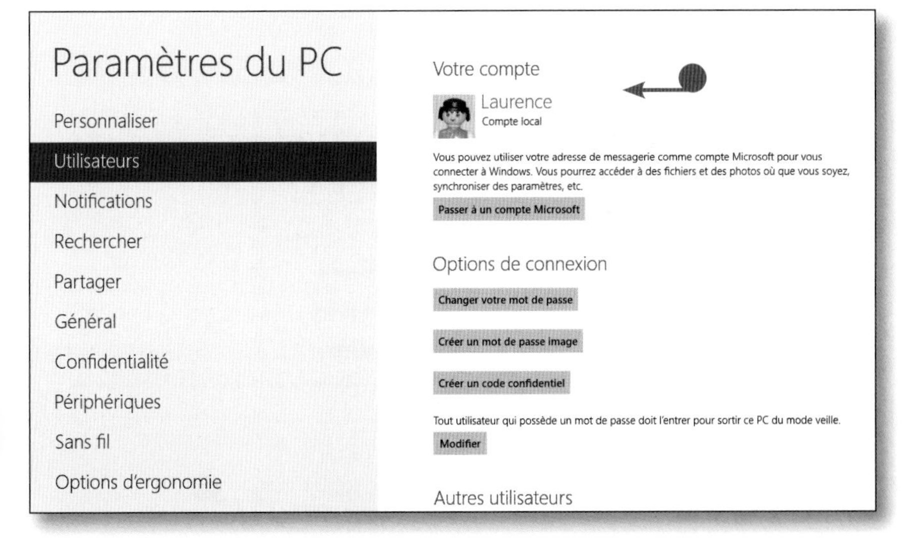

Le volet Utilisateurs s'affiche.

● Les informations relatives à votre compte apparaissent ici. Ensuite, lorsque vous ouvrez une session avec un autre compte, ce sont les informations du compte actif qui sont visibles ici.

CRÉEZ UN COMPTE D'UTILISATEUR

Si vous voulez partager l'ordinateur avec un tiers, vous devez ajouter un compte d'utilisateur pour cette personne. Ce compte lui permettra d'ouvrir une session dans Windows 8 et d'utiliser le système. Le nouveau compte d'utilisateur est totalement indépendant du vôtre. Ainsi, l'autre utilisateur peut modifier les paramètres de Windows, créer des documents et effectuer d'autres tâches sans interférer avec vos paramètres et vos fichiers.

CRÉEZ UN COMPTE D'UTILISATEUR

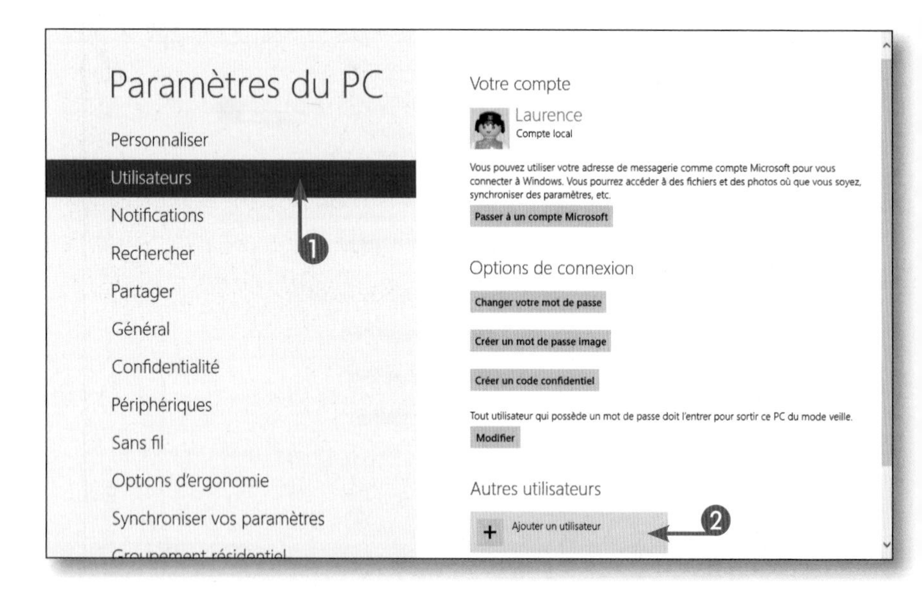

❶ Affichez le volet Utilisateurs de l'application Paramètres du PC.

Note. *Voyez la section « Affichez les comptes d'utilisateurs », ci-avant, pour accéder au volet Utilisateurs.*

❷ Cliquez **Ajouter un utilisateur**.

Vous pouvez créer un compte d'utilisateur local ou un compte Microsoft. Pour garantir la confidentialité de chacun, vous devriez protéger tous les comptes par un mot de passe.

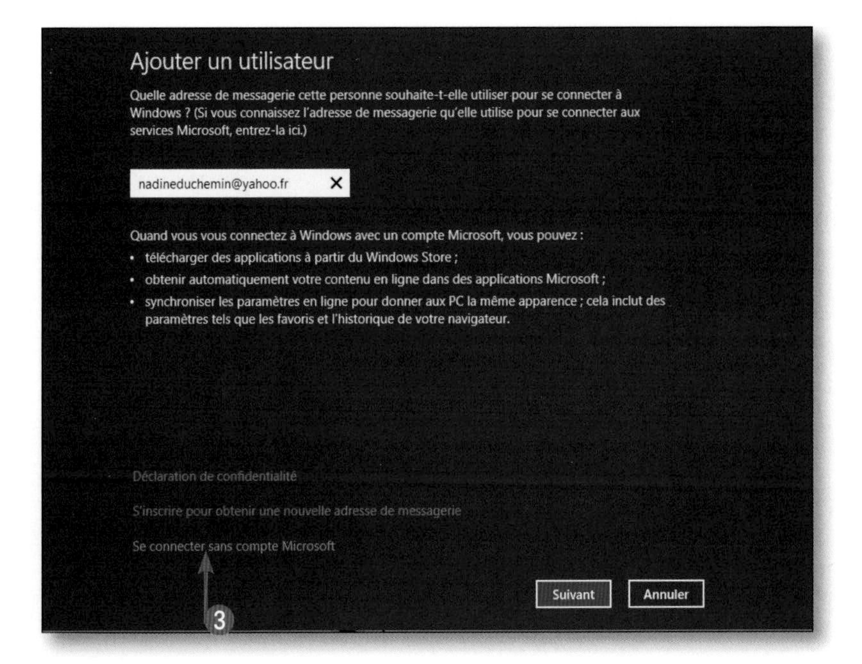

L'écran Ajouter un utilisateur apparaît.

❸ Pour créer un compte local, cliquez **Se connecter sans compte Microsoft**.

Il est conseillé de définir un mot de passe fort qui sera difficile à deviner si une personne malveillante avait accès à l'ordinateur. Voici quelques conseils à ce sujet.

CRÉEZ UN COMPTE D'UTILISATEUR (SUITE)

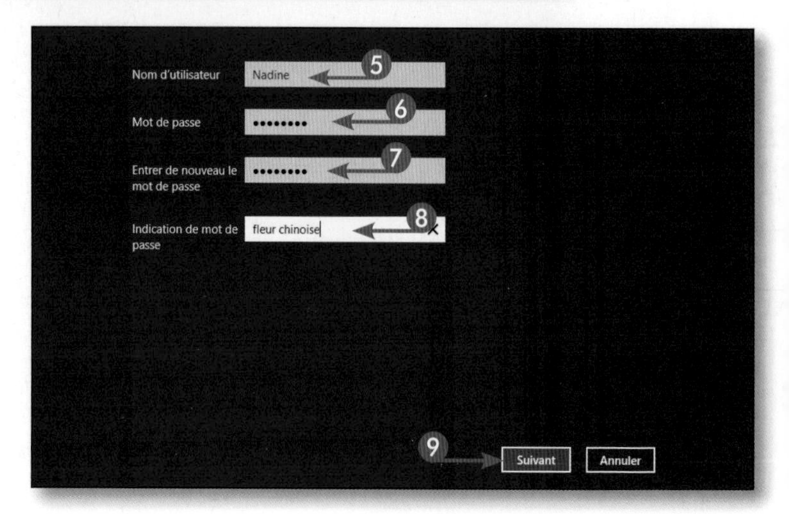

❹ Cliquez **Compte local**.

Vous obtenez la version Compte local de l'écran Ajouter un utilisateur.

❺ Tapez le nom que vous voulez attribuer au nouveau compte d'utilisateur.

❻ Tapez un mot de passe.

Note. *Pour raison de sécurité, les caractères saisis sont représentés à l'écran par des points.*

❼ Retapez le mot de passe.

❽ Tapez une explication qui aidera l'utilisateur à se rappeler son mot de passe.

❾ Cliquez **Suivant**.

- Évitez de choisir un mot de passe évident comme le nom de l'utilisateur.
- Définissez un mot de passe composé d'au moins huit caractères.
- Mélangez les majuscules et minuscules avec des chiffres ou des symboles.

Windows crée le compte.

⑩ Si vous ajoutez un compte pour un enfant, vous pouvez cocher cette case (☐ devient ☑) pour surveiller ses activités sur l'ordinateur.

⑪ Cliquez **Terminer** (non illustré).

BASCULEZ ENTRE LES COMPTES

Lorsqu'il existe plusieurs comptes d'utilisateurs sur l'ordinateur, vous pouvez basculer de l'un à l'autre. Vous avez ainsi la possibilité de céder temporairement la place à un autre utilisateur, alors que vous vous servez déjà de l'ordinateur.

BASCULEZ ENTRE LES COMPTES

1 Dans l'écran d'accueil, cliquez l'image de votre compte d'utilisateur.

Lorsque l'autre utilisateur a fini de se servir de l'ordinateur, vous retrouvez vos programmes et fenêtres ouverts tels que vous les avez laissés. Vous pouvez ainsi reprendre votre travail directement.

❷ Cliquez le compte d'utilisateur sur lequel vous souhaitez basculer.

BASCULEZ ENTRE LES COMPTES

Lorsque vous définissez votre mot de passe, comme le décrit la section précédente, Windows 8 demande également de fournir une indication de pour vous aider à vous en souvenir. Si vous l'oubliez, suivez ces instructions :

❶ Dans l'écran d'ouverture de session, laissez vide le champ Mot de passe.

❷ Cliquez la flèche de validation (→).

Windows vous informe que le mot de passe est incorrect.

❸ Cliquez **OK** pour revenir au premier écran. Windows affiche l'indication de mot de passe.

BASCULEZ ENTRE LES COMPTES (SUITE)

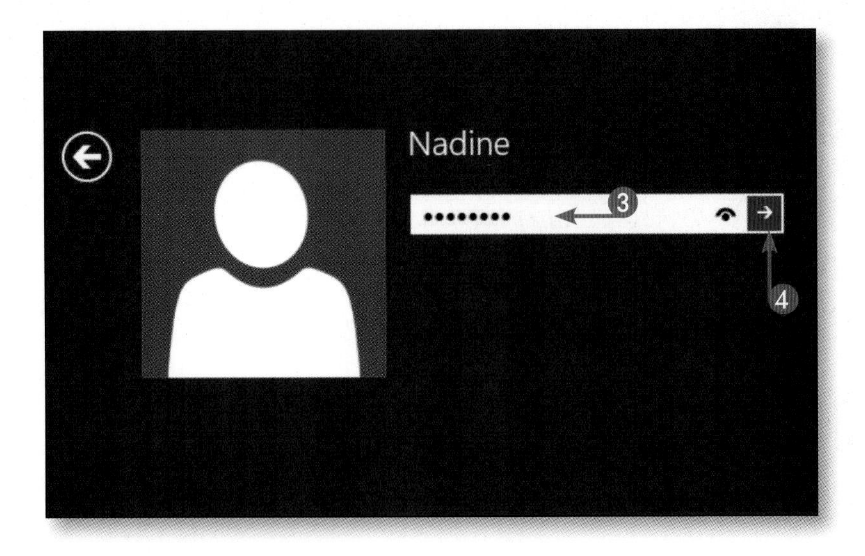

Vous êtes invité à taper le mot de passe du compte d'utilisateur.

❸ Tapez le mot de passe.

❹ Cliquez la flèche de validation (→).

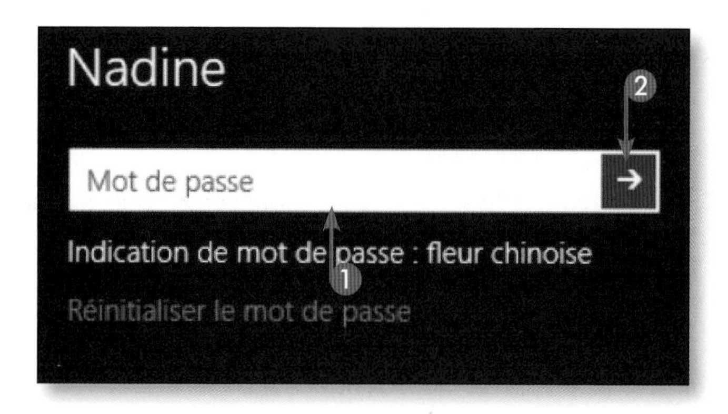

Le nom et l'image de ce compte d'utilisateur apparaissent dans l'écran d'accueil.

MODIFIEZ L'IMAGE DE VOTRE COMPTE D'UTILISATEUR

Vous pouvez personnaliser votre compte d'utilisateur et faciliter l'identification des différents comptes en ajoutant une image à votre compte.

MODIFIEZ L'IMAGE DE VOTRE COMPTE D'UTILISATEUR

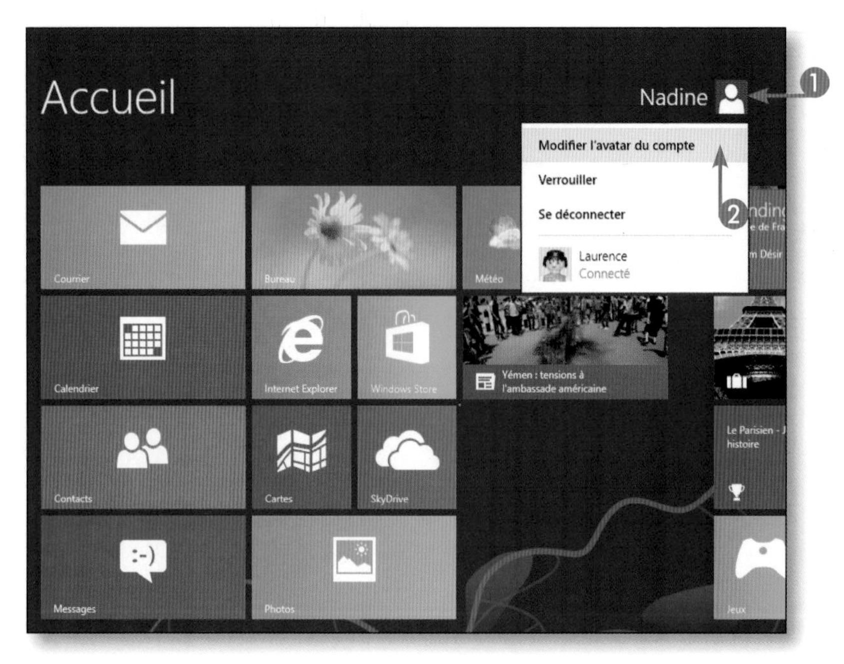

➊ Dans l'écran d'accueil, cliquez l'image de votre compte d'utilisateur.

➋ Cliquez **Modifier l'avatar du compte**.

Lors de la création d'un compte d'utilisateur, Windows 8 lui attribue une image générique qui apparaît dans l'écran d'accueil, dans le volet Utilisateurs de l'application Paramètres du PC et dans l'écran d'ouverture de session. Cette image générique est une simple silhouette commune à tous les comptes. Vous pouvez la remplacer par une image plus personnelle.

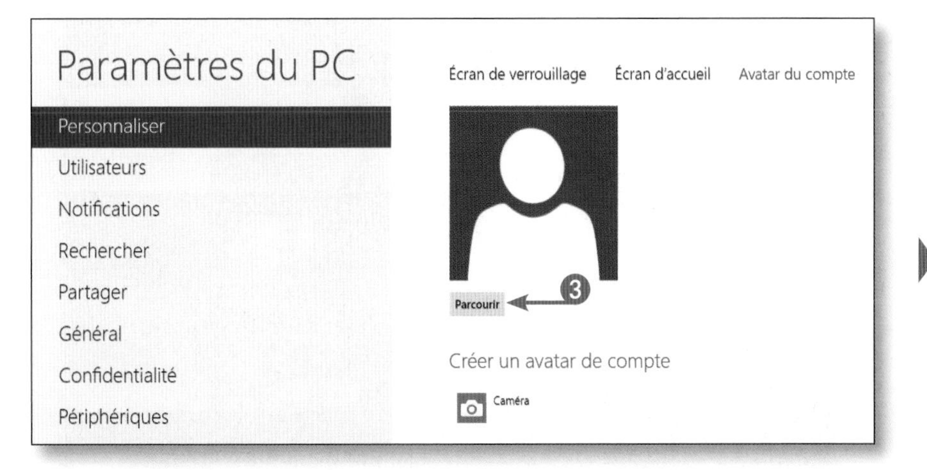

L'application Paramètres du PC s'ouvre sur le volet Personnaliser.

3 Cliquez **Parcourir**.

MODIFIEZ L'IMAGE DE VOTRE COMPTE D'UTILISATEUR

Vous pouvez illustrer votre compte avec une photo prise par votre webcam. Répétez les étapes 1 et 2, puis cliquez Caméra. L'application Caméra apparaît. Prenez la pose. Cliquez dans l'écran pour prendre une photo.

MODIFIEZ L'IMAGE DE VOTRE COMPTE D'UTILISATEUR (SUITE)

Vous obtenez l'affichage de votre bibliothèque Images.

4 Cliquez **Fichiers** pour choisir une autre bibliothèque si nécessaire. Autrement, cliquez le nom d'un dossier d'images.

5 Cliquez l'image à utiliser.

6 Cliquez **Choisir cette image**.

L'application Caméra affiche la photo avec un cadre représentant la portion qui sera utilisée pour l'image de votre compte. Faites glisser le cadre pour le positionner à votre convenance. Faites glisser un angle du cadre pour changer ses dimensions, puis cliquez **OK**.

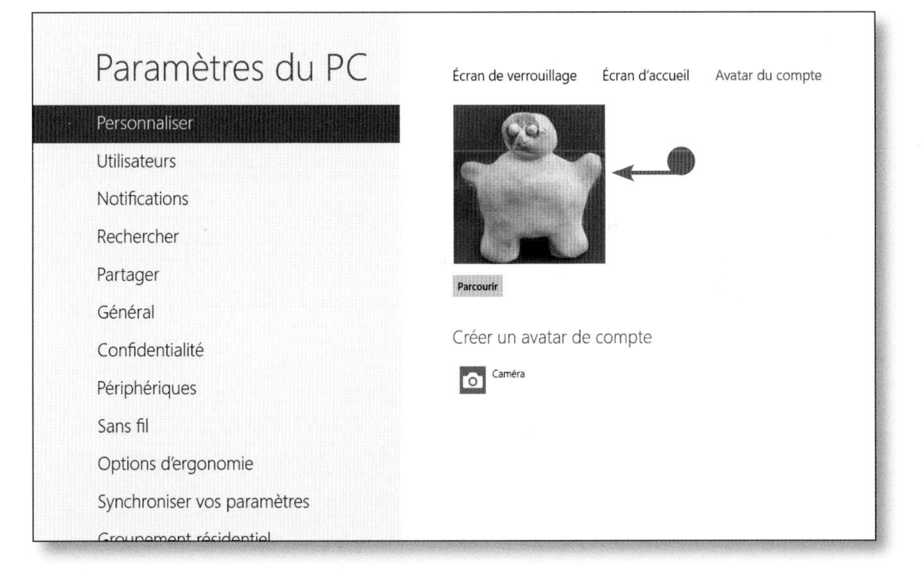

● Le volet Personnaliser apparaît avec la nouvelle image.

MODIFIEZ LE MOT DE PASSE D'UN COMPTE

Si vous avez créé un compte sans mot de passe ou si vous avez du mal à mémoriser votre mot de passe, vous pouvez le modifier.

MODIFIEZ LE MOT DE PASSE D'UN COMPTE

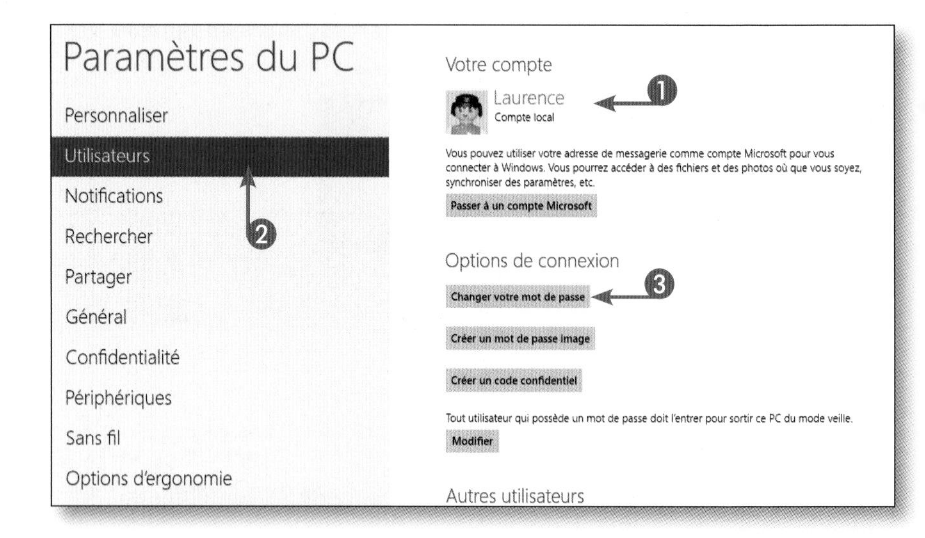

❶ Pour modifier le mot de passe d'un autre utilisateur, vous devez ouvrir une session avec son compte.

❷ Affichez le volet Utilisateurs de l'application Paramètres du PC.

Note. *Voyez la section « Affichez les comptes d'utilisateurs », plus tôt dans ce chapitre, pour accéder au volet Utilisateurs.*

❸ Cliquez **Changer votre mot de passe**.

Note. *Si le compte est dépourvu de mot de passe, vous cliquerez sur **Créer un mot de passe**.*

Il est conseillé d'attribuer un mot de passe à chaque compte d'utilisateur, car autrement quiconque ayant accès à l'ordinateur serait en mesure d'utiliser un compte dépourvu de cette protection. Il est également recommandé de définir un mot de passe complexe pour éviter qu'une personne ne puisse le deviner et accéder ainsi au système. Que vous ayez besoin d'attribuer un mot de passe ou d'en définir un plus sécurisé ou plus facile à mémoriser, Windows 8 vous permet de modifier le mot de passe d'un compte d'utilisateur.

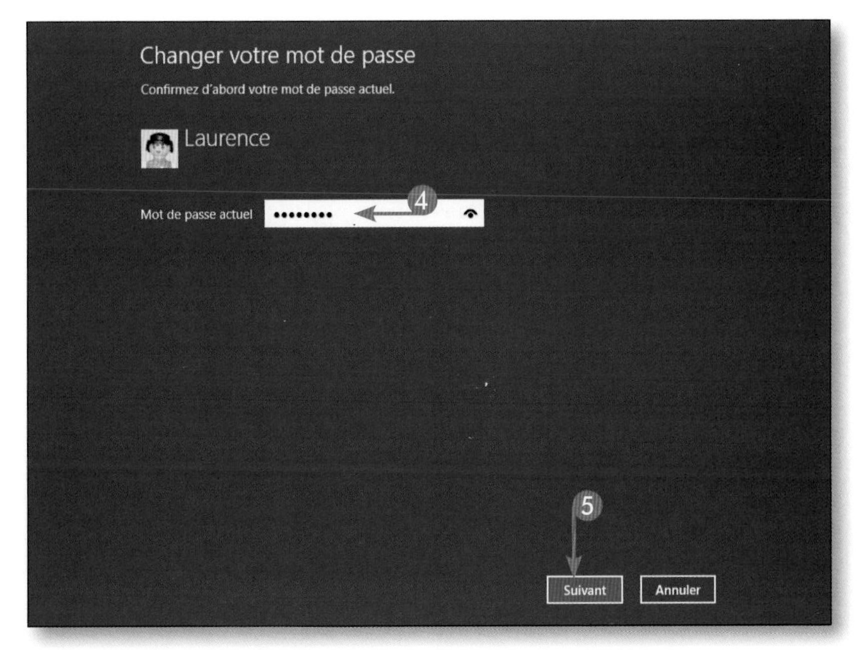

L'écran Changer votre mot de passe apparaît.

4 Tapez le mot de passe actuel.

Note. *Si le compte est dépourvu de mot de passe, ignorez l'étape 4.*

5 Cliquez **Suivant.**

Certaines précautions s'imposent pour protéger votre mot de passe.

En plus de choisir un mot de passe complexe comme décrit plus tôt dans ce chapitre, vous prendrez garde d'appliquer les conseils suivants :

MODIFIEZ LE MOT DE PASSE D'UN COMPTE (SUITE)

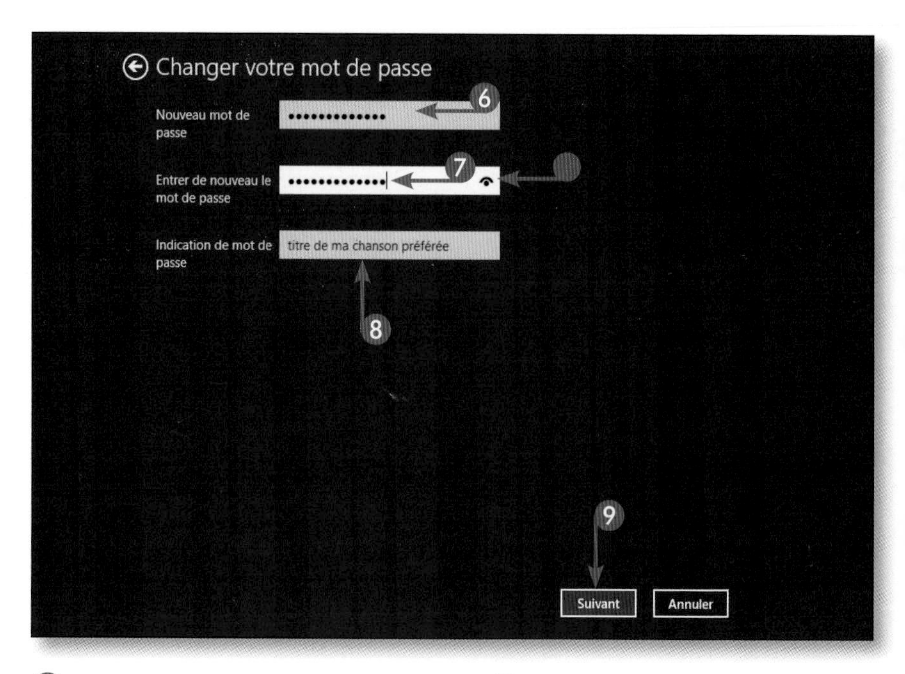

❻ Tapez le nouveau mot de passe.

❼ Retapez le nouveau mot de passe.

● Pour vérifier les caractères saisis, cliquez et maintenez la pression sur l'icône .

❽ Tapez une indication de mot de passe.

❾ Cliquez **Suivant**.

- Ne communiquez jamais votre mot de passe.
- Ne notez pas votre mot de passe par écrit.
- Définissez un mot de passe complexe mais facile à retenir grâce à un moyen mnémoténique. Par exemple, vous pourriez utiliser les initiales d'un roman ou d'un film : *Faut pas prendre les enfants du bon Dieu pour des canards sauvages*, par exemple, pourrait vous donner le mot de passe *FpplEdbDpdcs*.

⑩ Cliquez **Terminer** (non illustré).

Windows 8 actualise le mot de passe du compte d'utilisateur.

SUPPRIMEZ UN COMPTE D'UTILISATEUR

Si vous avez créé un compte d'utilisateur d'usage provisoire ou s'il existe sur l'ordinateur un compte qui ne sert plus, vous pouvez le supprimer.

SUPPRIMEZ UN COMPTE D'UTILISATEUR

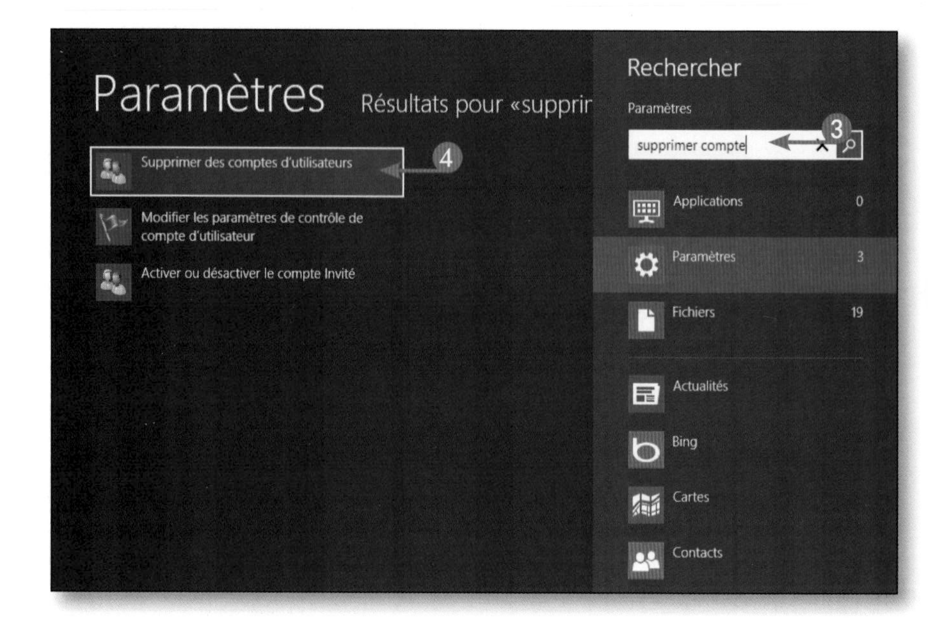

1 Fermez la session du compte à supprimer.

Note. *Pour quitter un compte, cliquez le nom du compte dans l'écran d'accueil, puis cliquez Se déconnecter.*

2 Depuis l'écran d'accueil, appuyez sur [Windows]+[W].

Le volet Rechercher de l'écran Paramètres apparaît.

3 Tapez supprimer compte.

4 Cliquez **Supprimer des comptes d'utilisateurs**.

Vous réduirez ainsi le nombre de comptes affichés dans le volet Utilisateurs de l'application Paramètres du PC et dans l'écran d'ouverture de session. La suppression d'un compte inutile a aussi pour avantage de libérer l'espace disque qu'il occupait, ce qui laisse plus d'espace pour les fichiers des autres comptes.

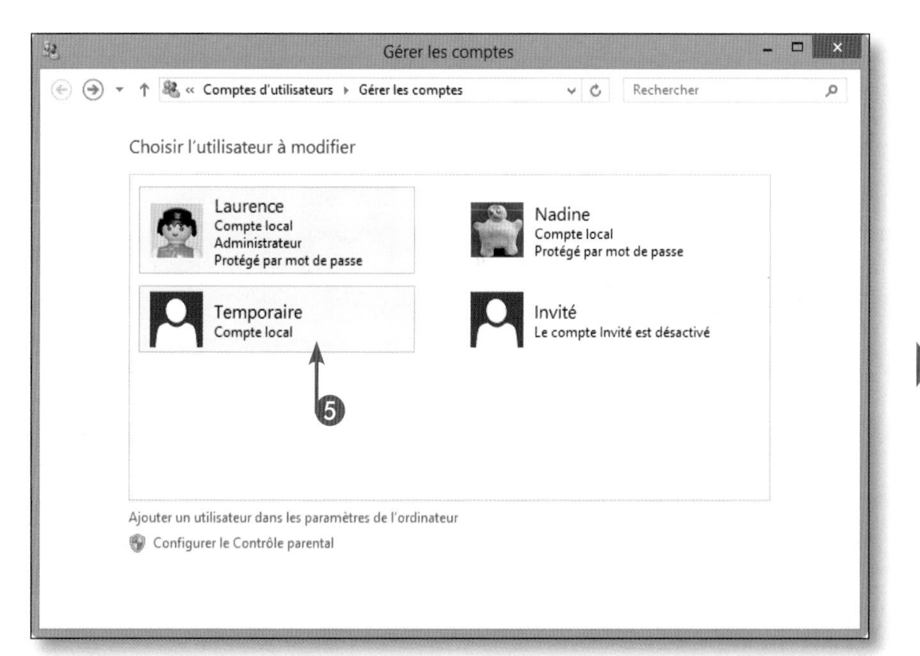

La fenêtre Gérer les comptes apparaît.

5 Cliquez le compte à supprimer.

Si votre compte est le seul de type Administrateur sur votre ordinateur, Windows 8 interdit sa suppression. Pour fonctionner sur l'ordinateur, Windows 8 nécessite au moins un compte d'administrateur.

Vous disposez de deux options lors de la suppression d'un compte.

SUPPRIMEZ UN COMPTE (SUITE)

La fenêtre Modifier un compte s'ouvre.

7 Cliquez **Supprimer le compte**.

La fenêtre Supprimer le compte s'ouvre.

8 Choissisez de conserver ou de supprimer les fichiers.

Note. *Lisez les informations ci-dessus pour connaître la différence entre ces deux options.*

- L'option **Conserver les fichiers** archive les fichiers personnels de l'utilisateur (contenu du dossier Documents et fichiers placés sur le Bureau). Ces fichiers sont placés sur votre Bureau, dans un dossier portant le nom du compte supprimé. Tous les autres éléments personnels (paramètres, compte de messagerie et favoris d'Internet Explorer) sont supprimés.
- L'option **Supprimer les fichiers** ne conserve aucun fichier personnel ni paramètre du compte d'utilisateur supprimé.

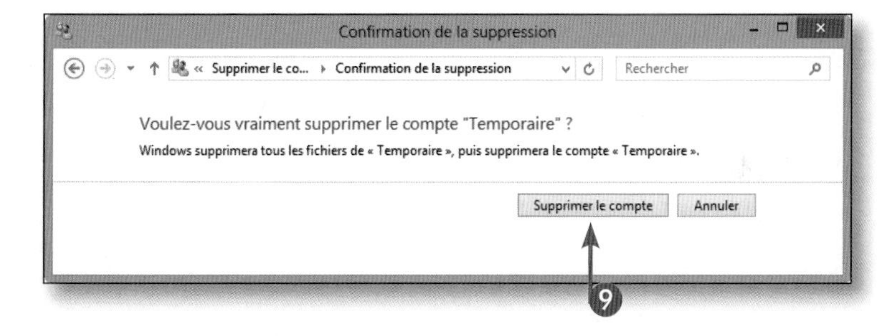

La fenêtre Confirmation de la suppression s'ouvre.

9 Cliquez **Supprimer le compte**.

Si votre entreprise ou votre domicile dispose d'une borne d'accès sans fil et que votre ordinateur est équipé d'un récepteur sans fil, vous pouvez vous connecter par ce biais à votre réseau d'entreprise ou domestique, ainsi qu'à Internet.

CONNECTEZ-VOUS À UN RÉSEAU SANS FIL

❶ Appuyez sur [Windows] + [I].

Le volet Paramètres apparaît.

❷ Cliquez l'icône **Réseau** ([icône]).

Si le réseau sans fil est protégé par une clé ou un mot de passe, comme c'est souvent le cas, munissez-vous de cette information avant de tenter toute connexion.
Votre ordinateur mémorise le mot de passe et se connecte automatiquement dès qu'il capte le réseau.

❷ Les réseaux sans fil accessibles à votre ordinateur s'affichent.

❸ Cliquez votre réseau sans fil.

❹ Pour vous connecter toujours automatiquement au réseau, cochez la case **Connexion automatique** (☐ devient ☑).

❺ Cliquez **Connecter**.

Pour vous déconnecter du réseau sans fil, cliquez l'icône Réseau (), votre réseau, puis Déconnecter.

CONNECTEZ-VOUS À UN RÉSEAU SANS FIL (SUITE)

Si l'accès est protégé, Windows 8 vous demande la clé de sécurité.

6 Tapez la clé de sécurité.

● Pour vérifier la clé de sécurité que vous tapez, cliquez **Afficher les caractères** () sans relâcher le bouton de la souris.

7 Cliquez **Suivant**.

Windows 8 se connecte au réseau sans fil.

8 Appuyez sur [Windows] + [I].

● L'icône [icône] devient [icône], ce qui signifie que vous êtes connecté à un réseau sans fil.

DÉTECTEZ LES PROBLÈMES DE SÉCURITÉ AVEC LE CENTRE DE MAINTENANCE

Le Centre de maintenance de Windows 8 affiche des messages sur l'état de votre ordinateur. Il vous informe plus particulièrement en cas de problèmes de sécurité.

DÉTECTEZ LES PROBLÈMES DE SÉCURITÉ AVEC LE CENTRE DE MAINTENANCE

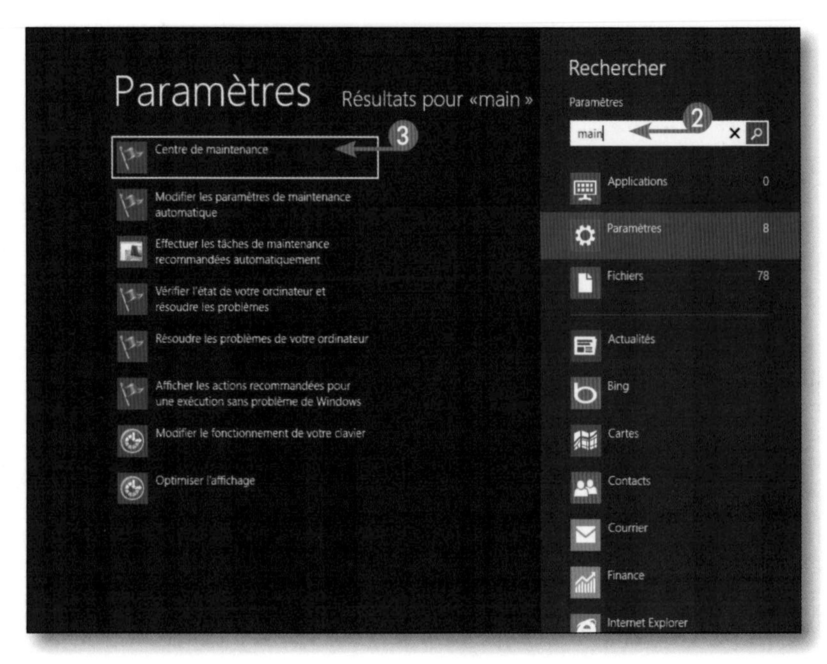

❶ Appuyez sur [Windows] + [W].

Le volet de recherche de paramètres apparaît.

❷ Commencez à taper maintenance.

❸ Cliquez **Centre de maintenance**.

Le Centre de maintenance vous indique par exemple que votre ordinateur n'est pas protégé contre les virus ou que la base de données de Windows Defender n'est pas mise à jour. Il vous avertit si Windows n'est pas configuré pour télécharger automatiquement les mises à jour et si des fonctions de sécurité essentielles, comme le contrôle de compte d'utilisateur, sont désactivées.

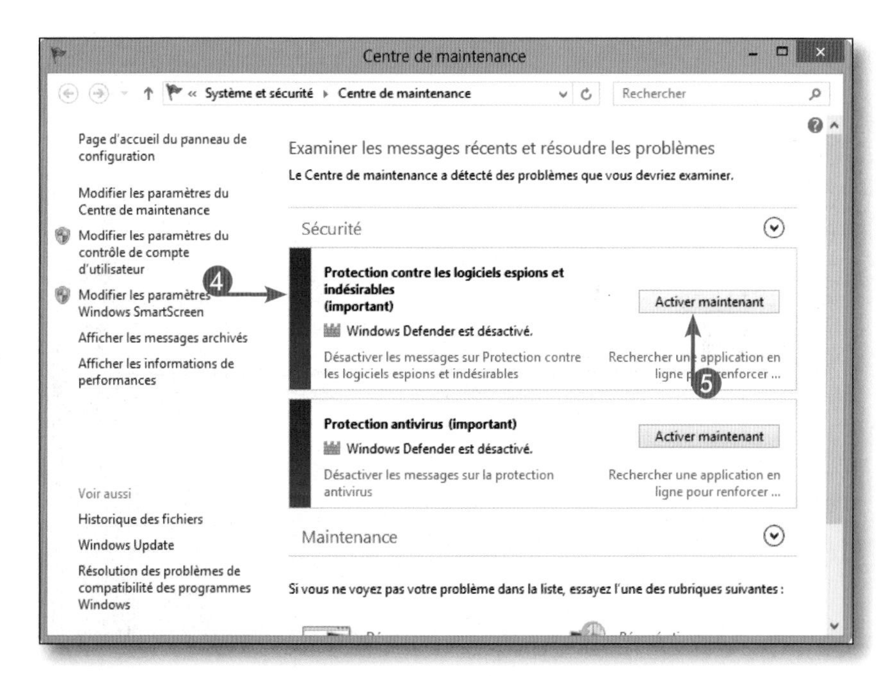

La fenêtre Centre de maintenance s'affiche.

4 Consultez les avertissements de sécurité.

5 Cliquez **Activer maintenant** pour éliminer un risque si un message vous avertit qu'une fonction importante est désactivée.

Pour consulter rapidement les messages du Centre de maintenance, cliquez l'icône Centre de maintenance (▣) dans la zone de notification de la barre des tâches. Les messages apparaissent. Pour accéder au Centre de maintenance, cliquez Ouvrir Centre de maintenance.

DÉTECTEZ LES PROBLÈMES DE SÉCURITÉ AVEC LE CENTRE DE MAINTENANCE (SUITE)

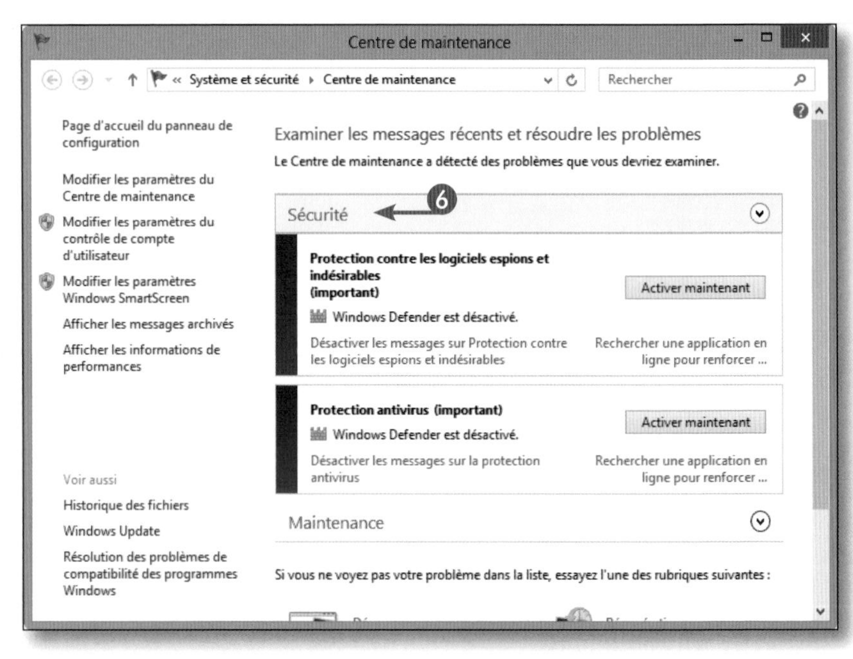

6 Cliquez **Sécurité**.

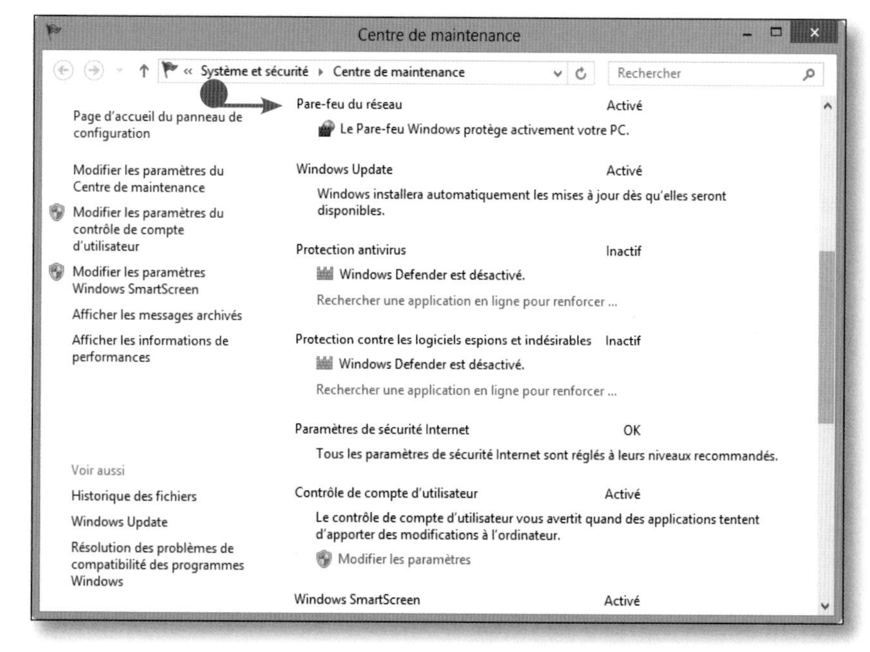

7 Parcourez les éléments de la section Sécurité.

● Le Centre de maintenance présente une vue d'ensemble de tous les paramètres de sécurité de votre système.

En définissant correctement le niveau de protection de Windows Live Mail, vous luttez plus facilement contre le courrier indésirable, ou *spam*. Définissez un niveau élevé si vous recevez quotidiennement de nombreux messages de ce type ou faible si vous êtes peu concerné.

DÉFINISSEZ LE NIVEAU DE PROTECTION

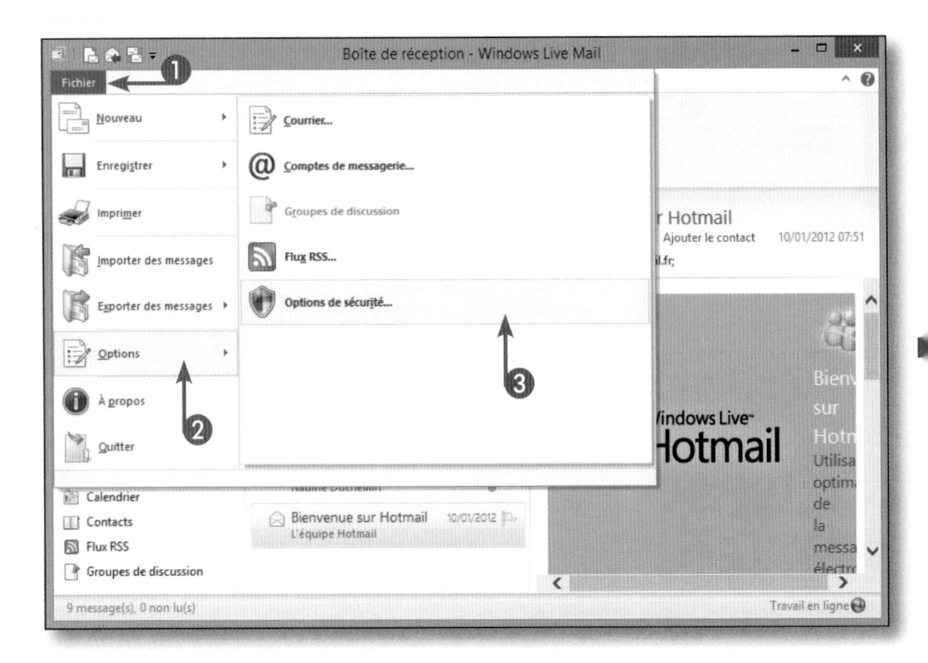

1 Cliquez **Fichier**.

2 Cliquez **Options**.

3 Cliquez **Options de sécurité**.

Plus le niveau de protection est élevé, plus Windows Live Mail va rechercher le courrier indésirable. Tous les messages suspects sont déplacés vers le dossier Courrier indésirable. Si un message légitime s'y retrouve par accident, marquez-le comme tel pour le récupérer.

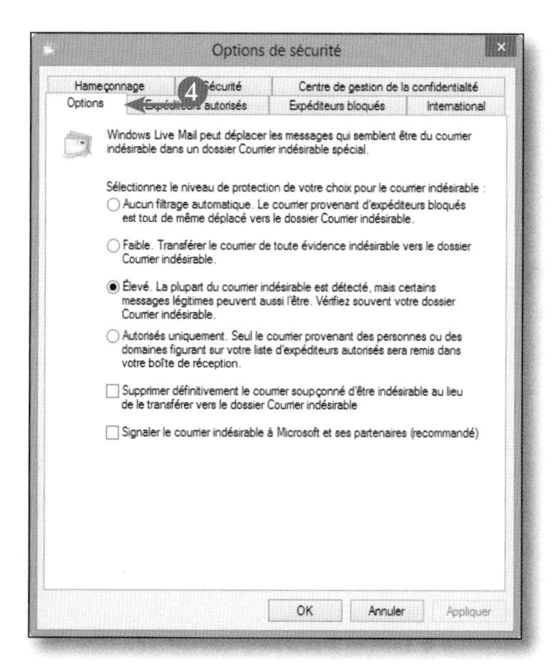

La boîte de dialogue Options de sécurité s'affiche.

4 Cliquez l'onglet **Options**.

Un *faux positif* est un message légitime identifié par erreur par Windows Live Mail comme courrier indésirable et déplacé vers le dossier Courrier indésirable. Si vous sélectionnez le niveau de protection Élevé, vous courez plus de risques d'avoir affaire à des faux positifs et de devoir plus souvent vérifier le contenu de ce dossier pour y chercher des messages légitimes.

DÉFINISSEZ LE NIVEAU DE PROTECTION (SUITE)

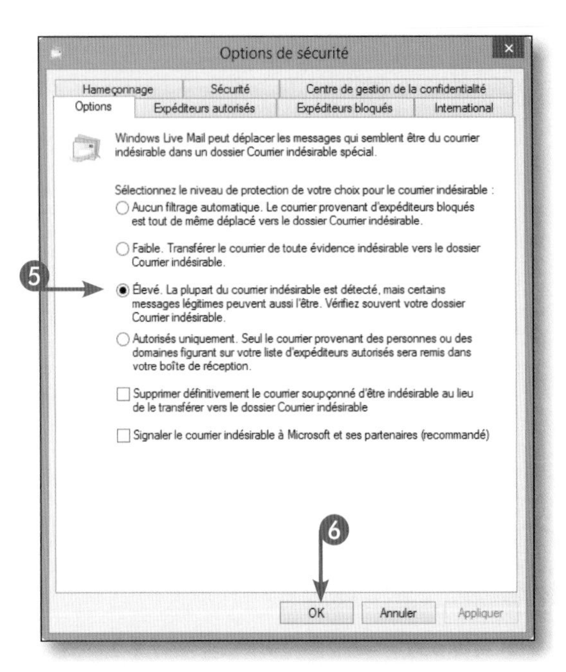

5 Cliquez le niveau de protection à définir (○ devient ◉).

Cliquez **Aucun filtrage automatique** si vous recevez très peu de messages indésirables.

Cliquez **Faible** si vous recevez une quantité raisonnable de courrier indésirable.

Cliquez **Élevé** si vous recevez de nombreux messages indésirables chaque jour.

6 Cliquez **OK**.

Windows Live Mail applique le nouveau niveau de protection.

Avec le niveau Autorisés uniquement, Windows Live Mail traite tous les messages comme du courrier indésirable, sauf si l'adresse de l'expéditeur figure dans votre liste d'expéditeurs autorisés. Pour la remplir, suivez les étapes 1 à 4 de cette section, cliquez l'onglet **Expéditeurs autorisés** puis le bouton **Ajouter**, tapez une adresse e-mail, cliquez **OK** et répétez l'opération autant de fois que nécessaire. Sinon, cliquez un message légitime du bouton droit, cliquez **Courrier indésirable**, puis **Ajouter l'expéditeur à la liste des expéditeurs autorisés**.

MARQUEZ UN MESSAGE COMME LÉGITIME

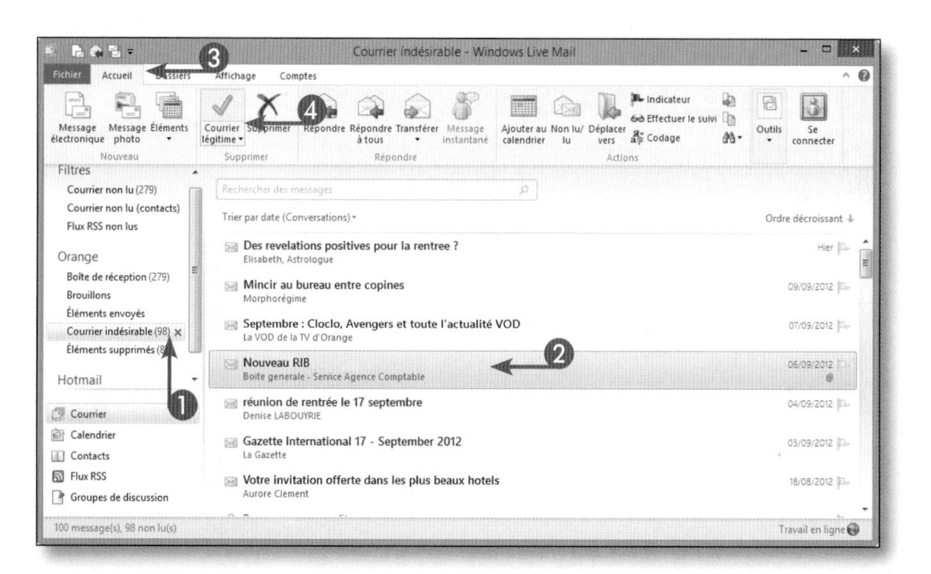

1 Cliquez le dossier **Courrier indésirable**.

2 Cliquez le message.

3 Cliquez l'onglet **Accueil**.

4 Cliquez **Courrier légitime**.

Windows Live renvoie le message vers le dossier Boîte de réception.

VÉRIFIEZ L'ESPACE DISPONIBLE SUR LE DISQUE DUR

Quand l'espace vient à manquer sur le disque dur, vous ne pouvez plus installer de programmes supplémentaires ni enregistrer de nouveaux documents. Pour éviter d'en arriver là, contrôlez régulièrement l'espace encore disponible.

VÉRIFIEZ L'ESPACE DISPONIBLE SUR LE DISQUE DUR

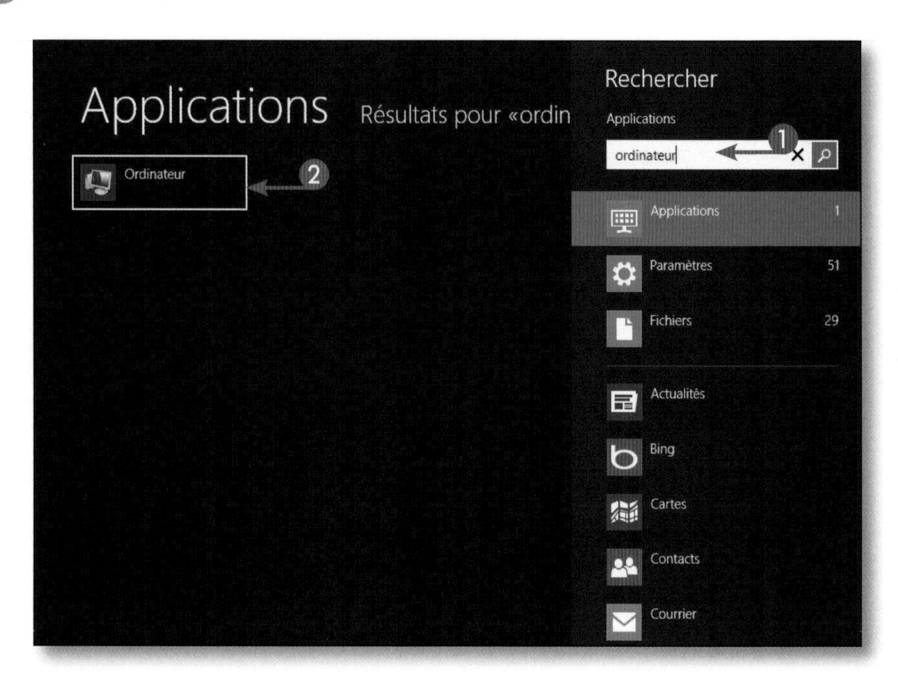

Note. *Vous suivrez la même technique pour vérifier l'espace libre sur un CD ou un DVD, une clé USB, ou une carte mémoire en insérant au préalable le support amovible dans son lecteur.*

❶ Dans l'écran d'accueil, tapez ordinateur.

❷ Cliquez **Ordinateur**.

Prêtez une attention particulière au disque dur sur lequel Windows 8 est installé, généralement le disque local (C:). Lorsque l'espace libre devient inférieur à 20 ou 25 Go, Windows 8 risque de fonctionner au ralenti.

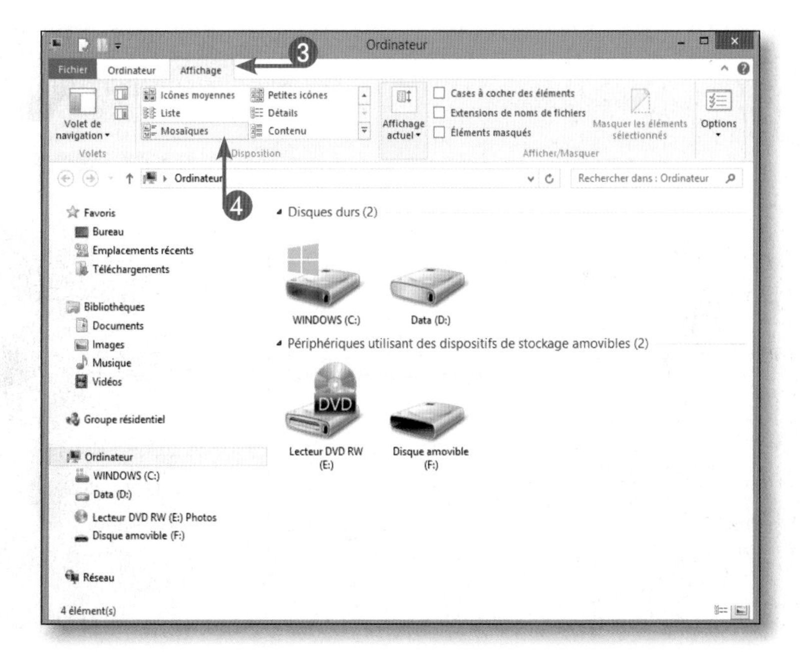

La fenêtre Ordinateur s'affiche.

❸ Cliquez l'onglet **Affichage**.

❹ Cliquez **Mosaïques**.

VÉRIFIEZ L'ESPACE DISPONIBLE SUR LE DISQUE DUR

**Dans le cadre d'une utilisation courante de l'ordinateur, il est raisonnable de vérifier une fois par mois l'espace disponible d'un disque dur.
Si vous installez des programmes, créez des fichiers volumineux ou téléchargez fréquemment des fichiers multimédias, vérifiez votre disque dur plus régulièrement.**

Lorsque l'espace libre vient à manquer, vous avez trois solutions :

VÉRIFIEZ L'ESPACE DISPONIBLE SUR LE DISQUE DUR (SUITE)

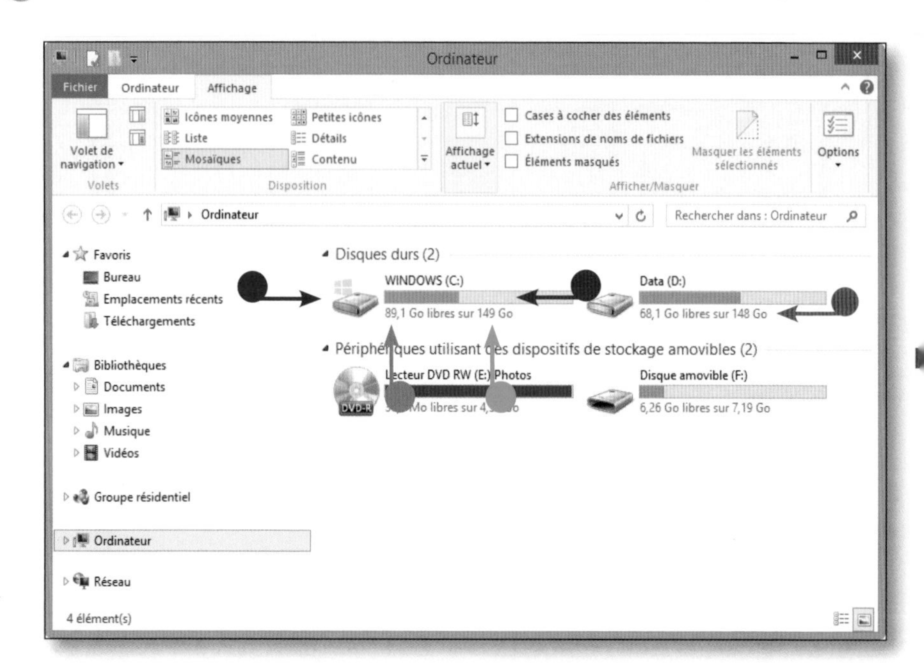

Les informations concernant chaque disque s'affichent en regard de son icône.

Cette valeur indique la quantité d'espace disponible sur le disque.

Cette valeur indique la capacité totale du disque.

Cette barre permet de juger d'un coup d'œil la quantité d'espace utilisée sur le disque.

Le logo Windows (⊞) signale le disque dur sur lequel Windows 8 est installé.

- Supprimer des documents. Si votre disque contient des fichiers inutiles (images, vidéos ou musiques), supprimez-les.
- Supprimer des programmes. Vous pouvez désinstaller les programmes que vous n'utilisez plus (voir la section « Désinstallez une application » du chapitre 2).
- Lancer Nettoyage de disque. Supprimez les fichiers dont Windows 8 ne se sert plus à l'aide du programme Nettoyage de disque. Reportez-vous à la section suivante pour plus de détails.

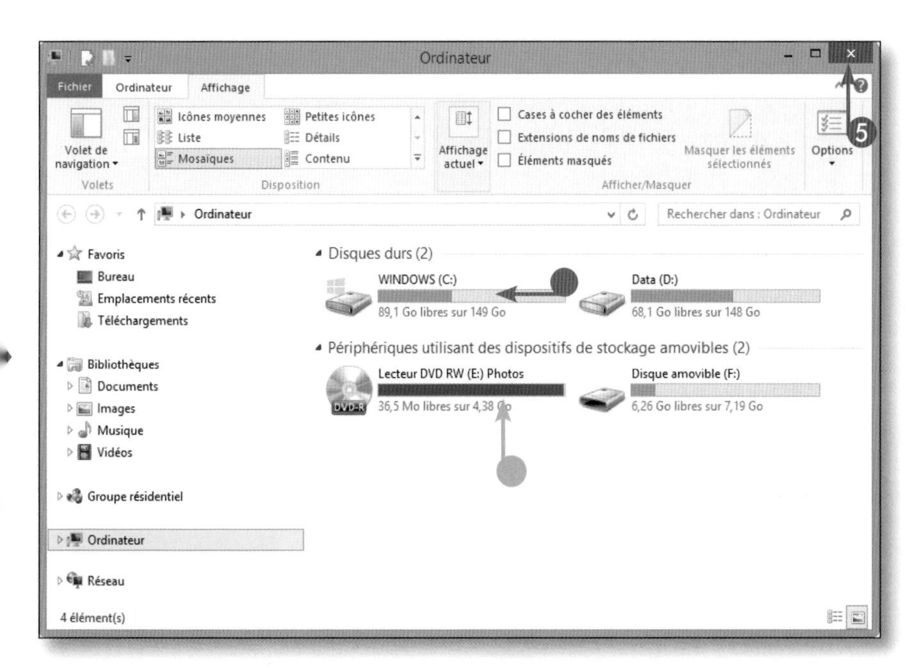

- La portion utilisée apparaît en bleu si l'espace disponible est suffisant.
- La portion utilisée devient rouge si l'espace disponible n'est plus suffisant.

5 Cliquez le bouton **Fermer** (×) pour fermer la fenêtre Ordinateur.

Afin d'assurer le fonctionnement optimal de Windows 8, faites appel à l'outil Nettoyage de disque pour vous débarrasser des fichiers dont le système n'a plus besoin.

SUPPRIMEZ LES FICHIERS INUTILES

➊ Appuyez sur [Windows] + [W].

Le volet de recherche de paramètres s'affiche.

➋ Tapez libérer.

➌ Cliquez **Libérer de l'espace disque en supprimant les fichiers inutiles**.

Les disques durs des nouveaux ordinateurs ont une très large capacité, mais les logiciels et les fichiers multimédias requièrent toujours plus d'espace. Vous exécuterez l'outil Nettoyage de disque dès que l'espace sur le disque dur deviendra insuffisant. Vous pouvez nettoyer le disque dur tous les deux ou trois mois si vous ne manquez pas particulièrement d'espace.

Si votre ordinateur possède plusieurs disques durs, la boîte de dialogue Sélection du lecteur apparaît.

❹ Cliquez ▾ pour ouvir la liste Lecteurs et sélectionnez le disque à nettoyer.

❺ Cliquez **OK**.

SUPPRIMEZ LES FICHIERS INUTILES

L'outil Nettoyage de disque élimine les types de fichiers suivants :

● **Fichiers programmes téléchargés :** petits programmes copiés sur votre disque dur lors de la consultation de certaines pages Web.

● **Fichiers Internet temporaires :** copies des pages Web stockées sur votre disque dur pour en accélérer l'affichage ultérieur.

SUPPRIMEZ LES FICHIERS INUTILES (SUITE)

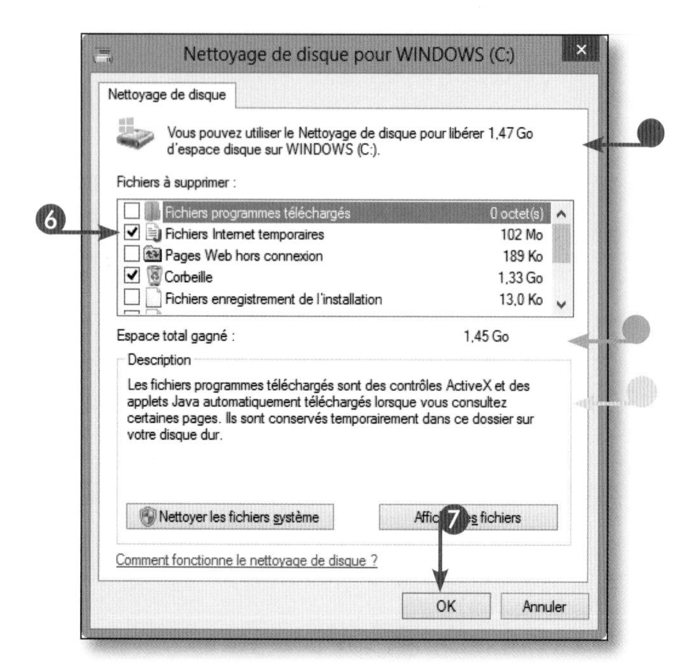

Après quelques instants, la boîte de dialogue Nettoyage de disque s'affiche.

● Cette zone présente la quantité totale d'espace que vous pouvez libérer.

● L'espace que vous pouvez gagner en supprimant les éléments sélectionnés apparaît ici.

⑥ Cochez la case (☐ devient ☑) de chaque type de fichiers à supprimer.

● La description du type de fichiers sélectionné s'affiche ici.

⑦ Cliquez **OK**.

- **Fichiers hors connexion :** fichiers réseau copiés sur votre ordinateur afin d'y accéder même lorsque vous n'êtes pas connecté au réseau.
- **Corbeille :** fichiers supprimés et stockés temporairement dans la Corbeille.
- **Fichiers temporaires :** fichiers utilisés par les programmes pour stocker temporairement des données.
- **Miniatures :** vignettes d'aperçu des images, des vidéos et des documents qui s'affichent dans vos dossiers.

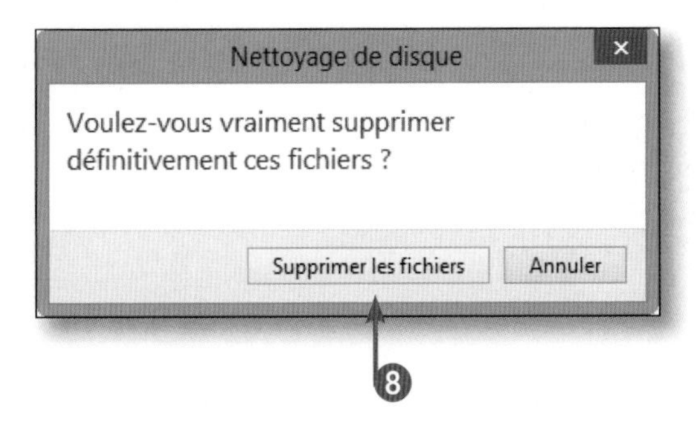

L'outil Nettoyage de disque demande confirmation.

8 Cliquez **Supprimer les fichiers**.

Si vous constatez un fonctionnement anormalement lent de Windows ou des problèmes fréquents avec certaines applications, vous pouvez actualiser l'ordinateur pour rétablir les fichiers système sans nuire à vos fichiers personnels.

ACTUALISEZ VOTRE ORDINATEUR

❶ Appuyez sur [Windows] + [I].

Le volet Paramètres s'affiche.

❷ Cliquez **Modifier les paramètres du PC**.

La fonction d'actualisation réinstalle les fichiers système de Windows 8. Elle sauvegarde les documents, images et autres fichiers de votre compte d'utilisateur, certains de vos paramètres et les applications de Windows 8 que vous avez installées. En revanche, elle restaure à leur valeur par défaut les autres paramètres de l'ordinateur et élimine les logiciels que vous avez installés dans l'espace du Bureau.

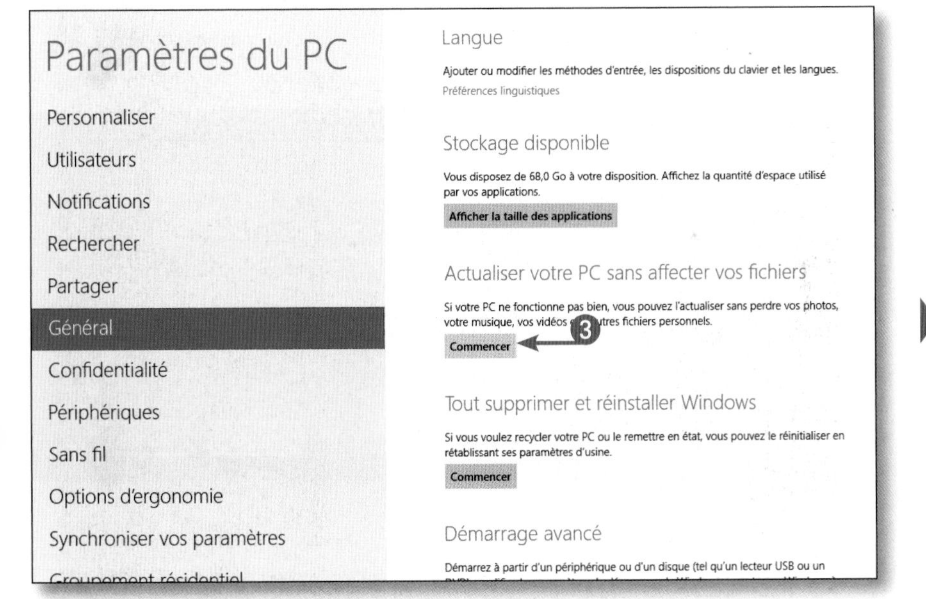

L'application Paramètres du PC s'ouvre sur l'onglet Général.

3 Cliquez **Commencer**.

ACTUALISEZ VOTRE ORDINATEUR

Si le problème que rencontre le système vous empêche de redémarrer l'ordinateur, vous lancerez l'actualisation à partir du disque d'installation de Windows 8 :

1. Insérez le disque d'installation et redémarrez l'ordinateur.
2. Commandez le démarrage à partir du DVD.

Note. *Le démarrage à partir du DVD se commande différemment d'un ordinateur à l'autre. Soit vous verrez un message vous demandant d'appuyer sur une touche, soit vous sélectionnerez le lecteur DVD dans une liste.*

ACTUALISEZ VOTRE ORDINATEUR (SUITE)

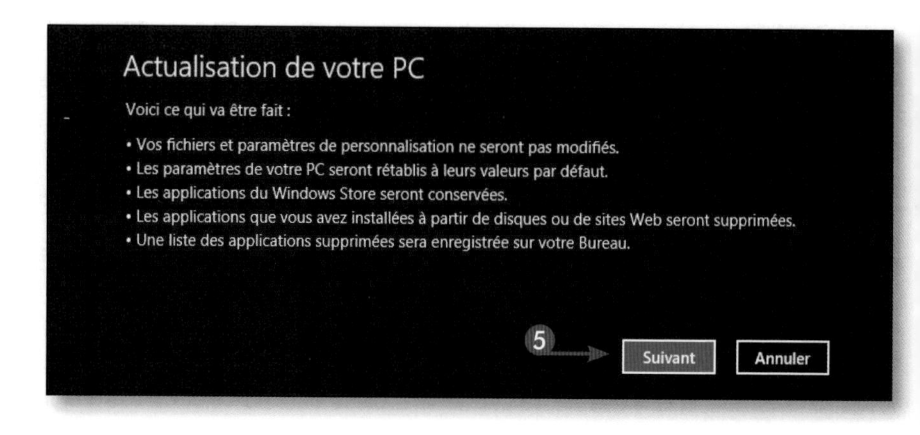

L'écran Actualiser votre PC décrit la procédure.

4. Insérez le disque d'installation ou de récupération de Windows 8.

Note. *Il faut utiliser l'assistant Créer un lecteur de récupération pour disposer d'un disque de récupération.*

5. Cliquez **Suivant**.

La boîte de dialogue Installation de Windows s'affiche.

3 Cliquez **Suivant**.

4 Cliquez **Réparer votre ordinateur**.

5 Cliquez **Dépanner**.

6 Cliquez **Actualiser votre ordinateur**.

7 Cliquez **Suivant**.

8 Cliquez **Windows 8**.

9 Cliquez **Actualiser**.

6 Cliquez **Restaurer les performances**.

La fonction d'actualisation redémarre l'ordinateur et réinstalle à neuf les fichiers système de Windows 8.

INDEX

D

E

Également parus aux Éditions First :

ISBN 9782754051026

ISBN 9782754042888